审核评估模式下

高校本科教学

内部质量保障体系研究

程家福　著

SHENHE PINGGU MOSHIXIA
GAOXIAO BENKE JIAOXUE
NEIBU ZHILIANG BAOZHANG TIXI YANJIU

化学工业出版社
·北京·

内容简介

本书立足高等教育内涵式发展与本科教育教学审核评估深入推进的时代背景，聚焦占全国高校90%的地方本科院校，系统探究其教育质量保障体系的优化路径。以教育评价理论和全面质量管理理论为基石，围绕“学生中心、产出导向、持续改进”的评估理念，通过案例比较、政策文本分析和实证调研，深度剖析地方院校在专业同质化、机制碎片化、质量文化薄弱和产教融合不足等方面的现实困境。在此基础上，创新性地提出“理念筑基—机制赋能—资源重置—数据驱动”四维协同优化路径，并借助高校典型案例验证其有效性，为破解质量保障深层矛盾、构建具有区域和应用特色的内生型质量保障体系，提供了理论模型和实践范本。

本书适合教育学、教育经济与管理等相关专业的本科生、研究生和研究人员阅读使用，为地方本科院校管理者、教学质量保障人员和一线教师提供了可操作的行动指南，也为教育行政部门制定分类评价政策、优化评估实践提供了理论参考和决策依据。

图书在版编目（CIP）数据

审核评估模式下高校本科教学内部质量保障体系研究 / 程家福著. —北京：化学工业出版社，2025. 11.

ISBN 978-7-122-49379-8

Ⅰ. G642.0

中国国家版本馆CIP数据核字第202529XZ80号

责任编辑：毕小山　　文字编辑：刘　璐
责任校对：李　爽　　装帧设计：刘丽华

出版发行：化学工业出版社
（北京市东城区青年湖南街13号　邮政编码100011）
印　　装：北京科印技术咨询服务有限公司数码印刷分部
787mm×1092mm　1/16　印张10¼　字数232千字
2026年1月北京第1版第1次印刷

购书咨询：010-64518888　　售后服务：010-64518899
网　　址：http://www.cip.com.cn
凡购买本书，如有缺损质量问题，本社销售中心负责调换。

定　　价：98.00元

前言

在我国高等教育迈向内涵式发展的关键阶段，本科教育教学审核评估已成为推动高校教学质量保障体系深度变革的重要引擎。地方本科院校作为高等教育体系的主体部分，承担着服务区域经济社会发展的重大使命，却也面临着资源投入不均、产教融合不足、办学定位模糊等多重挑战。在此背景下，如何构建契合地方应用型人才培养目标、贯通“教育—人才—产业”生态链的内生型质量保障体系，已成为一项亟待系统回应的时代命题。本书正是在这样的现实与理论背景下写作出版的。

近年来，国家层面对高等教育质量提出新要求，审核评估模式不断深化，这对院校自我建设、持续改进的引导功能日益凸显。然而，当前学界对地方本科院校质量保障体系的研究或偏重宏观政策解读，或停留于局部经验总结，缺乏系统、实证与操作层面相结合的深入探讨。本书立足于这一现实问题，通过理论构建与实证分析双重路径，为地方本科院校提供一套科学可行、特色鲜明的质量保障优化方案。我们期望本书不仅是教育学领域研究者的一份理论参考，更是一本能够为院校管理者和一线教师提供实践参考的行动指南。我们希望本书所提出的“理念—机制—资源—数据”四维协同模型和分阶段实施策略，能够切实助力地方院校教育教学质量改进，实现从“外部驱动”到“内生自觉”的转变。

本书以教育评价理论、全面质量管理（TQM）理论为基础，紧扣审核评估“学生中心、产出导向、持续改进”的核心理念，通过案例比较、政策文本分析和实证调研，系统剖析了地方院校质量保障体系中存在的专业同质化、机制碎片化、质量文化虚化、产教融合表层化等深层矛盾。

在此基础上，本书聚焦美、英、德、澳四国地方应用型高校质量保障特色路径的探究，创新性地提出了“理念筑基—机制赋能—资源重置—数据驱动”四维协同优化路径，并结合辽宁石油化工大学、常熟理工学院和滁州学院这三所被教育部评估为优秀院校凝练出的特色化质量保障路径，深刻阐明了我国地方本科院校教育教学质量保障体系优化的主要路径，以及各维度推进的具体策略和操作要点。全书共分为九章：第一章介绍研究背景、文献综述和研究思路与方法，第二章和第三章分别阐述本科教育教学质量保障理论基础、审核评估理念和要求对质量保障的价值导向，第四章梳理地方院校教育教学质量保障成效和主要问题，第五章剖析地方本科院校教育质量保障问题的影响因素，第六章总结国外地方应用型高校教育质量保障的有益经验，第七章解读我国地方院校教育质量保障典型案例，第八章论述我国地方本科院校教育质量保障体系优化的主要路径，第九章概述本书主要的研究结论、对策建议和未来研究展望。

本书的理论创新在于突破了传统单一视角的研究局限，构建“制度—技术—文化”三维耦合、动态演进的分析框架，提出“三维适配”理论模型和“问题—因素—路径—对策”的闭环研究范式，并深化了“数据治理”和“质量文化”在操作层面的内涵。

实践方面，本书致力于为地方本科院校优化教育教学质量保障体系提供一套可落地、可复制的“施工蓝图”，涵盖机制建设、数据治理、文化培育等关键环节。同时，为教育行政部门优化分类评估与资源配置政策提供实证依据和决策参考。书中融入了大量来自一线地方院校的案例与数据，增强了内容的可信性与实用性。

本书适合教育学、教育经济与管理等相关专业的本科生、研究生和研究人员阅读，也可为地方本科院校管理者、教学质量保障人员、一线教师和教育行政部门提供决策参考。建议理论研究者可重点关注前五章的理论构建与模型阐释；实践工作者则可侧重阅读第六、七、八章中的案例分析与实施策略，结合自身院校实际，选择适合的优化路径分阶段推行。

本书撰写历时三年，分为三个主要阶段：2023 年完成国内外文献综述与研究框架设计，2024 年开展实证调研与章节初稿撰写，2025 年根据专家评审意见进行多次修改与润色，最终定稿。全书由程家福教授拟定大纲、统稿修订和定稿。安徽建筑大学研究生李蒙、安志云、杜冰冰等同学协助完成了文献整理、数据收集等工作。承蒙多位审稿专家在繁忙的工作中拨冗指正，提出了诸多宝贵意见，在此深表谢意。

本书的出版得益于以下基金项目的联合资助：中国建设教育协会教育教学科研重点课题“共生理论视域下地方高校产教融合的困境与超越”（编号：2021001）、安徽省高等学校科学研究项目“乡村振兴战略下农村籍高职毕业生返乡就业创业研究”（编号：2023AH052556）、安徽省研究生教育教学改革研究项目“基于 PDCA 的研究生教学质量持续改进问题”（编号：2022jyjxggyj312），以及安徽建筑大学校企合作实践教育基地项目“安徽建筑大学安徽老乡鸡餐饮服务有限公司实践教育基地”（编号：2022xqhz01）。

衷心感谢我的研究团队，在调研、讨论与写作过程中表现出严谨的学术态度和高效的执行能力。感谢安徽建筑大学提供的优良科研平台与资源支持。感谢我的家人一直以来的理解与陪伴。感谢化学工业出版社编辑团队专业、细致的工作，为本书的出版付出了大量心血。

尽管我们在研究与写作过程中力求严谨、深入和全面，但限于水平与视野，书中难免存在疏漏，敬请各位读者不吝批评指正。期望本书能抛砖引玉，引发更多学者和实践者共同关注并推动我国地方本科院校教育质量保障体系的优化与创新。

程家福

于安徽建筑大学

2025 年秋

目录

第一章　绪论

伴随高等教育内涵式发展上升为国家战略，我国正推动高等教育从规模扩张向质量提升的深刻转型。在此背景下，本科教育教学审核评估制度持续深化，构建起学术型和应用型两类评估框架，通过数据驱动监测、多维评价机制和闭环整改路径，赋能高校质量保障体系升级。地方院校作为我国高等教育体系的主体（占比近 90%），其核心使命在于服务区域发展，成为地方应用型人才供给主渠道、产业升级创新引擎和文化传承载体。然而，资源投入失衡、产教协同薄弱及定位冲突等共性挑战制约其效能的充分发挥。因此，亟须探索适配区域特色、激发内生动力、贯通教育—人才—产业生态链的质量保障新范式，以支撑国家高等教育发展战略全面落实。

第一节　优化教育质量保障体系的时代背景

一、高等教育内涵式发展与质量提升的国家战略需求

高等教育内涵式发展已成为国家教育战略的核心导向。党的十八大首次提出“推动高等教育内涵式发展”，党的十九大进一步强调“加快一流大学和一流学科建设”，标志着我国高等教育从规模扩张向质量提升的历史性转型。《中国教育现代化 2035》明确提出“提升高等教育竞争力”的战略目标，而《“十四五”教育发展规划》更将“高等教育内涵式发展”列为三大攻坚任务之一，要求高校聚焦“关键核心技术突破”“战略急需人才培养”和“区域发展支撑能力建设”。这一战略转向的本质是通过结构性改革与质量文化重塑，实现高等教育与国家创新体系深度耦合。2023 年，教育部等五部门联合印发的《普通高等教育学科专业设置调整优化改革方案》要求“到 2025 年优化调整 20%左右学科专业布点”，正是对内涵式发展的政策响应。

国际经验同样印证了质量提升的紧迫性。经济合作与发展组织（OECD）的“教育 2030：未来教育与技能”项目强调，高等教育须建立“适应性学习系统”以应对技术革命的挑战。我国实施的“四新”建设（新工科、新医科、新农科、新文科）通过重构学科专

业体系，推动教育链与产业链协同创新。例如，佛山大学依托“新工科”建设，将80%的专业对接佛山智能制造产业，毕业生本地就业率达93%，成为服务区域转型的典范。

二、审核评估作为高等教育质量保障核心制度的确立与深化

本科教育教学审核评估已发展为我国高等教育质量保障的支柱性制度。2021年教育部制定的《普通高等学校本科教育教学审核评估实施方案（2021—2025年）》首次构建“两类四种”评估分类框架，将高校分为学术型与应用型两类，并针对应用型高校增设“服务区域贡献度”核心指标。该制度通过三大创新实现深度变革：

① 评价机制多维化。建立“1+3+3”证据链体系，即1份自评报告+教学过程、资源投入、学生发展，3类过程性数据+就业质量、雇主评价、社会声誉，3类结果数据，打破传统评估的数据孤岛。

② 技术赋能实时化。依托“全国高校教学基本状态数据库”，实现教学质量动态监测。如郑州大学日均采集10万条课堂行为数据，构建“教学异常实时预警模型”。

③ 质量改进闭环化。建立“评估—反馈—整改—复查”机制。如常熟理工学院针对2023年评估中指出的“双师型教师占比不足”问题，通过校企共建产业教授库，半年内将该指标提升了27个百分点（表1-1）。

表1-1　新一轮审核评估核心创新点及实践案例

创新维度	制度设计	典型案例
分类评估机制	应用型高校单列“产业契合度”“本地就业贡献率”指标	湖北经济学院“超级课堂”获评示范项目(2024)
数据驱动监测	教学状态数据平台覆盖7大类658个观测点	浙江大学课程质量AI诊断系统降低差课率32%
多主体协同评价	引入第三方机构、用人单位参与评估	麦可思公司承担25省高校就业质量评价

三、地方院校在高等教育体系中的基础地位与独特使命

地方院校构成我国高等教育的战略基石。截至2024年，全国2913所普通高校中地方院校占比约89.7%（2612所），承担全国73.5%的本科生培养任务。其核心使命体现为三重功能定位：

① 区域人才供给主渠道。培养“下得去、用得上、留得住”的地方应用型人才。如河南工业大学粮食工程专业85%的毕业生服务于中原粮仓建设，促进河南粮食加工产值年增长12%。

② 产业升级创新引擎。构建“城校共生”发展模式。东莞理工学院联合华为、大疆设立“智能制造创新班”，近三年获企业研发委托经费4.2亿元，技术转化率达68%。

③ 文化传承的核心载体。牡丹江师范学院开发的“东北抗联精神”课程体系，覆盖全校87%的专业，获国家级教学成果二等奖。

地方院校的核心竞争力在于特色化突围。正如潘懋元所言：“地方高校必须立足地方、

依靠地方、服务地方，在服务中形成不可替代性。”洛阳理工学院聚焦无机非金属材料领域，其研发的特种水泥技术被纳入“一带一路”重大工程采购目录，彰显了其在细分领域的全球竞争力。

四、地方本科院校教育质量保障的共性挑战与特殊性

1. 共性挑战：三重结构性矛盾

① 资源投入失衡。地方高校生均经费仅为部属院校的46%，导致生师比高达18.7∶1（国家均值为14.2∶1）。2023年《全国本科教学质量报告》显示，地方高校专业课小班化（30人以下）开设率仅31.5%，制约了探究式教学的实施。

② 产教协同薄弱。校企合作多停留于协议层面，企业深度参与课程开发的比例不足15%。全国政协委员马珺调研指出：“校企‘合而不融’导致人才培养滞后产业迭代2～3年。”

③ 质量文化虚化。内部质量保障呈“碎片化”，如教学督导与专业评估脱节。郑州大学曾通过梳理117项制度漏洞，才构建起“标准—执行—评价—改进”闭环体系。

2. 特殊困境：区域适配性挑战

① 定位冲突。地方应用型高校在学术标准与职业能力间难以平衡。江苏的《应用型高校建设标准》要求“双师型教师占比≥40%”，但苏北高校的达标率仅为28%。

② 区域失衡。高等教育大省面临“量大质弱”的困局。河南拥有174所高校，却仅有2所“双一流”大学，高技能人才外流率超40%。亟须建立差异化质量指标，农业大省侧重粮食安全相关专业认证，老工业基地强化智能制造人才标准。

第二节 国内外研究现状述评

一、国外高等教育质量保障模式的多元路径及启示

国际高等教育质量保障体系呈现“认证主导型”“审核驱动型”“评估协同型”三类典型范式，其演进逻辑对我国地方院校质量保障体系的优化有重要借鉴价值。

1. 认证主导型模式的制度刚性特征

以美国为代表的认证制度通过非政府组织构建分层质量基准，形成“院校认证—专业认证—认证机构元评估”三级体系。地区性认证机构，如新英格兰院校协会（NEASC）聚焦院校整体办学资质，而国际商学院协会（AACSB）等专业认证则强化与产业标准的衔接，2024年工程教育认证中要求课程更新周期不大于3年的专业占比达92%。其核心矛盾在于市场化机制导致院校趋同化发展，如商科专业为通过国际商学院协会的认证过度强化案例教学而弱化理论基础，背离差异化人才培养的本质。

2. 审核驱动型模式的内源性质量文化构建

英国高等教育质量保障署（QAA）推行的院校审核（Institutional Audit）实现了从

"直接评估教育质量"到"验证内部质保体系有效性"范式的转变，确立三项核心标准：内部质量保障机制的有效性、质量信息的准确性与透明度和质量改进闭环的实证性。曼彻斯特大学据此建立"TEF（教学卓越框架）数据仪表盘"，实时监测师生互动频率、学习资源使用率等12项过程指标，使教学质量整改响应速度提升40%。该模式凸显"以院校为主体"的治理智慧，但依赖成熟的学术自治传统，在盛行集权管理文化的国家移植难度较大。

3. 评估协同型模式的公共治理创新

澳大利亚构建"联邦政府—州政府—大学质量保障署—高校—学历资格评定框架署"五位一体的体系，通过权责清单化破解多头管理困境。2023年澳大利亚大学质量保障署（AUQA）改革引入"风险导向评估"机制，降低偏远地区高校的财务指标权重，增设"原住民文化传承贡献度"特色指标。新西兰则通过行业规则强制高校披露生均资源充足率、学费使用明细等关键信息，使国际学生投诉率下降27%（表1-2）。

表1-2 国际质量保障模式比较与地方院校适用性分析

模式类型	代表国家	核心机制	制度优势	地方院校适用瓶颈
认证主导	美国	非政府分层认证	产业对接精准度高	认证成本高，小微院校难承受
审核驱动	英国	院校内部质保体系有效性验证	激发质量文化内生动力	依赖学术自治传统
评估协同	澳大利亚	多主体权责清单	破解政校博弈困境	行政协调成本高

对我国地方院校质量保障的启示在于：需构建"分类—适配—发展"三维机制。其一是构建分类机制，参照加利福尼亚州州立大学系统区分"研究型、教学型、社区服务型"高校认证标准；其二是构建适配机制，如德国应用科学大学（Fachhochschule，FH）认证要求应用型专业企业实践学分大于等于总学分的30%；其三是构建发展机制，学习欧洲"质量文化成熟度模型"，设置五级进阶式改进目标。

二、国内本科教学评估制度演进与研究焦点转移

我国的评估体系历经从硬件达标导向到内涵发展导向的深刻转型。当前研究聚焦于历史逻辑、现实矛盾与范式重构三重维度。

1. 评估制度的三阶段跃迁

① 合格评估（2003～2013年）。针对新建本科院校，设定"生师比≤18∶1""教授授课率≥90%"等刚性门槛，但这导致部分院校重硬件投入轻机制创新，如某学院贷款扩建实验室导致债务危机。

② 审核评估1.0（2014～2020年）。强调"五个度"的达成性，却因指标同质化遭诟病。2018年质量报告显示，地方高校"专业与区域产业匹配度"仅为58.3%。

③ 审核评估2.0（2021年至今）。重大突破在于建立"学术型—应用型"分类评估框架。应用型高校单设"服务区域贡献度"指标群，涵盖毕业生本地就业率、横向技术合同

占比等 7 项观测点。如湖北经济学院“超级课堂”因企业真实项目占比达 85%而获评示范案例。

2. 数字化转型驱动质量治理变革

人工智能技术正重构评估方法论。教育部等九部门发布的《关于加快推进教育数字化的意见》（教办〔2025〕3 号）要求，持续推进国家教育大数据中心建设。实践层面呈现两大趋势：一是数据采集实时化，如郑州大学日均采集 10 万条课堂行为数据，构建教学异常预警模型；二是诊断反馈智能化，如山东英才学院的“六位一体”闭环系统实现培养目标达成度自动预警，使课程调整周期从 18 个月压缩至 5 个月。但 2024 年专项审计显示，73%的地方高校因数据孤岛难以建立校级监测仪表盘。

3. 质量保障与评价改革的结构性矛盾

当前研究揭示了三大深层冲突：一是标准化与特色化张力冲突，审核评估虽分类但指标仍侧重学术成果，如“师均科研经费”权重达 15%，迫使应用型高校偏离定位。二是技术赋能与制度惰性冲突，某省虽部署了智慧教学系统，但 86%的教师仍沿用传统评价量表。三是评估周期性与质量持续改进冲突，五年评估周期导致“运动式整改”。北方民族大学的诊断评估暴露了“跨学科课程虚设”“质量文化表层化”等问题。

三、地方院校质量保障研究的进展与理论盲区

聚焦审核评估视角的地方院校研究呈现“政策响应强、理论创新弱”的特征，亟须突破以下三重理论桎梏。

1. 定位适配性研究的范式突破

潘懋元提出的“地方高校锚定区域需求”原则获广泛认同，但实践上存在双重困境：一是学术漂移，如某理工院校盲目增设人工智能专业，但师资中企业工程师占比仅 8%；二是职业固化，过度强调技能训练导致学生发展潜力不足，毕业生 5 年职级晋升率比综合型院校低 32%。2023 年江苏的《应用型高校建设标准》中创新性地提出“双能力矩阵”模型，要求课程体系同时覆盖职业能力（占比 60%）与学术能力（占比 40%）。

2. 质量保障机制创新的实践探索

前沿研究聚焦三大路径：一是产教融合机制重构，东莞理工学院的“智能制造创新班”获得了企业提供的 4.2 亿元研发经费，技术转化率达 68%；二是基层教学组织变革，江苏推行虚拟教研室覆盖 92%的专业，解决师资碎片化难题；三是学生发展增值评价，北京大学取消绩点推行等级制，设立“高挑战度荣誉课程”，避免了“去卷化”导致的平庸，但内生性质量文化构建仍薄弱；某省地方高校督导报告显示，评估整改措施落地率仅为 41.7%。

3. 审核评估落地的制度梗阻

深层次矛盾集中表现为三个方面：一是标准适配缺陷，现行指标难以度量“西部高校民族文化传承”“资源枯竭城市产业转型服务”等特色贡献；二是数据治理失能，地方院

校基础数据库缺失关键字段，如学生能力增值、雇主满意度动态追踪；三是整改动力衰减，64%的院校未建立评估结果与资源分配挂钩机制。

四、研究空白与理论突破，走向情境建构的质量治理

既有研究存在三重断裂带，亟待通过“制度—技术—文化”协同创新实现理论跃迁。现有研究的结构性缺失表现在三个方面：一是理论移植“水土不服”，简单套用欧洲“质量文化成熟度模型”，忽视我国行政主导评估传统；二是技术应用本末倒置，数智平台重监测轻改进，如某校投建质量大数据中心却未优化决策流程；三是主体互动机制缺位，企业、学生等利益相关方参与评估流于形式，认证报告的社会公开率不足30%。

针对以上问题，可以从以下两个方面突破：

① 构建“情境锚定—过程耦合—效能共生”三维模型。一是情境锚定层，建立“区域需求—办学定位—评估标准”动态映射机制，如针对乡村振兴重点县的高校增设“涉农技术推广积分”；二是过程耦合层，设计“智能监测—预警—决策—反馈”闭环，借鉴山东英才学院的“六位一体”治理范式；三是效能共生层，创建“质量货币”激励机制，将评估结果转化为财政拨款、招生计划等政策工具。

② 基于审核评估2.0内核，设计实践创新的四维路径。一是标准重构，制定地方院校审核评估负面清单，限制研究型指标在应用型高校的权重；二是技术赋能，建立开发区域产业人才需求雷达系统，实现专业设置前置预警；三是主体激活，建立“企业观测员驻校制度”，参与课程质量评价全过程；四是制度破壁，试点“评估结果与教育债券发行额度挂钩”政策，强化财政激励相容性。

第三节 核心概念界定

一、审核评估

1. 审核评估内涵

审核评估是中国高等教育质量保障体系中的一种评估方式。普通高等学校本科教育教学工作进行院校评估并达到合格后五年可进行审核评估。审核评估侧重考察学校办学资源投入、本科教学质量与办学定位、人才培养目标的符合程度、学校内部质量保障体系建设及运行状况、学校深化本科教学改革的措施及成效。它测度的是本科教育教学质量的全过程，横跨投入—产出—改进各个阶段。审核评估不分等级，其过程与结果形成实质性报告，审核评估报告是院校教育教学质量改善的凭据。审核评估程序包括评估申请、学校自评、专家评审、反馈结论、限期整改和督导复查。

2. 审核评估核心理念

(1) 坚持以人为本：以学生发展为中心

《普通高等学校本科教育教学审核评估实施方案（2021—2025年）》指出高等院校教

育教学质量审核评估改革务必落实“以本为本”“四个回归”，坚持一切从学生出发，围绕学生发展的全过程，将立德树人和以人为本的原则作为评估的根本标准。一是考量学校教学资源对学生知识建构与科研实践的支撑效能，督促高校精准对接学生学知识做科研的所需所用，保障学习资源与科研条件的最优化供给。二是测度办学目标与学生个性化之间的契合度。学生是个体化的存在，培养目标同质化将不可避免地导致预定目标的实现程度降低，从而引发系统性困境。三是关注学生在教育教学过程中的参与度和满意度。评估聚焦资源投入、教学过程、管理服务是否真正转化为学生的获得感。

(2) 坚持成果导向：用培养目标倒推培养方式

OBE 教育（成果导向教育）理念下，质量管理体系将评价核心聚焦于“学生学得怎么样”这一关键标准，评价的方式方法也因此发生重大转变。成果导向教育理念利用“培养结果”倒逼“培养方式”，把学生的学习成果作为引领去考虑应该怎么设计学生的培养方式和教学流程。评估考察毕业生是否拥有预期能力，提高综合素质，这是全新的审核模式，将评价中心从“老师”转到“学生”。可见，OBE 教育理念下高等教育质量管理审核评估的路径发生改变，更加强调将“教”“学”二字融合以推进教育教学质量优化提升。

(3) 坚持方法创新：用自己的尺子量自己

新一轮审核评估反对“一刀切”的做法，强调分类评估。为实现审核评估的价值和目的，各院校教育教学评估可根据自身的办学定位、服务方向和发展现状自主选择合适且高效的方式。这种用“自己的尺子量自己”完成评估以寻求改进的方法是审核创新的体现。分类评估有利于各高校结合自身特色深化教育教学质量改进，尤其是以应用型人才培养为主要方向的普通本科高校可通过此类创新评估实现预期成效。

(4) 坚持问题导向：持续改进的质量文化

高等教育评估的核心价值在于帮助学校精准“把脉”，找到制约质量提升的关键环节。教育部在评估本科教学的相关文件中指出：审核评估工作无须评定等级，但须形成实质性的评估报告。这表明评估并非“一次性活动”，对待问题清单不能“睁一只眼闭一只眼”。审核评估强调将结果以问题清单的形式呈现，清单上的每一条都是将来各院校整改的方向。高校形成自觉、自省、自律、自查、自纠的质量文化，通过常态化、制度化评估实现“发现问题→反馈结果→质量改进”的闭环流程，有利于高校变外部压力为内生动力，进而持续提升教学管理等各个方面的能力。

3. 审核评估指标体系的核心要素

审核评估是一套完整的系统，包含诸多要素。根据《普通高等学校本科教育教学审核评估实施方案（2021—2025 年）》中提及的两类指标体系得出其核心要素主要包括：

(1) 党建与办学方向

高校的审核评估在任何时候都应坚持党的全面领导，牢牢坚持社会主义的办学方向。以立德树人成效为根本标准，落实“为党育人、为国育才”使命，构建“三全育人”格局。评估重点考察思政教师配备、思政课堂设计、德育活动组织等思政教育实效。

(2) 本科教育核心地位

两类评估体系标准都表明要以本科教育为核心，提供有力的资源保障。例如，在生均年教学日常运行支出、教学日常运行支出占经常性预算内教育事业费拨款（扣除专项拨款）与学费收入之和的比例和教授为本科生授课等指标方面都强调本科教育的核心地位。

(3) 育人体系与培养过程

培养方案与课程建设是高校育人体系的重要内容，是审核评估的基础指标。培养方案和课程建设依据培养目标和毕业要求构建，是实施人才培养目标的重要载体，是审核评估的重要因素。

实践教学与创新创业是高校育人体系的重要环节。审核评估注重教育的全部过程，其要素也落脚在实践教学和创新就业等环节上。例如，相关文件中包含的实践课程学分和实验实习等实践性工作占比。

(4) 教师团队与教学保障

教师团队是保障课程教学质量的关键，师资数量、结构与质量直接与学生的学习成果挂钩。作为教育主体，对其团队水平进行审核评估成为一项重要工作。教学保障为以教学为主题的教育活动提供物质保障，是实现培养目标的基础。

(5) 学生发展与成长

学生作为教育活动的另一主体也是整改审核评估最关注的部分，对其评估应包含学生的学习所得、学业进步、综合素质提升、就业创业等诸多要素。这是教育教学质量的直接体现，是衡量培养目标实现程度的重要指标。

(6) 质量保障与特色项目

新一轮高校质量评估围绕 PDCA 循环这一理念，涵盖质量管理的全过程。质量保障的考察包括质量监控和评价反馈等多个环节。质量保障是确保教育教学质量的制度和机制基础，确保教学过程的规范和有效。特色项目是指高校在分类评估中应有属于自身的特色项目，能够体现出高校在人才培养等方面的独特优势和亮点。对特色项目进行评估而后将问题反馈，有利于高校进一步发挥特色，推动学校发展。

二、地方院校

1. 地方院校的定义

地方院校通常是指由省（自治区、直辖市）级或地市级政府举办、管理并提供主要经费支持的高等学校，其办学定位和服务面向主要聚焦于所在地区。

与教育部直属高校或其他中央部委所属高校相比，地方性院校是中国高等教育体系中数量最多、覆盖面最广的主体力量，承担着极其重要的基础性角色，具有独特的使命。地方院校是由地方政府主管，与地方经济社会联系紧密，以服务区域发展为重要使命的高等院校。其“地方”属性显著，在办学资源、人才培养方向等方面与地方政府和区域发展需求密切相关。

2. 地方院校主要类型

依据《教育部关于“十三五”时期高等学校设置工作的意见》，我国高校分为研究型、应用型和职业技能型。根据国家其他相关教育文件，结合地方院校的“地方”属性，高校还可分为研究型地方院校、应用型地方院校、职业技能型地方院校、省属院校、市属院校等。

(1) 研究型地方院校

研究型地方院校是围绕地方支柱产业和战略性新兴产业开展研究，提供智力支持，培养高端人才的院校。这类院校的学位覆盖学士、硕士和博士，其中硕博比例低于学士比例。它们将自身发展与区域进步融为一体，着力探索学术前沿，积极参与重大科技项目、重点研发计划等。研究型地方院校是攻克技术难关的主力军，这类院校在高等教育体系中占据重要位置。以某些省份的重点师范大学为例，其在教育理论研究、基础学科研究等方面成果显著，为地方乃至全国输送了大量高层次研究人才。

(2) 应用型地方院校

教育部等三部委联合印发的《关于引导部分地方普通本科高校向应用型转变的指导意见》提出“各地各高校要从适应和引领经济发展新常态、服务创新驱动发展的大局出发……推动部分普通本科高校转型发展。”这表明应用型地方院校是近年来高等教育改革发展的重点。应用型地方院校是地方院校的重要组成部分，主要承担服务地方经济社会发展的任务，以培养本科以上层次的应用型人才为核心目标。为促进地方持续发展，部分省属工科院校紧密围绕地方产业需求，开设相关专业，与企业合作开展技术研发。它们擅长将科技成果转化为实际生产力，尤其注重将“理论”与“实际”结合，实现“教育链—人才链—产业链”的有效衔接。

(3) 职业技能型地方院校

职业技能型地方院校为区域输送专业人才，具有高度的职业针对性。与应用型高校不同的是，职业院校更加注重实践，以求培养出的学生能够满足企业需求。职业型地方院校将实际操作放在首位，例如大多数院校与企业共创课程、共建教材，通过订单式培养模式和现代学徒制等人才培养模式，为地方经济发展培养了大量实用型技能人才。职业型地方院校是锻造高技术人才的高地，是推动企业发展新质生产力的摇篮，为中国从“制造大国”走向“创造强国”做出巨大贡献。

(4) 省属院校

省属院校由省级政府主办主管，由省级政府行政财务部门划拨经费。这类院校可进一步细分，例如有省属国家“211 工程”大学，在学科建设、科研水平等方面处于省属高校前列；还有地方重点院校、地方普通院校以及地方新兴院校等，它们各自在不同层面为地方发展贡献力量。

(5) 市属院校

为精准对接地方基层需求，市属院校深度联动区县企业，在产业适配、技术转化与人才供给等维度切实支撑区域经济社会的高质量发展。它们在服务地方城市建设、产业发展、社区服务等方面具有独特优势，可培养适应地方特色产业发展的专业人才。市属院校相较于省属院校能够更加贴合地方企业需求，在更加细微的层面与企业合作以提升产教融合水平。

3. 地方院校办学定位

地方院校作为由地方政府主管、与地方经济社会联系紧密的高等教育机构，其发展定位紧密围绕“地方”属性展开，分为区域服务定位与人才培养定位。

（1）区域服务定位

地方院校以服务区域经济社会发展为根本使命，深度融入地方发展脉络。地方院校的办学定位必须守住“地方”这一特性，一切出发点和落脚点都应该是“促进地方发展”。因此与研究型大学相比，它们并不追求全面的学术覆盖，而是聚焦所在区域的经济建设、社会进步和文化繁荣需求，提供精准的人才支持和智力服务。将办学目标锚定在满足当地所需，是地方院校办学的使命与宗旨。

就地方院校的具体类型而言，一是地方师范院校以服务区域基础教育为使命，致力于培养优质中小学师资。例如，一些院校根据当地发展情况组建专家团队开展调研，为地方教育改革研究做出实际贡献。二是地方工科院校紧密对接区域产业布局，将学科建设与科研攻关的重心放在地方支柱产业、新兴产业的人才需求上。三是为区域经济发展输送财务管理、经济分析等专业人才。地方财经类院校的办学目标聚焦于地方金融、商贸等关键领域。四是地方农林院校特别注重对特色农产品种养、深加工及生态保护等关键领域的投入，扎根区域农业实际，助力乡村振兴与农业现代化。

（2）人才培养定位

地方院校的人才培养定位应始终坚持社会主义方向，致力于将学生培养成实践能力突出、富有创新精神且具备良好职业素养的人才。当学生具备以上能力素质时，才能更好更快地服务企业。多数院校会选择与地方企业合作，例如开设校企合作班、订单班等，那么高校的人才培养定位就必须考虑怎么样才能为企业创造实际利益。同时，地方院校还会注重培养学生的区域认同感和服务意识。例如，一些院校为增强学生毕业后服务地方的意愿，通过开设地方特色课程、组织学生参与地方社会实践活动等方式，让学生了解地方发展现状、文化特色和产业需求。当学生能够真实拥有认同感时，才能够真正扎根地方、奉献地方。

三、本科教育教学质量

1. 本科教育教学质量定义

本科教育教学以“学生”为圆心，以“课堂活动、校园生活”为半径，致力于画好“学生教育教学”这个圆圈。因此，本科教育教学是高校通过系统化的课程设计、教学实施与学术交流去培养本科生知识、能力、素质的活动。

彼得·德鲁克将“质量”定义为“产品符合规定要求的程度”，菲利普·克劳斯比将“质量”定义为“产品符合规定要求的程度”，ISO 9000 将“质量”定义为“一组固有特性满足要求的程度”。实质上，质量是一个复杂的概念，具有多维性、满足性、主观性等特点，是产品或服务的固有特性满足某些要求的程度。

本科教育教学质量是指高等院校提供的教育和服务的质量。换句话说，本科教育教学质量就是指高校对其目标的完成程度和发展情况。高校通过系统化的教育活动，实现既定人才培养目标，并促进学生全面发展。

本科院校在全国各类院校中占比巨大，其质量水平直接关系到教育强国的建设进程。本科生教育是基础性教育，强调知识的传递、价值观的塑造和基础能力的培养。当本科教育在这些方面的质量得到保证时，就为人才的长远发展奠定了坚实基础。由此可见，本科教育教学质量至关重要。

2. 本科教育教学质量内涵

本科教育教学质量绝不是某一部分或单一因素，而是一个有机系统，内部各组织的活动都紧密相关。从资源投入质量到教育教学过程质量，再到成果输出质量，最后到院校整体发展质量，每一个环节都不可或缺、环环相扣，共同构成完整的质量链条。就系统性而言，本科教育教学质量的内涵包括输入质量、过程质量、输出质量和发展质量。

（1）输入质量

经费充足、师资队伍强大、基础设施完善是构成本科教育输入质量体系的关键因素。高校教育活动经费为发展提供物质基础，若各本科院校没有保障基础教学活动的经费，各项工作将无法开展，更别谈如何提高教育质量。教师一直是教育教学的核心主体，师资力量对于教学质量的影响巨大。师资力量包括教师的数量、学历职称结构、学缘结构及实践能力。例如，地方院校不断扩充双师型教师比例，正是因为双师型教师有实践和理论两方面的经验，有利于促进教学质量的提升。学生充实的校园学习生活离不开完善的基础设施的坚实支撑。无论是学习必需的图书馆资源、高速网络、先进实训设备，还是生活方面必需的舒适宿舍、营养餐饮，都是影响教育教学质量不可或缺的基石。

（2）过程质量

作为影响教育教学质量的关键因素，过程质量包括教学管理、课程实施、师生互动、实践教学比例等内容。同样，过程质量管理也不容忽视，设置合理的教学目标并规范教学活动实践是提升教育教学质量的关键。例如，良好的师生互动能激发学生的学习兴趣与主动性，促进知识的有效传递与能力的培养。如项目式教学中，师生围绕实际项目共同探讨、协作完成，能显著提升学生的实践能力与问题解决能力。将过程质量也纳入审核评估的过程中有利于督促各教育主体、教育活动部门为实现质量改进而努力。

（3）输出质量

教育教学的落脚点就是看有没有培养出相应人才，让校企生三方满意。毕业生进入企业能否为企业创收、促进企业发展，以及社会评价、学生满意度等均是衡量本科教育教学输出成果的重要标志。各院校应结合办学定位，依据学生现实情况对毕业生质量进行审核，将结果与预期对比，找出存在的问题，分析成因并进行整改。输出质量水平是院校发展建设水平的真实反映，因此它是本科教育教学质量体系内涵的重要组成部分。

（4）发展质量

“投入—过程—产出—发展”是一个完整过程，因此除输入质量、过程质量、输出质量外，发展质量也是教育教学质量的关键部分。发展质量是本科教育教学质量的长效保障，体现院校适应变化、自我优化的可持续发展能力，包括持续改进能力和适应社会需求变化能力，如专业动态调整能力、人才培养模式改革创新能力等。

3. 本科教育教学质量核心维度

本科教育教学质量的核心维度是衡量质量水平的关键指标，应当从以下四个层面构建质量评价体系：学习效果、教学有效性、资源条件、学生体验。

（1）学习效果

学习效果是衡量本科教育教学质量的关键维度之一，涵盖学生的知识掌握程度、能力提升情况以及素养培育成果。《普通高等学校本科专业类教学质量国家标准》强调，采用“定性＋定量”结合的方式，通过课程考核、能力测评、素养观测等途径，综合评估学生的批判性思维、实践创新能力及职业胜任力。

（2）教学有效性

教学有效性是指高校用合适的教学方法激发学生的学习兴趣，提高学习效果。例如，启发式教学能引导学生主动思考，探究式教学能培养学生的自主学习能力与创新精神。尤其是在人工智能背景下，教师需要转换角色，从“知识传授者”转向“成长引导者”。

（3）资源条件

资源配置为教育教学提供有力支撑，教学资源涵盖能够促进教育教学活动的所有物质条件。科学、充足、高效的资源配置，是提升教学质量、保障人才培养成效的关键支撑。例如，通过校企合作共建的高水平实践教学平台，能够有效为学生提供真实的职业环境，显著提升其实践能力并加速经验积累。因此，对教学资源的配置水平等进行系统评估，是本科教育教学审核评估工作中不可或缺的核心环节。

（4）学生体验

学生是教育教学活动的另一核心主体，因此学生的满意度十分重要。学生体验涵盖学术环境、生活服务及心理支持，是质量文化落地的重要载体。通过学生评教、问卷调查等方式可以收集学生的学习满意度信息，为学校改进教学提供参考。

四、教育教学质量的保障

1. 教育教学质量保障定义

教育教学质量保障是以“学生中心、产出导向、持续改进”为核心理念，通过组织协同、制度规范等方式构建的人才培养全流程动态优化系统。《普通高等学校本科教学工作审核评估方案》将“质量保障”确立为审核评估的核心指标，明确要求高校建立“自我诊断、自我改进”的内部质量保障机制。在审核评估视域下，质量保障需强化“五自”质量文化（自觉、自省、自律、自查、自纠），形成“目标—标准—监控—改进”的螺旋式上升结构。结合地方院校语境，质量保障应突出应用型导向，正如《教育部关于深化本科教育教学改革全面提高人才培养质量的意见》所强调的，地方高校应构建与区域经济社会发展适配的质量保障模式。

2. 教育教学质量保障核心要素

（1）目标设定

培养目标作为质量保障的逻辑起点，直接决定人才培养的方向与规格。《普通高等学校本科专业类教学质量国家标准》明确，高校需依据办学定位确定培养目标的具体内涵和实现路径。例如，山东省农业工程学院通过“反向设计”将实践教学的占比提升至30%，实现专业目标与区域经济的精准匹配。

（2）标准制定

为了让教育教学活动有明确的行为规范和评价依据，必须建立起合理的质量标准体系。质量标准是目标落地的技术规范，应构建专业建设标准、课程质量标准和教学环节标准等多层级体系。

（3）过程监控

过程监控是质量形成的关键环节，覆盖“教—学—练—评”全链条。过程监控依托智能化技术实现质变。利用先进智能技术检查教学环节、跟踪学生学习，及时发现问题并采取相应的措施进行干预，从而提高教学质量。

（4）评价反馈

评价反馈构建起多元主体参与的质量诊断机制。《普通高等学校本科教育教学审核评估实施方案（2021—2025年）》强调，评价反馈必须形成问题整改通知书和改进建议，杜绝评价流于形式，从而实现教育教学质量的不断提升。

第四节　研究思路与方法

一、研究思路

本书遵循“理念引领—问题聚焦—理论支撑—实证验证”的螺旋式研究逻辑，将审核评估的核心要义贯穿质量保障体系研究的全过程。以《普通高等学校本科教育教学审核评估实施方案（2021—2025年）》提出的“学生中心、产出导向、持续改进”理念为理论基石，聚焦地方院校质量保障中存在的制度悬浮化（如质量保障与日常教学“两张皮”）、机制碎片化（如多部门协同不足）、成效模糊化（如评价结果难以驱动改进）三大核心问题，构建“理论—实证—对策”三阶闭环研究框架。在理论层面，融合教育治理理论、全面质量管理理论及复杂适应系统（CAS）理论，解析质量保障体系的结构功能与运行机理；在实证层面，选取东、中、西部12所地方院校开展多案例追踪，通过政策文本分析、机构运行观察及利益相关者访谈，揭示制度设计与实践落差的深层矛盾；在对策层面，提出“标准—机制—文化”三位一体的优化路径，推动质量保障从“外部驱动型评估”转向“内生演化式治理”。这一研究思路既继承审核评估“以评促建、以评促改、以评促管、以评促强”的宗旨，又直面地方院校转型发展的真实困境，为构建中国特色高等教育质量保障体系提供学理支撑。

二、研究方法

1. 文献研究法

通过系统性的文献梳理，确立质量保障研究的理论坐标系与历史参照系。一方面，聚焦高等教育质量保障的核心期刊（如《高等教育研究》《中国高教研究》）及经典著作（如伯顿·克拉克的《高等教育系统》），提炼质量保障的制度要素（如标准制定、过程监控、反馈改进）与动力机制（如行政驱动、院校自治、市场调节）；另一方面，纵向分析近十年的政策（如审核评估指标体系迭代、合格评估转审核评估的范式变革），揭示从“条件达标”到“内涵发展”的价值转向。文献分析覆盖中英文数据库260篇核心文献，形成“理论—政策—实践”三维分析框架，为实证研究奠定概念基础。

2. 政策分析法

运用政策理论解构质量保障政策的制定逻辑与落地效能。选取《关于深化新时代教育督导体制机制改革的意见》(2020)、《普通高等学校本科教育教学审核评估指标体系（试行）》等12份关键教育政策文件，采用“文本—语境—行动”三维分析法：文本维度，通过NVIVO软件编码政策关键词频次（如“学生中心”出现频次提升300%，“持续改进”成为核心指标）；语境维度，结合专家解读，剖析指标设计的价值取向；行动维度，对比政策要求与院校自评报告的表述差异，识别“象征性执行”（如75%的院校套用模板未体现校本特色）与“选择性执行”（如重硬件投入轻文化培育）等偏差现象。该方法揭示了政策理想与现实张力的制度根源。

3. 案例研究法

通过目的性抽样选取三类典型院校，揭示质量保障的差异化实践逻辑。研究设定“院校类型（应用型、师范类、综合类），发展阶段（新建、转型、成熟），区域（东、中、西）”三维抽样矩阵，最终锁定：①常熟理工学院（应用型转型标杆），追踪其“行业学院”模式如何将企业标准嵌入课程评价；②合肥大学（模块化课程改革先锋），分析“能力导向”评价体系对传统学分制的替代效应；③洛阳理工学院（审核评估整改典范），考察“六位一体”质量文化培育路径。通过参与式观察（如列席教学督导会）、文档分析（如教学事故处理档案）及空间叙事（如质量文化长廊设计），构建“制度文本—组织行为—主体认知”的全景案例深描。

4. 比较研究法

基于院校分类发展原则，对比质量保障体系的类型化特征与适配条件。研究设计三重比较维度：①横向校际比较，将省属重点大学（如河北大学）与新建本科院校（如泰州学院）对比，揭示资源禀赋差异对质量监控粒度的影响（前者可建大数据平台，后者依赖人工抽查）；②纵向阶段比较，分析同一院校评估周期（如洛阳理工学院2015年合格评估→2025年审核评估）中质量保障机制的演化轨迹；③区域模式比较，总结东部“市场驱动型”（如深圳技术大学校企协同评价）、中部“政府主导型”（如河南理工大学督导委垂直管理）、西部“项目拉动型”（如滇西应用技术大学对口支援赋能）的治理特色。根据比较结果生成“资源—制度—文化”适配模型，为分类指导提供依据。

5. 人员访谈法

通过多层次访谈，解构质量保障中的权力关系与行动策略。采用“决策层—执行层—体验层”三级访谈框架：①决策层，主要访谈高校校领导、教务处处长等，聚焦学校战略规划设计矛盾；②执行层，主要访谈教学单位的院系主任、教学督导员等，揭示教育制度落地困境（如“跨部门协同壁垒”）；③体验层，访谈对象是一线教师、各个专业的学生等，让他们反馈真实的教与学的获得感。本书中的访谈院校涉及国内 12 所地方本科院校的 86 个样本。

第二章　本科教育教学质量保障的理论基础

本科教育教学质量保障的理论植根于教育评价理论、全面质量管理理论及高等教育治理理论。教育评价理论以其发展性与多元化内核，借助 CIPP（决策导向性评价模型）等模型，构建了从目标设定、过程监控到闭环改进的方法论框架；全面质量管理理论则强调全员参与、全过程控制与数据驱动，推动质量保障从单点管理迈向系统资源整合与持续优化。作为这些理论的实践载体，审核评估与质量保障体系共享“学生中心”的价值导向与方法论根基（如系统性、证据链）。两者在实践中动态互动，审核评估通过分类设计引导地方院校精准对接区域需求与应用型定位，校准并赋能其内生质量治理，最终在实践场域中实现外部驱动与内生优化的有机融合。

第一节　教育评价理论

一、教育评价理论内涵

教育评价理论本质上是一套复杂而多元的体系。它以教育价值观为根本遵循，对教育活动进行系统性评判。教育评价理论的发展始终与教育治理现代化进程紧密交织，推动我国教育强国的建设。当代教育评价已超越传统的绩效测量范畴，形成三位一体的理论内核：其一，《深化新时代教育评价改革总体方案》开篇即要求“扭转不科学评价导向，落实立德树人根本任务”。因此作为价值判断活动，其评价标准必须体现国家的育人目标；其二，教育评价覆盖输入（资源）质量、过程（教学）质量、输出（成果）质量全链条，是一个过程监测系统。如审核评估强调的“五个度”（目标达成度、社会适应度、条件保障度、运行有效度、用户满意度）便构成完整的质量证据链；其三，作为改进促进工具，其核心在于激发质量主体的自觉性。正如教育部评估方案要求的“推动高校积极构建自觉、自省、自律、自查、自纠的大学质量文化”。

值得注意的是，教育评价与相关概念存在实践边界，它区别于行政主导的教育评估：一是教育评估更注重对性质、能力或质量的评定与估量。二是教育评价的范畴更宽泛，侧重于对教育活动的整体价值判断，涵盖教育目标、过程、结果等全方位评价。三是教育评价更关注价值理性而非技术合规。不同于聚焦短期绩效的教学考核，它强调通过持续跟踪实现发展性功能。

二、教育评价理论核心思想

1. 发展性评价

发展性评价打破传统评价中单纯以结果论成败的模式，将目光投向学生学习过程中的点滴进步与成长轨迹。在高等教育领域，审核评估增设“学生理想信念与品德修养”指标，将思政育人成效纳入质量观测点，体现立德树人的根本标准。这样做有利于摆脱只关注学生成绩的禁锢，将学生成绩与综合素质联系起来是教育发展的重要表现。例如，北京大学审核评估协调会就通过现代先进学习分析技术追踪学生能力的成长曲线，使学生的发展轨迹可视化。

2. 多元性评价

学生作为独立个体，个性化是他们的重要特征。如果仅用单一方式进行评价，将不能合理且全面准确地反映学生的真实情况。因此，教育评价理论倡导从多角度、用多种方法评价学生。通过增加评价主体，除教师评价外，引入学生自评、互评以及行业专家、用人单位评价等，构建“多元主体协同评价”机制，让结果更全面客观。有的在评价内容上既要考察学生课程成绩，也要涵盖平时表现和实践能力。合理划分平时分和考试分占比是多元化评价方式的一种体现。

三、教育评价理论基本原则

1. 科学性原则

科学性原则要求评价系统具备严谨的逻辑架构与适切的方法论。评价指标是教育评价的“标尺”，必须具有明确的内涵、清晰的边界和科学的逻辑结构。《普通高等学校本科教育教学审核评估实施方案（2021—2025 年）》采用“两类四种”评估套餐，引导研究型大学侧重学术创新，应用型高校聚焦区域服务贡献度。同时，评价方法是教育评价的重要工具，因此就评价方法的选择而言，需平衡定量与定性方法。例如，同济大学的专业认证采用“产出目标—课程体系—成绩证据”三角互证法。

2. 导向性原则

教育评价必须与教育目标和培养定位高度一致，为教育活动提供明确方向。这种一致性是导向性原则的首要体现。不同层次、类型的教育院校应有不同目标和定位，其评价指标与标准应充分体现这些差异。应用型高校以培养应用型人才为核心，更强调学生的实践能力、职业素养及与行业的对接程度。这类高校应在评价指标中增加企业实习表现、职业资格证书获取率等内容。它们通过评价的导向作用，引导学校调整专业设置，促进教师改进教学方法，帮助学生明确学习目标，从而确保教育活动方向正确。

3. 公平性原则

评价标准的统一性要求对所有评价对象采用相同标准，各院校需要避免标准不一导致的不公平，确保评价在同一起跑线上进行。评价标准的统一性与适用性的平衡是实现公平性的基础，而评价过程的透明化与规范化是公平性的重要保障。将评价主体、评价过程、评价方式公开，能进一步保障教育评价的公平性。

4. 实用性原则

教育评价实用性原则体现在以下两个方面：一是评价结果的可接受性和可应用性，高校教育评价要呈现详细的评价报告并对结果进行深入分析，让评价对象和相关人员准确理解评价所反映的信息。同时，评价结果要能为教育决策、教学改进和学生发展指导等提供实际参考。二是评价成本与效益的合理性匹配。评价方案设计要考虑成本因素，避免过于复杂或烦琐的评价程序造成的不良后果。为确保评价能产生实际效益，通过评价可以促进教育质量提升，提高教育资源利用效率，增强学生学习动力，实现以最小投入获得最大成效的目标。

四、教育评价理论类型

教育评价理论研究如何科学、系统、有效地收集、分析和解释信息，以判断教育的价值、质量、效能和影响，并为教育决策和改进提供依据。主要类型如下：

1. 发展性评价理论

发展性评价理论由英国学者纳托尔（Nuttall）和克利夫特（Clift）于20世纪80年代正式提出，由王斌华教授将其引入中国。这一理论的诞生主要源于对传统教育评价弊端的反思。传统评价过度强调甄别与选拔功能，以分数为核心，片面关注学业成绩和升学率，而忽视学生潜能的多维发展和个体差异，导致评价的“高利害性”而引发焦虑与挫败感。作为教育评价理论的重要分支，发展性评价理论的核心在于强调评价的过程性与动态性。该理论主张通过持续跟踪教育教学活动中的关键环节，推动教育质量实现螺旋式上升。与传统终结性评价不同，发展性评价的焦点在于教育过程中的增值效应。为此，它致力于建立多维度的评价指标体系与动态监测机制，以期实现教育质量的持续改进。

范菁（2019）在研究审核评估实践时指出，这种评价模式能够有效识别教学质量提升的关键节点，将外部评估压力转化为高校自我完善的内生动力。在地方院校本科教育教学实践中，发展性评价理论为质量保障提供了方法论指导。高校通过发展性评价能够突破传统评价中“重结果而轻过程”的局限，建立起更加科学、全面的质量监测体系。

2. CIPP 模型

美国著名教育学者斯塔弗尔比姆（Stufflebeam）在1976年提出CIPP评价模型。该模型将评价分成背景（context）、投入（input）、过程（process）和结果（product）四个维度，各个维度衔接成一个完整的过程，覆盖被评价对象的每一个关键环节、核心要素和全部过程，具有系统性、针对性、改进性和发展性等特征。CIPP 评价模型以决策为导向，评价不应仅限于结果，而应为决策提供全面的信息。现在也有大量研究将 CIPP 模型应用到教育评价中，因为该评价模式具有较强的系统性，能够覆盖教育教学活动的全流程。

张塔洪（2019）在探讨应用型本科院校质量保障时指出，教育评价理论是对教学实施全过程进行规范系统的评价。应用型本科院校应及时发现教学过程中的优势和不足，从而提升人才的培养质量。这种评价理念特别契合地方院校以应用型人才培养为核心的办学定位，能够帮助院校在有限的资源条件下实现质量保障的精准施策。

3. 能力导向评价理论

20 世纪 70 年代初，传统智力测试在人才选拔和评价中的局限性逐渐显现，无法全面反映一个人在实际工作中的绩效水平。美国心理学家戴维・麦克利兰（David McClelland）认为，人力资源考评应该关注与工作绩效密切相关的能力素质。因此，他提出了“能力素质”这一能力导向理论的核心概念。

能力导向评价理论在实践层面展现出三个显著特征。一是评价标准具有动态性，它要求根据行业发展和技术进步持续更新评价维度，确保人才培养与市场需求同步。二是就评价主体而言更加强调多元化，地方高等院校可以通过邀请企业专家参与制定能力标准，构建起学校、行业、社会共同参与的评价共同体。三是能力导向评价理论的评价方法追求实践导向，这要求院校借助项目考核、情景模拟等方式重点考察学生的理论转化与实践创新能力。正因如此，该评价模式能够有效促进本科教育教学质量的提高。

4. 教育生态学评价理论

美国哥伦比亚大学劳伦斯・克雷明（Lawrence A. Cremin）在《公共教育》（*Public Education*）一书中首次系统提出教育生态学评价理论。该理论为本科教育教学质量保障提供了全新的分析视角，将教育系统视为一个由多元要素构成的生态系统。这一理论认为教学质量的形成与发展受到教师、学生、教学环境、管理制度等多种生态因子的综合影响，并且这些因子之间存在着复杂的相互作用关系。在地方院校本科教育教学实践中，教学评价不应局限于对教师授课行为的简单评判，而应当关注师生互动、教学资源配置、校园文化环境等全方位的生态关系。教育生态学评价理论突破了传统的线性评价模式，强调通过系统诊断和整体优化来提升教学质量。

5. 目的导向评价理论

目的导向评价理论由泰勒提出，他认为评价的本质是“判断教育活动是否达到预设目标”。泰勒认为，教育目标的本质是描述人的行为变化，评价则是确定实际发生的行为变化程度。该理论是现代教育评价的奠基理论，设计了确定课程目标、界定目标、确定学生表现目标情境、选择和编制评价工具等四个评价步骤。“管理具有目标性。管理目标是管理活动的基本构成要素，它是一个复杂的综合构成。”管理学的目标管理理论提出明确目标对行动的指引作用，泰勒的目的导向评价理论与之高度契合。在应用目的导向理论进行高等教育教学评价时需要注意，在评价时注重一些定量的指标，强调可操作性和实用性。

五、教育评价理论在质量保障中的应用

教育评价理论并非抽象的概念体系，其生命力在于对本科教育教学质量保障实践的指导价值。从目标设定到过程优化，从结果反馈到文化培育，评价理论通过具象化的操作路径，成为地方院校应对审核评估、提升办学质量的核心工具。

1. 为目标和标准制定提供精准框架

泰勒的目的导向评价理论为质量保障的起点提供了方法论支撑。地方院校需将应用型人才培养这一核心目标拆解为可观测、可量化的行为指标，形成“总目标—分领域—指标”的三级体系。以机械设计制造及其自动化专业为例，参照《普通高等学校本科专业类教学质量国家标准》，可将“具备区域装备制造业服务能力”细化为“能独立完成典型零件工艺设计”“参与企业技术改造项目比例不低于30%”等具体标准。这种分解既体现国家育人要求，又贴合地方产业需求，正如陈玉琨在《教育评价学》中强调的“标准制定需实现价值导向与技术可行的统一”。

2. 构建全流程质量监控网络

CIPP模型为过程监控提供了系统框架。在本科教育教学质量保障体系中应用CIPP评价模型时，背景评价应当明确界定教学活动拟达成的目标，为后续环节奠定基础。投入评价则在此背景分析之上，重点评估为实现既定教学目标所需配置的各类资源的适配性、充足度及其具体实施方案的可行性。过程评价的核心在于动态监测教学活动实施过程中的各项方案执行情况、资源实际利用效率等，并依据实时反馈信息对过程进行必要的调整与优化。结果评价是判定活动价值的最终环节，包括衡量活动的成果和目标达成度等，从而为质量保障提供关键性的决策依据。

3. 推动评价反馈与改进的闭环运行

（1）反馈结果的转化效率是质量保障的关键

参照《普通高等学校本科教育教学审核评估实施方案（2021—2025年）》，地方院校需建立“问题—整改—验证”的闭环机制。反馈结果是新一轮教育教学工作改进的方向。依据PDCA循环，新一轮教育教学工作应以反馈结果为基础，将上一轮工作中未完成的或完成质量不高的教育行为纳入下一轮循环进行优化。高校教育教学质量评价引入多主体评价，推动了协同反馈机制的创新。例如，针对同一评价对象不同主体从不同角度就能为新一轮质量改进提供更加全面的依据，从而使反馈内容更趋于科学化。

（2）培育内生性质量文化

早期质量保障通常被视为一种技术官僚自上而下的方法，因为它多侧重掌握质量控制或认证等工具，而这套质量控制、保证和管理的概念在高等教育中经常失败。因此，越来越多的研究认为，需要在高等教育机构内建立更强大的质量文化。郝莉等人的研究强调，质量管理是自上而下的，更关注结构、标准和流程，目标是追求稳定和效率；质量文化是自下而上的，更关注价值观、参与、合作、沟通和赋权，目标是追求学术卓越。地方院校应积极响应《深化新时代教育评价改革总体方案》中“改进结果评价，强化过程评价，探

索增值评价，健全综合评价”的核心要求。大部分本科院校根据教育评价理论体系积极构建起符合自身特色的质量文化，通过这一软性动力内化发展理念。将质量文化和持续改进深化到教育活动的点点滴滴，是教育教学质量的重要保障。

第二节　全面质量管理理论

一、全面质量管理理论的内涵

随着工业化大生产的快速发展，产品质量成为企业竞争的核心要素，传统的事后检验式质量管理已无法满足大规模生产的需求。全面质量管理理论在这场国际“质量运动”中出现，在 20 世纪 80 年代欧美高等教育质量研究热潮背景下，被调整应用于高等院校。它践行全过程控制、全员参与、全面管理的理念，采用多种方法评价教育教学管理工作，改进与质量相关的管理活动。

在本科教育教学场景下，全面质量管理理论的内涵得到了进一步延伸与细化。本科教育的全面质量管理聚焦于教育教学质量的提升，将教学活动视为一个复杂的系统工程。此系统整合了师资队伍、课程体系、管理制度等各类资源，通过系统性的规划、组织、协调与控制，实现教育教学质量的全方位优化，以培养出符合社会需求、具备综合素质与创新能力的本科人才。这种管理模式突破了传统单一环节质量控制的局限，将质量理念贯穿于教育教学的全链条，注重从整体上提升本科教育教学的质量水平。

二、全面质量管理特点

1. 顾客导向性

全面质量管理把教育利益相关者（学生、用人单位、社会）的需求作为根本导向，将满足多元主体的质量期望作为管理的出发点。而不同主体对教育质量的诉求各有侧重，需要通过系统化机制实现需求整合，以确保本科教育教学质量能够满足各方面的期望。

2. 系统整体性

全面质量管理强调质量管理需覆盖组织运行的各个环节和要素，通过构建完整的质量保障体系实现整体效能提升，而非局部改进。这些环节和要素相互关联、相互影响，只有建立协同联动的管控机制，才能实现本科教育教学质量的整体提升。全面质量管理就是覆盖全员、全过程、全方位的管理，有利于全面提升教学质量。

3. 持续改进性

在戴明的质量管理哲学中，“持续改进产品和服务的系统”是其著名的“十四要点”之一。全面质量管理理论认为，质量提升是一个永无止境的旅程。组织不能满足于现状，必须持续不断地寻求改进产品、服务和所有业务流程的机会。全面质量管理的持续改进性是一种动态性的表现，具有重要意义。

4. 数据驱动性

全面质量管理理论强调决策应建立在数据和信息分析的基础上，而不是凭直觉或经验。这有助于减少偏见，更准确地识别问题、评估方案和衡量改进效果。因此在全面质量管理理论指导下，本科教育教学质量的评估与决策高度依赖量化指标和客观数据。

5. 全员参与性

全面质量管理理论认为质量是组织中每个人的责任，而不仅仅是质量部门的事情。这需要最高管理层的承诺和领导，以及所有层级、所有部门员工的积极参与和授权。全员参与有利于进一步促进质量提升，当所有利益相关者都为提高质量而同心协力地付出，便能形成强大的质量改进合力实现质量水平的突破性进展。

三、全面质量管理理论在质量保障中的应用

1. 全员质量管理在质量保障中的运用

全员质量管理的逻辑根植于利益相关者理论与责任共担原则，其核心要义是通过明确各参与主体的质量权责边界，构建“多元共治”的质量责任生态系统。这一逻辑突破了传统“自上而下”的管控模式，强调通过赋权赋能激发各主体的质量自觉，形成“人人有责、人人尽责”的质量文化氛围。就高等教育而言，全员质量管理是指覆盖与教育教学活动相关的所有主体。此处的“全员”包括教师、学生、教学管理者、后勤服务人员和校外合作方等，其主要作用如下：

① 教师是质量生成的核心引擎。在教学方法创新、学业评价改革中，教师发挥着不可替代的主导作用。地方院校教师更需结合区域产业需求优化课程内容，将行业前沿动态融入课堂教学。教师的质量责任不仅体现在知识传授，更延伸至应用型人才培养的能力塑造环节。

② 学生是质量体验的直接感知者。《教育部关于深化本科教育教学改革全面提高人才培养质量的意见》明确要求“强化学生学业过程管理”。一些院校通过教学开放日等活动让学生从被动接受者转变为质量改进的积极建言者。尤其在应用型课程的实践环节，学生的反馈直接影响教学内容的动态调整。

③ 管理人员在质量标准制定、教学资源统筹、跨部门协同中履行保障职能。地方院校教学管理者需重点破解应用型课程资源不足、实践教学监管薄弱等问题，通过建立“一站式”教学服务中心提升管理效能。

④ 校外合作方是实践教学质量的协同创造者，在实习基地标准化建设、双导师指导机制落实等方面发挥重要作用。在校企共建的产业学院中，企业工程师参与实践课程设计，直接影响应用型人才培养与行业需求的契合度。

2. 全过程质量管理在质量保障中的运用

全过程质量管理是指对管理对象从起点到终点的各个阶段进行系统化、规范化、精细化的管理。它要求管理者不仅关注结果，更要注重过程中每一环节，确保整个过程的高效、有序和可控。这一逻辑将质量管控嵌入高校人才培养各环节，构建“预防—监控—改进—再预防”的螺旋上升式闭环体系。全过程质量管理在地方院校教育教学质量保障中的

主要作用如下：

① 事前预防，质量前馈控制。本科教育教学质量的事前预防表现在招生选拔标准制定、培养方案论证、课程大纲审核等前期规划环节的质量控制。一方面，本科院校前馈控制通过分析生源结构与就业质量的关联性优化招生计划，特别是地方院校必须结合自身特色招收契合度高的学生。另一方面，地方性本科院校培养方案论证应引入行业专家评审团，从而实现培养的人才与行业需求精准匹配。

② 事中监控，建立实时纠偏机制。事中监控环节侧重过程性质量动态调节。地方性本科院校通过过程监控可随时发现教育教学活动的偏差，对现实情况究其缘由，不等活动结束就对其进行管控。这样的纠偏机制可减轻后续教育质量管理的压力，因为其在一定程度上减轻了有偏差的教育活动所造成的严重后果。

③ 事后改进，数据驱动决策。《中国工程教育质量报告》显示。83％的认证专业建立了毕业生跟踪机制。这表明质量管理是一个漫长的过程，终点绝对不是学生毕业。本科院校将学生毕业后的情况进行整理，形成多元评价报告并建立长期数据库。事后改进是质量可持续优化的重要手段，用数据驱动决策应内化成各地方本科院校质量文化的一部分。

3. 全方位质量管理在质量保障中的运用

全方位质量管控从影响质量的多维度要素出发，通过整合各类资源、协同各方力量，构建一个全面覆盖、层次分明的质量保障网络。其核心在于实现各维度要素之间的有机衔接与功能互补，形成一个相互促进、协同发展的整体，为产品或服务质量的提升提供全方位的支持与保障。这一逻辑通过资源整合产生质量保障的叠加效应。其在地方院校质量保障中的主要作用如下：

① 整合教育资源。就师资建设而言，全过程质量管理推行师资双轮培育，外建区域产业专家库，内强骨干教师培养，校地共享领军人才深度教学。教学设施配置也需紧扣应用型人才培养需求，建设贴合区域产业特点的专业实验室和产教融合实训中心，确保教学设备技术水平与行业发展同步。作为教育活动的载体，教材在地方院校的资源开发中可采取与地方企业共同编写实践教材的方法。

② 完善制度文化。根据《教育部关于深化本科教育教学改革全面提高人才培养质量的意见》提出的“健全质量标准体系”要求，地方性本科院校应增设契合地方产业需求的特色指标，形成国家、区域、校本三级质量标准体系。教学管理制度是使质量文化、质量意识逐步内化为师生自觉行为准则的重要保障。全方位质量管理包含的制度文化维度是实现教学质量改进的基础性工具。

第三节　审核评估与质量保障的逻辑关联

一、理论同源性：价值导向与方法论的共同根基

在高等教育治理体系中，审核评估与质量保障体系看似分属外部监控与内部治理两个范畴，却在理论根基上存在深度逻辑关联。这种同源性一方面体现在价值追求的一致性

上，另一方面蕴含于方法论的共通逻辑中。二者为协同推进高等教育质量提升提供了内在依据。约瑟夫·A. 朱兰强调任何质量改进体系都需建立在共同的价值认同与方法论基础上，高等教育领域也不例外。两者的理论同源性表现如下。

1. 目标同构性：学生发展与国家战略双向契合

（1）审核评估和质量保障均秉持学生中心理念

审核评估将“以学生为中心”作为核心价值导向。《普通高等学校本科教育教学审核评估实施方案（2021—2025 年）》中明确要求评估需聚焦“学生学习效果与成长发展”，通过考察学生知识掌握、能力培养、素质提升等维度，衡量高校人才培养质量。这一导向与高校教育教学质量保障体系的终极目标完全契合。从审核评估视角出发实现本科教育教学质量提升，是一个完整的价值追求链。审核评估通过指标设计明确“学生发展”的刚性要求，质量保障则通过制度创新将其转化为日常教育教学行为。二者相辅相成共同完成“促进学生全面发展，推动教育强国进程”这一目标。这构成“理念→标准→实践”的完整链条。可见，审核评估与质量保障之间在价值理念上有深层次逻辑关联。

（2）服务国家教育强国战略的协同路径

《教育强国建设规划纲要（2024—2035 年）》明确提出“搭建自强卓越的高等教育体系、分类推进高校改革发展”等要求，同时指明高校改革时应根据不同类型高校功能定位、实际贡献、特色优势，在不同赛道发挥优势、办出特色的发展路径。这一战略部署为审核评估与质量保障体系提供了共同的行动指南。

新一轮审核评估方案做到了“自主套餐＋自主配餐”，划分“四类二种”评估分类实现“量身定做”。例如，对地方院校重点考察“服务区域发展能力”“应用型人才培养质量”等特色指标，避免同质化发展陷阱。审核评估通过“分类指导、精准评估”机制，引导不同类型高校找准内涵式发展路径。

方潜生指出，高校内部质量保障体系是内涵式发展的免疫系统，本科院校通过常态化监测、诊断与改进，确保教育教学始终围绕核心价值展开。质量保障体系通过动态监控确保人才培养与区域经济需求适配，从内部支撑内涵式发展的落地。

审核评估与质量保障体系在服务高等教育内涵式发展国家战略方面相互补充、相互促进：一方面，审核评估为高校提供了外部审视与指导，帮助高校明确发展方向，发现问题并加以改进；另一方面，质量保障体系则从内部为高校持续发展提供保障，确保高校在改进过程中能够不断优化教育教学过程。二者共同发力，助力高等教育实现从规模扩张向内涵提升的转变，为建设教育强国提供坚实支撑。

2. 方法论的互通性

（1）系统性与过程性的方法框架

审核评估与质量保障体系在方法论上都遵循系统性与过程性相统一的框架，强调对高等教育质量的全方位、全流程把控。审核评估通过构建多维度的指标体系实现系统性覆盖，《普通高等学校本科教育教学审核评估指标体系（试行）》从“办学方向与本科地位”“教师队伍”“学生发展”等 6 大核心领域设置考察要点，形成对高校教育教学工作的整体扫描，避免了单一维度评价的片面性。这种系统性不仅体现在指标设计上，更贯穿评估实施的全流程，从自评报告撰写、专家组实地考察到整改方案制定，每个环节都相互衔接、形成闭环。

质量保障体系同样以系统性思维构建运行机制，涵盖教学资源建设、课程质量监控、教师发展支持等多个子系统，各子系统既独立运行又相互关联。同时，质量保障注重过程性管理，将 PDCA 循环（计划—执行—检查—处理）嵌入教育教学全过程。例如，在课程质量保障中，从课程大纲修订（计划）、课堂教学实施（执行）、学生评教与督导检查（检查）到教学方法优化（处理），形成完整的过程闭环。二者的系统性框架确保了质量评价的全面性，过程性方法则实现对质量形成过程的动态追踪，为协同改进提供方法论支撑。两者在方法论上形成紧密咬合的齿轮，共同驱动质量的持续提升。

（2）基于证据的决策与改进机制

审核评估的最终目的不是形成评价结果，而是基于评价报告呈现的问题提高教育教学质量。高校通过教学基本状态数据平台采集和分析数据，并结合教学管理制度、专业评估报告等材料，对教学质量进行监控和评价，以保障教学质量的稳步提升。审核评估指标体系的量化表明，它注重以客观数据和事实为依据，避免经验主义与主观判断。

宋佳的研究提到接受评估的大学必须提交一份反思分析的自我评估报告，重点阐述大学如何改进质量，取得了怎样的进展。这表明多数院校审核评估都需要根据问题清单来进行整改。陈彪等人的研究提到英国一些学校学生群体的意见会通过全国学生调查（NSS）等方式收集。高校经过审核得到有关该校教育教学活动的基本数据，这些数据和信息会被用于监管评估大学的教学质量，体现了证据链完整的要求。

（3）多元主体协同参与的共治逻辑

新一轮审核评估与质量保障均打破单一主体评价的局限，构建多元主体协同参与的共治逻辑，体现了高等教育质量治理的民主化特征。审核评估采用“政府主导、专家评估、高校参与、社会监督”的模式，参与主体包括教育行政部门、评估专家、高校师生及行业企业代表。杜文娅的研究也指出审核评估重点考察“五个度”，其中利益主体满意度涉及多方利益相关者，这意味着高校在人才培养过程中需要广泛吸纳政府等多方意见。

高校教育教学活动质量的主体牵涉广泛。学校中除了老师和学生这两个核心主体外，还有教学活动管理者等。因此，质量保障体系应形成“校内联动＋校外参与”的多元格局。校内涵盖教务处、学生代表等主体和校友、行业协会等利益相关方。各方共同协作努力能够为高校教育教学活动筑起一道坚实保障。这种多元主体共治逻辑既保障了审核评估与质量保障的全面性，又增强了高校质量改进的社会适应性，使二者在协同推进高等教育质量提升中形成合力。

二、驱动与校准：审核评估对质量保障的赋能作用

审核评估和质量保障在理论上具有同源性，在价值理念上具有一致性，在方法论上具有互通性。同时，审核评估对质量保障具有多方面赋能作用，在推动高校教育教学质量提升方面意义重大。以下剖析审核评估对质量保障的赋能体现：

(1) 明确质量导向，校准保障方向：为高校质量保障指明方向

质量保障体系的有效运行，首先需要有明确的质量导向作为指引。《普通高等学校本科教育教学审核评估实施方案（2021—2025 年）》将“落实立德树人根本任务”等国家战略要求转化为具体评估指标。例如，“思想政治教育贯穿教育教学全过程的情况”等。新一轮审核评估指标体系设计完全体现了这些重大举措和具体要求。这些指标为高校质量保障提供了刚性的方向指引，使质量保障工作有的放矢。审核评估通过国家政策导向的传递与教育规律的提炼，为高校质量保障体系校准方向，避免其在自主运行中出现目标偏差。

审核评估采用“四类两种”指标体系，这种分类原则为不同类型高校的质量保障提供了差异化方向。对研究型大学，评估侧重“科研与教学融合度”“拔尖创新人才培养”；对应用型高校，则强调“产教融合深度”“实践教学质量”。评估所使用的分类导向使质量保障体系能结合办学定位精准发力，避免“一刀切”式的盲目建设。高校审核评估所建立的质量导向帮助高校避免同质化影响带来的不良后果，有利于高校教育教学活动特色化发展。地方性本科院校在评估指标体系的引导下也能更好地实现服务区域社会经济发展的战略目标。

(2) 完善保障体系，夯实质量基础：助力高校健全质量保障体系

高校教育教学活动质量保障需要内部动力，也需要外在压力。审核评估作为质量保障的外在驱动因素促进质量保障体系的完善。我国高校内部质量保障体系建设无论在理论上还是实践上，都还存在不健全、不充分、不平衡的问题。审核评估强调学校质量保障的主体地位和人才培养的责任，促进学校制定质量标准并积极开展自我评估。黄冈师范学院实施教学检查制度时，通过采取学校检查和学院自查相结合、常规检查和随机抽查相结合的办法，来完善教育教学质量监控系统。质量保障体系的健全性直接决定其运行效能，而审核评估高效进行能够推动高校填补体系漏洞、完善运行机制，为质量提升筑牢基础。

地方院校质量保障体系常存在“标准模糊”的问题，如“教学效果良好”“实践能力达标”等定性描述，审核评估通过可测量、可追溯的指标要求倒逼标准量化。标准量化为数据收集奠定基础。高校评估数据库是质量保障体系的重要组成部分，完善数据体系有利于院校夯实其质量基础。而评估对“教学基本状态数据采集与分析”的要求，成为高校加速质量保障信息化建设的强劲动力。审核评估助力高校完善质量保障的技术支撑体系，提升保障的精准性与效率。这种技术赋能使质量保障从“经验判断”转向“数据驱动”，夯实体系运行的科学基础。

(3) 坚持问题导向，提升质量水平：激发高校持续改进动力

国务院办公厅《关于深化新时代教育督导体制机制改革的意见》明确要求“强化评估结果运用，将评估结论作为政策支持、资源分配的重要依据”。这种“结果导向”迫使高校将评估整改转化为实际行动，避免“评估结束，整改停止”的形式主义。审核评估结果与高校资源配置、招生计划、社会声誉等直接关联。评估通过强大的外部压力刺激高校实现持续改进这一质量保障的核心目标。压力转化为内生动力是审核评估对高校质量保障驱动作用的重要体现，高校应当广泛建立起自评制度等，确保在学校质量保障有关主体、相关部门范围内营造质量文化氛围。

审核评估的“问题反馈清单”为高校提供了具体的改进靶点，使质量改进从模糊目标变为清晰任务。评估清单呈现的问题就是高校教学质量保障体系的漏洞，高校要坚持问题导向，实现质量水平的提升。反馈改进是PDCA循环中的最后一个环节，对于高校教育质量提升具有重要意义。高校应当利用好审核评估的结果，坚持问题导向，推进持续改进。例如部分院校实施学生教学信息反馈改进，利用评估收集、整理学生的意见和建议并反馈至个人，促进教学改革的深化和教学质量的提高。同时，审核评估还通过经验推广提升高校的改进能力。在评估过程中，专家组会结合其他高校的先进实践提出改进建议。受评高校在评估后可以组织人员赴标杆院校考察学习，将外部经验与本校实际结合，形成特色化的改进路径。这种“对标—学习—创新”的过程也能持续提升质量保障体系的改进效能。

(4) 强化多元参与，凝聚保障合力：推动多元主体参与质量保障

组织的决策和行动应考虑所有利益相关者的利益，因为他们都对组织的生存和发展有影响或被组织影响。高校质量保障的复杂性决定了其无法仅靠高校单一主体完成，而审核评估通过构建多元参与机制，推动政府、高校、社会等多方力量协同共治，形成质量保障的合力。审核评估专家组由教育行政管理者、高校专家、行业企业代表等组成，多元的构成体系使评估视角更加全面。高校评估反馈中融入的多元意见，为高校质量保障提供更立体的改进参考。若高校将质量保障封闭在单一层面或单一角度，就会陷入片面认知的困境，难以把握质量保障的全貌和深层问题。

审核评估和质量保障所依据的全面质量管理也要求高校将保障嵌入全员、全过程、全方位。审核评估对“学生评教有效性”“教师教学反思制度”的考察，促使高校畅通校内主体参与渠道。部分院校采用线上匿名评教和定期座谈会相结合的方式，确保学生意见能够直达质量决策层。各主体的建议和诉求能为高校质量保障体系注入新鲜活力。这种校内多元参与使质量保障从管理部门独唱变为全员合唱。评估结果向社会公开的机制也进一步强化社会监督对质量保障的约束作用，倒逼高校更加重视教育质量的社会认可度。审核评估倡导的多元主体共治逻辑，使高校质量保障突破高校围墙限制，形成开放协同的生态体系。

三、审核评估与质量保障的实践互动：地方院校语境下的适配特征

高等教育评估需与不同院校实际情况相结合，才能切实推动质量提升。地方本科院校作为高等教育体系的重要组成部分，承担着服务区域发展、培养应用型人才的核心使命。审核评估与质量保障体系在地方院校的实践中，并非简单套用统一模式，而是通过动态调整形成与地方语境相适配的互动特征。《普通高等学校本科教育教学审核评估实施方案（2021—2025年）》明确提出采取柔性分类方法，提供“两类四种”评估方案及模块化指标。方案提出的第二类评估主体主要面向地方院校，着重考察其必备的教育教学要素，以此引导这类高校服务地方、区域经济社会发展及产业结构升级。这表明审核评估在顶层设计上充分考虑地方院校的独特性，为高校适应地方实际预留了空间。由此，地方院校得以依据自身定位与区域需求，定制个性化的评估方案。

审核评估和质量保障在地方语境下的适配性一方面表现为审核评估对地方院校质量保障的差异化引导，另一方面也体现在质量保障体系对区域特色、办学定位与资源条件的主动回应。

1. 与区域性需求的适配：构建服务地方的质量导向

地方院校的核心价值始终在于其能服务区域经济社会发展，审核评估与质量保障体系的互动首先体现在对区域性需求的精准响应上。根据相关文件要求，审核评估在指标设计中虽保持全国统一框架，但也通过一些弹性指标为地方院校预留了适配空间。

审核评估通过“社会需求适应度”指标，引导地方院校聚焦区域产业需求。审核评估要求高校证明人才培养目标与区域发展的契合性，如体育教育专业需结合区域中小学体育师资缺口、社区体育发展需求调整培养方案。英国苏格兰地区的质量改进导向评估（ELIR）同样强调高校需结合区域特色制定改进计划，其“自我评估报告”需纳入区域雇主反馈和学生本地就业数据，这一思路为我国地方院校提供了参考。

质量保障体系通过常态化机制巩固区域性适配成果。许多地方院校在评估后构建“校地协同质量保障网络”，邀请地方政府部门、龙头企业参与质量决策。高校质量保障体系应综合考虑各方利益，依据审核评估指标不断改善实践教学活动。审核评估与质量保障形成“评估引导方向—保障落实举措—成效反哺区域”的良性循环。这种适配性使地方院校避免了盲目追高的同质化发展，在服务区域社会经济发展中实现质量增值。

2. 与应用型定位的适配：强化实践导向的质量闭环

应用型定位是地方院校区别于研究型高校的核心特征，这决定其质量保障体系必须紧密围绕实践能力培养来构建核心框架。从理论层面看，应用型人才培养遵循“知识→能力→成果”的生成规律，因此质量保障需要突破传统“重理论、轻实践”的模式，构建覆盖实践教学全链条的监控机制。应用型高校必须打破课堂边界，建立基于真实工作场景的能力评价体系。相应地，审核评估也应弱化学术研究的单一导向，转而聚焦实践教学质量和学生应用能力的培养成效。

全面质量管理视角下，应用型高校将实践教学环节（实验、实习、毕业设计）作为质量监控重点，建立“企业导师参与评价”“实践成果量化考核”等机制。质量保障体系通过优化实践教学监控适配应用型定位。高校要有效落实实践教学的质量要求，关键在于构建一个联动校内与企业、覆盖实践教学全过程的质量保障机制。具体而言：一是在校内实践环节，应着力推进标准化建设，通过制定详细的实验教学规范、实习大纲等质量标准，并依托教学督导、学生评教等手段对实施过程进行严格监控。二是在企业实践层面，需将行业标准直接融入评价体系，由企业导师根据实际岗位需求，对学生实操能力和岗位胜任力进行量化评估。

3. 与资源约束的适配：构建集约高效的质量路径

地方院校应建立以效益为导向的资源保障机制，提高资源使用的针对性和有效性。资源优化配置理论强调在资源有限的情况下，通过合理分配和高效利用资源，实现效益最大化。对于面临办学经费有限、优质资源不足等问题的地方院校而言，这一理论对质量保障体系的构建具有重要意义。审核评估在对地方院校的考察中，不单纯看重资源投入的规模，更关注资源的使用效益。高校评估体系这一侧重点引导地方院校通过优化资源配置来提升质量保障的有效性。

地方院校质量保障体系通过建立资源集约利用机制来适配资源约束的实际情况。这一机制包括资源共享、精准投入和效益评估等方面，旨在通过科学的管理和配置提高资源在质量保障中的使用效益。如果高校在审核评估中发现诸如实践教学资源（如实验室、设备等）利用率不高问题，质量保障部门应主动牵头制定统一的资源管理与使用规范。这样有利于打破部门壁垒，促进跨学科、跨学院的资源整合与共享，显著提升现有资源的利用效益。针对实践教学环节投入不足或效益不佳的情况，学校应引导教学经费向关键实践领域倾斜。在全面质量管理理论指导下，学校应该对经费使用的效益建立动态跟踪评估机制。这有利于监督有限资源的使用全过程，促进资源合理配置。

第三章　审核评估理念和要求引领质量保障转型

审核评估以“学生中心、产出导向、持续改进”为核心理念，推动高校质量保障价值导向的根本转变。其一，评估目的从外部“证明合格”转向内生“促进改进”，强调高校作为质量第一责任主体的自我定位、自设目标、自我举证与自我改进的双闭环机制，激发内生动力。其二，其指标体系紧扣“培养目标—毕业要求—课程教学—师资支持—学生发展—质量保障”逻辑主线，重点考察目标达成度、社会适应度、条件保障度、运行有效度和用户满意度五个维度，形成对质量保障体系设计、运行、效果与改进的系统性要求。其三，对地方院校而言，该理念与要求尤其强调需立足自身定位，克服资源约束，精准设定目标与要求，构建支撑达成的课程体系与教学模式，并建立基于证据、闭环反馈的质量保障机制与文化，最终实现质量保障的内生性优化与质量文化的自觉形成。

第一节　审核评估的核心理念与价值导向

一、“学生中心、产出导向、持续改进”理念的解读

成果导向教育（Outcome Based Education，OBE），1981 年由威廉・G. 斯派迪创设，作为当代教育领域的核心导向理念之一，其遵循反向设计的原则，由需求倒推目标，再在此基础上设计对学生的培养方案。依据 OBE 理念，进行专业认证或专业审核评估，需对课程体系、课程目标、培养目标、毕业要求等的合理性和达成度进行深度评价，以促进教育教学的深度改进与完善，最终推动人才培养质量的系统性改进。这就要改变原有完全依靠对重要因素和关键环节进行严密过程控制的思路，充分体现“学生中心、产出导向和持续改进”的理念，同时强化质量常态监测的信息化、智能化，唤起每个主体的质量意识、质量责任，将质量要求内化为学校全员的共同价值和自觉行为。

学生中心是指学校教育教学工作紧紧围绕学生发展这个中心，把学生发展作为一切工

作的出发点和落脚点。本科院校教育质量的形成与改进以学校、教师、学生为主体，传统的以教师为中心、以教学为中心的教育方式和理念已逐渐不再适应社会发展的需要，取而代之的是坚持学生主体地位、致力于激发学生自主性的学生中心理念。这种从注重“教”到注重“学”的转变，更注重以发展的眼光、教育的眼光、全面的眼光来看待学生，因而审核评估理应更强调学生的主体意识和发展诉求，以学生的全面发展为最终目的。这对学校教育提出了新要求，也对审核评估本身提出了新要求。要评价人才培养质量的达成度，学生的发展在教学管理的全过程中应被置于中心地位，考察内容要涵盖从学生入学到毕业的全周期，设计评估方案和指标时必须把学生的学习效果和满意度摆在第一位。

教学设计和教学实施的最终目标是学生通过教育过程所取得的学习成果。产出导向的教育以最终成果代替传统教育的阶段学习累积成果；在教学策略上以整合教学的方式替代传统教育的竞争式学习；在教学模式上以能力导向教学取代传统教育的知识导向教学；在评价理念上更强调包容性成功而非筛选与分级，教学方法上强调评价与学习成果相匹配的多元能力导向体系而非以课堂检验为手段的知识导向体系；在参照标准上更多强调自我参照而非共同标准参照。审核评估尊重高校的主体性作用，而产出导向理念强调以结果产出驱动，能引导高校充分结合自身情况发挥其主观能动性，主动完善教学质量保障体系。

OBE 理念的“输入—过程—输出”循环，与审核评估的全程性、过程性、反馈性特点高度契合。监督机制在教育教学链条各节点植入后，能够即时捕捉偏差并触发有针对性的纠正，质量保障系统由此进入持续运转的闭环，人才培养质量的稳定性随之获得长期保证。这一系统始终以促进学生的全面发展为最终目标，将办学背景、资源输入、教学过程及培养结果作为有机整体开展系统性评价，最终通过评价反馈推动课程体系的构建与优化，形成能持续改进并稳定保障本科教育教学质量的课程体系。这一机制既体现了 OBE 理念对全链条的覆盖，也回应了审核评估持续改进的核心诉求。

二、评估目的从“证明”转变为“改进”

审核评估的本质是针对高校的“质量保证体系建得怎么样、运行得怎么样、效果怎么样”进行分析与判断，并非像认证和分等评估那样要对学校发放“合格证明”或是进行等级划分，而是针对质量标准与质量目标符合度、质量保证体系与质量标准符合度、质量保证体系运行效果与质量预期符合度进行定性分析与判断，特别是要指出存在的问题和改进建议与方向。其核心在于激发高校自主构建质量保障体系的内生动力，引导其通过“输入—过程—输出”的闭环机制，实现质量的持续提升与系统改进。审核评估通过评估学校内部质量保证体系，考察学校是如何确定目标、如何达到目标以及如何改进的。它是一种形成性评价，而非像传统教学评估模式那样偏重评价结果的终结性评价。一个完善和有效的人才培养质量保障体系，不仅能保证人才培养质量，而且能保证人才培养质量的持续性，同时还能提高质量保障的能力。因此，对参加过首轮评估并获得通过的高校，重点评估对象就是其人才培养质量保障体系建构和运行效果。

作为一种生成性评估，审核评估正是要发现院校的质量问题并促使其持续改进与完善。高校应改变以往单一依赖期末成绩、毕业生就业率等阶段数据的思维惯性，转而注重追踪更多过程性信息和综合能力导向的产出。这要求高校改变以往为了迎接评估而准备的被动心态和功利倾向，重新认识审核评估的价值要义和重要程度，认识到它是帮助学校把握和改进人才培养工作的关键手段。高校应以促进学生全面发展作为质量管理工作的根本抓手，让质量监控从阶段性迎评转变为常态化自省，让改进措施从针对具体指标转变为全盘视角和长期视角。最终推动高校主动完善质量保障体系并持续优化其运转能效，实现高等教育质量的可持续提升，并以此为突破口，推进与新时代社会发展需要相契合的现代大学制度建设。

三、质量保障强调院校自我定位、自设目标、自我改进的主体责任

当评估从“证明合格”转向“促进改进”、从外部验收合格转向内生驱动优化时，其核心逻辑必然指向高校作为第一责任主体的主体性建构与责任强化。高校既是办学主体，也是审核评估与质量保障的主体，其评估主体地位的明确，既可满足质量保障体系改进的多元需求，也是依法落实高校办学自主权的重要体现，更是激发高校内生动力、构建特色质量文化的制度基础。各院校实际情况存在差异，办学基础、发展历程、学科专长不同，这种高等教育体系的多样性决定了质量保障模式不能“千校一面”。用统一的指标体系、固化的评价标准“一刀切”地衡量所有高校的质量保障成效显然有失科学性。

自我定位的过程给予院校充分的话语权，在自我定位过程中，办学基础、学科特色与发展诉求被同时纳入视野，形成对自身的清晰客观认知。其核心并非对本校进行简单的类别划分，而是先识别优势，再对接本地发展需求，最终完成功能性锚定。不同院校办学定位不同，价值追求有别，质量标准各异。研究底蕴深厚的院校可把区域产业升级中的技术研发需求转化为人才培养方案，研究能力与创新能力被置于培养核心。应用型高校则把本地强势产业的基层岗位能力纳入培养规格，把基础技能训练作为课程主轴。院校通过梳理学科历史积淀、现有资源禀赋及区域发展对人才的差异化需求，明确自身在高等教育体系中的独特坐标，为后续质量保障提供根本遵循。

理念要落地，需由高校自主将明确的目标定位转化为统领性的、可操作的目标体系，将其作为人才培养的行动纲领。高校需将培养目标拆解为具体的、可量化的、可衡量的质量标准，作为教学实施与评价的行动准则。这种目标设定的自主性是相对的，既不能脱离国家的教育政策方针，又需要结合自身定位对维度进行细化。同样是以应用型为定位，研究基础薄弱的应用型高校可将设备使用和技术操作能力增设为工科专业学生毕业的核心考核指标，而研究能力稍强的应用型高校则可将创新水平、技术改进与优化等创新能力纳入考核要求。

质量目标完成与否的检验，需要以真实的、完整的证据为依据。院校需围绕课程教学、就业流向、社会反响等主要节点采集原始数据，再叠加课程完成度、学生能力测评、毕业生追踪调查等反馈信息，方能系统度量目标体系的推进幅度、执行成效与最终产出。证据链需兼顾完整性与真实性，证据链的完整性要求其覆盖人才培养全过程中的每一个关键节点；真实性则要求所有环节的数据必须源于原始记录，为后续问题诊断提供扎实客观的依据，避免以碎片化数据或主观描述替代系统举证。定量指标之外，教师课堂日志、学生评语等定性材料被并行纳入，用以修正纯量化评估可能诱发的偏差。

举证与诊断的最终目的是达到自我改进这个落点。院校首先依托已汇集的反馈信息，

逐一筛查未达预期指标的关键环节，进而剖析资源配置缺口、流程设计瑕疵或执行力度衰减等深层成因；再结合自身资源条件，形成可操作、可落地的针对性方案，杜绝脱离实际的盲目调整。改进并非零散修补，而是形成整体性的、系统性的逻辑，从单一问题的回溯延伸至制度层面的修订，再上升至对初始目标本身的科学性与合理性审思，最终实现从局部调整到体系完善，完成质量保障能力的内生性提升，使改进成为院校自主运行的常态机制。

自我定位、自定目标、自我举证、自我改进的闭环逻辑既回应了审核评估对自主质量体系建构的诉求，又让院校在多元发展格局中锚定契合自身的质量提升路径，完成从被动迎评到主动提质的角色转换。

第二节　审核评估指标体系核心要求解读

一、指标体系逻辑主线是培养目标—毕业要求—课程教学—师资支持—学生发展—质量保障

培养目标的确立是整个闭环系统的逻辑起点，也是系统运行最终指向的落点。高校人才培养目标的建立应坚持产出导向，充分立足于社会现实需要和学生全面发展，以社会现实需求与学生全面发展为根本依据，以学生实际学习成效为核心导向，通过实时监控教学运行过程，推动人才培养目标落地。毕业要求需聚焦学生“真正学到了什么”和毕业后“究竟能做什么”，以此作为毕业资格的核心衡量标准，驱动学生实现能力的实质性提升。基于毕业要求，进行课程体系的反向设计，再依托正向教学环节使其落地。在课程教学建构层面，教学目标要兼顾本科教育的基础性、阶段性和毕业生未来工作的实际需求，实现理论知识的系统掌握与实际问题解决能力的同步培养。在教学过程中，要结合启发式、研讨式、案例式、翻转课堂等问题导向式的教学方法。课程考核要基于能力导向而非知识记忆导向，考察学生是否真正达到了预期的能力目标。而这一教学体系的有效运转，需以适配的师资队伍为支撑。教师本身应该对课程教学目标进行深入思考和研究，而非只是对学生进行机械式的知识灌输。除了较强的科研能力外，更需要灵活地将应用型科研成果转化为教学资源并融入课堂，培养学生的问题意识和创新能力，最终促进学生的全面发展，达成初始建立的培养目标，完成质量保障的完整闭环。

二、重点考察目标达成度、社会适应度、条件保障度、运行有效度和用户满意度五个维度

目标达成度检验高校自主确定的人才培养目标与实际培养成效之间的符合度。课程平均绩点、毕业设计等级、实习档案、初次就业去向等构成首次观测点；以这组数据为基线，再建立毕业生职业轨迹、专业能力跃迁、社会贡献值等后续坐标，交叉验证培养目标是否已沉淀为毕业生的持续竞争力，并与社会需求保持长期共振，最终为目标迭代提供闭环证据，为培养目标优化提供完整的证据支撑。

社会适应度聚焦高校办学定位与国家、区域经济社会发展需求三者的耦合性，其核心在于检验高校培养的人才是否真正契合社会现实需要。高绩点只能说明知识接收效率高，不等同于岗位所需的实践能力或创新能力。产业技术一旦加速，部分毕业生因缺少主动学习的习惯而难以同步提升技能，暴露出高校在适应能力与终身学习意识培养上的缺口，也映射出教育供给与社会需求衔接的裂缝。因此，高校应建立动态的社会需求响应机制，根据不同行业需求，为不同专业设置差异化的权重配比，再把岗位能力模型转化为课程更新与教学改革的直接依据，促使学生与社会需求精准匹配。

条件保障度是人才培养质量的基础支撑，含师资队伍、教学资源、经费投入等维度。教师自主驱动的人才培养质量保障机制应该成为高校努力的方向。高校要树立以教师为本的质量保障理念，在教师岗位聘任中强调教育教学能力，通过各种方式持续提高教师教育教学水平，在绩效薪酬制度改革中引导教师重视和投入教学以及出台各种激励措施，形成教师重视质量的长效机制。高校既要强化双师型教师队伍建设，通过校企人才互通机制吸纳企业的技术骨干参与到教学中，让本行业一线经验直接融入课堂；也要引导本校教师将应用型科研成果转化为教学案例的能力纳入核心考核指标，实现科研反哺教学，教学与科研互惠共生发展，避免科研与教学“两张皮”。在资源配置上，需关注硬件设备投放和实际使用情况、优质课程资源覆盖率等硬性指标，同时关注教学信息化平台资料等软件资源的共建共享机制。经费须保障教学日常运行支出，并建立动态调整机制以应对教育成本的变化。条件保障度的评价需突破资源存量的静态评估，关注资源转化效率的动态分析。

运行有效度考察的是质量标准是否落地及执行与改进效率的高低，关注教学质量保障体系的科学性与执行性。首先，制度文本必须下沉为可操作的细则，需将宏观目标分解为课程层面的学习产出、考核层面的评分细则、师资层面的配备标准，并在教务系统内固化成可随时调取的条目。其次，执行监督须覆盖招生、培养、毕业和就业四个关键阶段，每一阶段均设置节点责任人，通过随机听课、试卷抽检、实习现场巡查、毕业设计盲审等手段，实现数据实时入库，确保任何一次教学活动都可被追溯。当监测数据触发预警阈值时，整改闭环随即启动。责任主体将检查和整改情况以报告的形式输出，报告连同原始记录一并存入质量档案库，供下一轮外部评审或校内专项督导调阅，形成闭环系统。

用户满意度以用人单位的人才使用反馈和学生的学习体验为核心，是衡量人才培养质量的终端标尺。校方需建立积极主动的联动机制，推进岗位胜任力问卷与毕业生追踪访谈，将问卷结果直接映射到毕业要求修订权重，若某项岗位能力评分低于基准线，对应课程模块需在下一轮培养方案中增加学时或调整考核方式。同时，建立毕业生毕业后的成长档案，持续收集职务晋升速率、项目主导次数、继续教育学时、跨部门协作频次等关键指标，用于交叉验证培养方案的长效性。学校不仅要积极了解毕业生入职初期对岗位的适应速度，更需要关注其在岗位的长期发展潜力，考察其是否具备团队协作、问题解决、主动思考、持续学习等核心素养。同时，需注重学生主体地位的回归，持续优化课程评价指标设计，开放教学申诉渠道，切实保障学生的质量监督权，贯彻以学生为中心的育人理念，进一步提升学生的学习满意度，充分发挥学生在教学工作中的主体作用，让学生真正参与到质量监督中，形成培养者、学习者、使用者共同参与的质量保障生态。

三、对质量保障体系设计、运行、效果、改进的直接要求

质量保障体系的设计是整个质量管理工作的起点。一个严谨、规范、科学、精细、完善的高校内部质量保障体系应包括质量决策与指挥系统、质量目标与标准系统、教学资源管理系统、教学过程管理系统、质量监测与评价系统、质量反馈与改进系统六大部分。以支撑质量目标和标准的达成，形成闭环的有效管理，这对于构建完整的、科学的高校内部质量保障体系具有普适性。这种设计并非简单的制度堆砌，而是要结合高校自身的办学定位。研究型高校需侧重科研资源向教学转化的标准设计，应用型高校则应强化实践教学环节的质量指标。可见，质量保障标准应因校而异而非“千校一面”。教育部印发的《普通高等学校本科教育教学审核评估指标体系（试行）》指出，质量标准需兼顾国家底线与学校特色，但同时也允许高校结合区域需求增设特色标准，根据自身情况做灵活调整。设计阶段重点做好培养目标与毕业要求的衔接，确保专业培养目标能分解为可衡量的毕业要求，细化质量标准环节，量化资源保障指标。

质量保障体系的有效运行，要保障符合性、充分性、规制性、常态性和有效性。符合性即高校内部质量保障体系的文件既要符合国家政策和行业要求，也要与自身定位、人才培养目标、所处的内外部环境相适应。充分性即高校质量保障体系应涵盖人才培养全过程，结构合理、程序完善、职责明晰、闭环管理。体系运行须体现规制性，既定标准必须不折不扣地严格执行，有规必循，有法必依，保障教育教学活动持续有序开展。高校教师为本科生授课的要求不能仅停留在制度文本层面，而应通过考核机制确保落实。常态性需将“全员、全程、全方位”的全面质量管理原则贯穿运行全过程，调动教师、学生、督导等多方参与，多渠道反馈问题；过程上需覆盖从招生到毕业的全周期，对毕业设计的选题、开题、答辩进行全过程监控。部分新建本科院校存在“评估时突击运行、评估后松懈”的问题，这正是建立了制度但缺乏常态性运行机制保障的表现。有效性即质量保障体系运行的效果应该达到质量标准、实现质量目标，并向学生、家长、用人单位等利益相关者保证教育教学质量，持续改进教育教学质量，促进教育教学质量不断提高。此外，运行效率依赖信息传递的顺畅性，须建立质量信息实时采集与反馈平台，实现教学状态数据的动态更新与共享。这与《普通高等学校本科教育教学审核评估指标体系（试行）》中“教学基本状态数据及时更新”的要求相契合。

质量保障体系运行的效果须从多维视角展开评估。高校应建立多样化的自我评估机制，避免评估主体单一化。学院评估作为教学质量监控的有效形式，但其客观上具有耗时长、规模大、组织困难等缺陷，而且由于评估范围广泛，对一些具体支撑材料难以进行认真细致的检查。因此，在学院评估的基础上，有针对性地开展专业评估、课程评估、实践教学评估、学院互评等多样化的评估，是完善学校教学质量监控与保障体系、形成质量监控长效机制的重要途径。在指标设置上，应优化评估指标体系，使指标体系更科学合理，还要论证指标体系间的相关性，以及各指标所赋予权重的合理性，不断改进评分方式，同时设计更加合理的评估简况表，增加定量评分的比重，增强评价结果的客观性。此外，效果评估需避免陷入唯数据论，高等教育质量是多维度、发展性的概念，需结合教师评语等定性分析，如学生创新能力的提升不能仅通过竞赛获奖数衡量，还需关注其日常发现问题

并解决问题的能力。

高等学校内部质量保障是一种持续改进的哲学，组织中一切人与物都包含在持续改进事业中，以达成并超越目前及未来的发展目标。高等学校内部质量保障不仅在于发现问题，更重要的是解决问题，实现教育质量自我改进、专业和课程设置进一步完善，以提高教育教学水平。高校在教育教学操作执行中出现偏差甚至问题是不可避免的，重要的是学校质量管理部门应善于通过校、院（部、系）二级督导、例行教学检查监测、专项教学评估、学生信息反馈、社会用人单位调查等途径，及时发现问题，识别人才培养目标、专业毕业要求、教育教学活动、教学资源保障等方面不合格事项的存在，评估其问题严重程度，研究并采取具体的措施有效改进不足，确保今后不再发生类似的不合格事项。《普通高等学校本科教育教学审核评估指标体系（试行）》特别强调改进的长效性，要求高校建立整改台账，实行督查督办。此外，改进需最终指向质量文化培育，只有当“持续改进”内化为师生共识，质量保障才能摆脱“外部施压”的被动状态。

从整体看，质量保障体系的设计、运行、效果与改进是相互支撑的有机整体：设计为运行提供框架，运行是效果的基础，效果评估为改进指明方向，改进又反哺设计优化。这一逻辑既呼应 OBE 理念的“输入—过程—输出”循环，也符合审核评估“持续改进”的核心要求，最终推动高校从“被动迎评”转向“主动提质”。

第三节　审核评估对地方院校质量保障提出的要求

一、基于自身定位科学设定可衡量、有特色的培养目标和毕业要求

在 OBE 模式下，课程目标覆盖对应的毕业要求，教学内容和方法支撑课程目标，考核评价考察课程目标的达成，学生考核注重考察学生的学习结果，环环相扣，互相支撑。每所院校应立足自身基因，独立拟定培养目标与毕业要求，确保“一校一案”既能对接审核评估，又能满足区域发展需求。在培养目标与毕业要求设定过程中，地方院校需直面三重现实挑战。其一是地方院校在目标拟定过程中定位认知仍浮于表面。院校深知实践的重要性，但要把区域产业链细化为可嵌入教学的具体任务，以实现产教融合的纵深推进，需要把产业一线的最新需求及时拆解成课堂任务，但又苦于缺少既懂技术又懂教学的师资，更受制于区域薪酬与平台引力，难以让这种拆解真正落地。其二是区域需求是模糊的、非标准化的，而毕业要求又要用任务完成率、资质获取率等硬性数据说话。地方院校所服务的区域在产业升级、基层治理优化等方面往往缺乏统一标准，而毕业要求需通过具体指标如任务完成率、资质获取率等数据来评估达成度。这种张力易导致为了实现目标的可衡量性而偏离需求或特色而陷入难以评估的困境。如某地方师范院校将乡土文化融入教学能力列为乡村小学全科教师的核心要求，但该能力的评估标准如课程设计中乡土内容占比与实习应用效果的权重尚未形成共识，最终使要求难以落地。其三是培养目标的前瞻性与资源的现实性存在脱节。培养方案需预判四年后区域产业的人才画像，但院校既缺“懂产业”又缺“懂教学”的复合型教师，外引人才又受薪酬、地域吸引力掣肘，导致相关课程只能依赖现有教师临时补课，内容深度与产业前沿存在差距。

审核评估的规制要求为解决这些问题提供了重要参照，其注重实现定位清晰性、特色鲜明度、指标可测性与实施可行性之间的平衡。各高校在建立内部标准时，除了要正确认识和理解质量标准的基本内涵和共性要求外，还要切实把握本校本科教学的个性化特征和差异化要求，紧密结合本校办学定位、服务定向、人才培养目标、人才培养模式，以及生源总体特征和教学资源状况等，制定出既符合共性要求，又体现本校个性特征的差异化、校本化的质量标准。毕业要求应该作为产出导向教育理念的集中体现，通过设立学生毕业时应达到的素质标准来证明学习结果和成效，并将毕业要求贯穿于学前教育专业人才培养的全过程，以确保毕业生达到人才培养质量标准，对学生整个学习过程进行全程跟踪和评估，评价与反馈结果用于学院和专业的持续改进。审核评估正是通过这种价值引领，促使院校建立起与办学定位相匹配的质量保障体系，实现从形式合规到实质有效的转变。

二、构建与目标相匹配、支撑毕业要求达成的课程体系和教学模式

地方院校在构建课程体系与教学模式时，面临一系列现实困境。传统的学科导向课程架构与能力培养需求之间存在着结构性脱节，这种脱节不仅体现在课程设置层面，更深刻地反映在教育理念转型的滞后上。专业培养方案虽把技术应用能力写进毕业要求，课堂却依旧围绕知识体系的完整性与考试通过率运转，教师只能把实验课时压缩成理论附属，系统化能力训练被零散的任务取代，导致系统化能力培养路径难以形成。同时，将毕业要求与实际情况挂钩，但校企合作深度不足导致教学案例库建设面临实质性困难。企业核心技术的保密要求与教学需要的开放性之间存在固有矛盾，区域特色教学资源开发又受制于数据可获得性与案例完整性，使得原本的课程目标难以落地，学生毕业要求难以实现。在实践教学环节，重金投入的实训平台因后续技术维护缺位而闲置，设备利用率低，指导力量薄弱，学生无法借此完成毕业论文，质量管理随之陷入空转。

这些困境的核心是课程、教学与目标之间的匹配逻辑尚未形成。课程体系需以毕业要求为起点反向设计，教学模式需服务于能力培养，二者共同构成对目标达成的支撑，即课程设置和教学模式围绕毕业要求的达成而展开。课程体系是对总目标的分解，分解毕业要求的过程应该是深度剖析质量管理操作思路的过程，促使毕业要求可教、可学、可达成、可评价，回答本校培养什么样的学生、为谁培养等价值问题。从不同角度深入理解"把立德树人成效作为检验学校一切工作的根本标准"背后深层次的内涵和意义，在撰写自评报告过程中保证对育人成效相关指标进行全面审视。实践教学类课程需要以更深入的产教融合为支撑，推动教室与车间的衔接，如此方能实现课程、教学与目标的一致性，满足审核评估对支撑性的核心要求。在教学模式上，院校应改变传统的任务式传达方式，通过教学研讨、质量案例分享等日常化方式，让学生中心、持续改进等理念融入师生沟通语境。

三、有效建立并运行基于证据、闭环反馈的内部质量保障机制

院校在内部质量保障机制建设与运行中，往往在证据收集到反馈的过程中陷入层层困境。学习行为、课程目标达成度、实践成效等关键数据分散在院系、教务处、实训中心，口径不一、格式各异，无法拼成连续材料，验证毕业要求时只能退回到依经验判断；问题

暴露后，又因权责模糊而难以推进整改。毕业设计质量下滑时，教务处指向课程，院系归咎于师资，实训中心归因于设备，缺少衔接规则，改进长期滞留于发现阶段。更深层的矛盾在于改进逻辑的表层化。现有质量改进多聚焦于即时性问题解决，学生评教分数偏低便临时换教师或调整考核方式，未追问培养目标或课程体系是否需要深度调整，同类问题反复出现，质量保障沦为被动修补。这种改进既未关联培养目标是否需要优化，也未审视课程体系是否存在结构性缺陷，导致类似问题反复出现。质量保障因此沦为被动应对而非主动优化，难以形成持续改进的内生动力。

审核评估要求机制完成从数据采集、分析诊断到反馈整改、效果验证的完整闭环，实质是从经验驱动转向证据驱动、从分散管理转向系统协同，促使院校提升用数据说话、依证据改进的能力。这一要求并非指向具体的操作步骤，而是强调质量保障须从经验驱动转向证据驱动，从分散管理转向系统协同，构建跨部门协同的诊断机制，透过表象追溯质量问题的根源。对地方院校而言，这意味着院校应该先解决数据整合的基础问题，再构建跨部门协同规则，最终形成从问题表象到根源改进的深层逻辑。以此回应审核评估对持续改进的要求，让质量保障机制真正发挥作用。

四、克服资源相对不足的约束以保障关键教学条件

在资源保障与教学条件支撑的实际操作中，地方院校常面临多重现实约束。地方院校资源经费主要依托地方财政支持，与部属院校相比，师资与设备等核心教学条件是地方院校的一大痛点。双师型教师引进受限于薪酬竞争力，企业经验丰富的技术人员往往因待遇、编制等门槛难以进入教学团队；实践教学所需的专业设备如实训仪器、模拟课堂软件等，单价高且更新迭代快，常因经费不足而无法按教学需求配齐。这种总量上的差距，从起点就压缩了资源保障的空间。资源配置的精准度不足进一步放大了约束效应。部分院校仍延续按学科均衡分配资源的惯性划分，未对本校核心专业重点投入，导致这些专业实训设备数量不足，难以支撑小班化实践教学。平均用力的配置逻辑，使得有限资源无法形成聚焦效应，关键环节的教学支撑力自然被削弱。更突出的挑战在于资源效能转化不畅。即便投入资源建成关键条件，也常因配套机制缺失而难以转化为实际教学支撑。教学仪器设备的部门所有制和教学科研项目实施往往发生冲突，层层审批的烦琐流程导致教师因使用成本过高而放弃实操教学，转而采用简单的知识传授模式。专业实训设备因缺乏专职运维团队而长期闲置，双师型教师的企业经验因缺乏教学转化路径无法融入课程设计，实训基地建成后未配套对应实践项目，最终导致资源与教学需求脱节，投入无法真正服务于能力培养。

审核评估并不鼓励盲目追量，而是督促院校思考“如何将有限资源进行合理配置”的现实要求。在物力资源上，高校须建立健全财务规章制度，实行专项财务集中管理制度，做到科学理财，充分发挥内部审计的作用；同时须积极扩大一切可接受的教学资源，实行高等教育资源共享，积极推动设备协作共用和资源共享，促进仪器设备投资和使用效益提高，避免对使用效率不高设备的盲目或重复购置行为。在人力资源上，需加速建立一支高水平双师型教师队伍，建立竞争机制，完善校内各种津贴、奖励和激励制度。资源投入须与核心培养目标直接关联，应用型高校聚焦实践设备与双师型师资建设，基层导向院校侧

重基层实训平台投入，要优先满足关键能力培养环节的需求；资源配置时，须遵循精准倾斜原则，建立从核心目标到关键环节再到资源投入的对应机制，地方支柱产业相关专业应享有倾斜权；后续配套专职运维与教学转化机制，定期用实践开出率、学生能力增值、用人单位回访数据验证效能，确保每一笔投入都能落在学生能力成长的刀刃上。院校最终通过聚焦核心需求，精准倾斜配置，强化效能转化，让有限资源对接关键环节。

五、有效收集、分析和利用各类教学状态数据与反馈信息

教学状态数据在地方院校内部呈现明显的离散特征。通常，学生课堂出勤、作业成绩、毕业设计与实践环节记录存放于教务信息系统；学生评教结果归属于学工平台；用人单位评价则由招生就业处独立维护。三套数据源字段标准不一、接口未通，致使从入学至毕业全周期数据链无法一次成型；每当需要回溯某一毕业要求的达成度时，管理者需在多系统间反复导表，时间成本陡增，且难以形成连贯分析。数据分析能力也显薄弱，校内缺乏兼具教育评估与数据科学背景的复合型团队，对课程目标达成率、毕业要求达成度等核心指标通常仅完成基础描述统计；若某专业课程目标达成率持续低于阈值，现有分析只能指出“未达标”，尚难判定究竟是因为课程内容与产业需求错位，还是教学方法与学生认知规律不符。更为突出的矛盾在于数据与改进措施脱节。即便分析报告已揭示症结，因整改责任尚未与部门及教师个人绩效绑定，后续推进常流于形式。学生评教反馈某类课程效果欠佳，教学管理部门虽发布整改建议，却因缺乏院系、教研室、教师的具体责任清单，最终仅给出“加强督导”一类的模糊回应，数据遂由改进依据退化为评估材料，闭环难以闭合。

这些阻碍的核心，是数据利用尚未形成服务改进的完整逻辑。数据整合层面，需建立校级统一教学数据平台，打通教务、学工、就业等子系统，既需侧重人力配置、经费投入、物资保障等结构化、特定领域的数据，更应重视吸纳日常教学管理中生成的开放性、非确定性信息，统一字段、统一编码，实现全过程数据一次采集、全程调用。数据信息的全面性、立体性与多样性越强，对高校质量保障体系的构建与完善就越能形成有效支撑。分析能力层面，应组建由教育学者、数据分析师及行业导师构成的跨学科团队，以课程目标达成数据为基线，交叉关联产业需求波动、学生学习轨迹等多维信息，完成根源诊断。责任绑定层面，须在平台内嵌整改工单系统，明确数据反馈后的整改主体、推进路径和验证标准，确保每一条数据发现均对应可追踪、可验证的具体改进行动，从而满足审核评估对持续改进的核心要求。

六、将评估理念和要求真正融入日常教学管理，形成质量文化

高校质量文化是高校在长期教育实践中形成的质量意识、质量价值和质量行为规范的总和，是高校教育质量保障的思想文化基础。然而，院校在质量文化培育过程中常面临多重挑战。首先是组织结构困境，科层管理型价值标准对质量保障的共性要求难以适应专业性的、多元化高等教育实践，对灵活性的缺乏也使其难以适应高等教育市场化需要。其次是认知层面的偏差，师生难以将质量管理视为外部任务，认为质量保障仅是教务处等管理

部门的职责，未意识到自身在质量链中的主体地位。因此，教师往往将课程改进看作任务要求而非职业自觉，学生也未将能力提升与质量标准建立关联，使得评估理念难以渗透到日常教学行为中。专业化的质量保障体系未建成，管理层只聚焦评估指标的短期达标，将精力放在数据完善、材料准备上，教师缺乏表达教学改进建议的平台，学生对培养方案的调整没有话语权，导致质量理念难以形成上下贯通的共识，最终止步于政策表述层面，无法转化为集体行为准则。

要真正将教学质量作为院校发展的核心关切，需培育全员质量文化。这需要推动本科教学质量管理的理念与实践在全校各层级深度渗透、有效落地，才能构建起科学有效的质量保障体系，实现教学质量管理的系统性提升。高校要加强质量保障主体专业化建设，着眼于主体多元化和胜任力。根据利益主体能力和分工差异，研发指导性质量保障手册，明确各类主体参与质量保障的目标、范畴、途径、方法、任务、操作标准等；加大对质量保障弱势主体的支持力度，让教师都能认识到自身在质量保障中的角色，强化教师保证课程质量，专业负责人或学科带头人保证专业建设规划与发展质量；学生保证参与评教、评课、评专业的质量以及学习质量；家长保证家校合作育人的协作质量；企业保证深度参与的质量；加强评估与督导队伍建设，对评估与督导人员进行专业化培训，建立评估与督导人员的准入与退出机制。在人文层面，高校管理者首先要善于引导广大师生员工树立质量意识、问题意识；要以学校教学质量标准以及相关支持性文件和程序性文件为核心，定期开展一系列制度化的教学质量活动。其次，要通过目标认同、制度约束、活动引导等措施，激发教师教学热情、学生学习动机和教学管理人员监督意识，使教学质量意识渗透于教学和管理全过程。最后，学校行政管理部门要树立以教学为中心、为师生服务的意识，强化对社会和教育消费者负责的精神。通过这样的转变，评估理念才能真正嵌入日常教学管理，形成可持续的质量文化，这也正是审核评估对质量保障的深层期待。

从长远来看，质量目标向质量成果转化是通过管理过程来实现的。随着高等教育形势的变化和学校自身的不断发展，质量保障体系需不断健全，尤其要在质量理念的先进性、质量标准的科学性和管理制度的有效性等方面进行更加深入系统的研究和实践。只有持续完善教学质量保障体系，才能最终形成人人追求卓越的质量文化。

第四章　地方院校教育教学质量保障成效及主要问题

在审核评估的持续推动下，我国本科教育教学质量保障体系建设取得成效，体系日臻完善，多校基本构建了覆盖教学全流程、动态闭环的保障机制；同时，育人模式创新纵深推进，产教融合与双创教育得到了强化。然而，深水区攻坚仍存短板：一方面，系统性协同亟待突破，部门整改易陷碎片化，“招生—培养—就业”链条联动不足，质量文化顶层设计尚显薄弱；另一方面，长效常态机制尚未健全，部分整改浅尝辄止，优秀实践未能充分固化为制度，评价改革也须进一步破除“唯分数”惯性以激发深层活力。

第一节　地方院校教育教学质量保障体系建设成效

近年来，我国地方院校本科教育教学质量保障体系已取得一定建设成效。通过构建校院两级协同管理机制与专门的质量监控机构，建成权责明晰的组织架构；建立覆盖专业、课程、教师等五类主体及教学五大环节的分层质量标准体系，辅以资源优先配置制度；依托“三期检查＋多元督导”常态监控与数字化平台闭环管理；将外部评估要求深度融入日常，实现“以评促建”的长效转化；并以培育“自觉、自省、自律”质量文化为内核，创新“三级五类”“四化一体”等治理模式，赋能 AI 与大数据驱动智能化升级，为人才培养质量提供坚实支撑。

一、质量保障组织注重体系化建设

1. 校院两级协同管理模式

地方院校普遍采用校院两级协同管理模式，实现了质量保障重心的合理下移与权力分配的科学平衡。以赤峰学院为代表的“三级五类”本科教学内部质量保障体系，依据本科教育教学运行规律及主体完整性，确立了“教学主体（教师、学生）、基层教学组织（专业系、教研室、教学团队或课程组等）和学院”三个实施层级，紧扣“提升教育教学质量和人才培养质量”两个核心目标，形成了“学生发展、教师教书育人、课程建设、专业建设、学院本科教学评估”五大实施类别。这种架构既覆盖了教育教学全过程，又明确了各主体责任边界，为质量保障的有效实施提供了组织保障。

赤峰学院通过创建“344”教学质量过程保障机制，建立了校院两级共同实施，领导、职能部门、教师、学生四方参与的 3 类管理组织、4 类基层教学组织和 4 类听课评课制度，实现了质量保障工作的系统化和精细化。该体系有效解决了教学质量保障体系逻辑结构不够清晰、基层教学组织建设不力、专业建设对毕业要求达成的支持不足等问题，为西部高校协同建设一流本科教育提供了新范式。

2. 专门化质量保障机构设置

部分地方院校通过设立专门化的质量保障机构，实现质量监控与评估工作的专业化发展。西安邮电大学设立了教学质量监控与评估办公室，作为全校质量保障的核心职能部门，主要承担八大职能，即构建教学质量保障体系、开展本科教学质量监控、组织专业认证与评估、实施教师课堂教学质量评价、进行教学质量信息分析与反馈、开展教学督导、组织青年教师讲课比赛、负责本科教学状态数据填报与分析。这种专业化的机构设置体现了质量保障工作在现代高校治理中的重要性不断提升，有效提升了质量保障工作的专业性和系统性（表 4-1）。

表 4-1 地方院校质量保障组织模式典型案例比较

院校名称	组织模式特点	核心构成要素	实践成效
赤峰学院	三级五类体系	教学主体—基层组织—学院三级联动、五类质量维度	教师教学竞赛获奖率提升 30%，学生平均学分绩点提高 17.3%
淮南师范学院	6334 质量保障体系	六大子系统、三个层级、四个协同	荣获全国高校质量保障体系建设优秀范例选树活动一等奖
西安邮电大学	专业机构主导型	教学质量监控与评估办公室八大职能	专业认证通过率显著提升

3. 基层教学组织功能强化

地方院校质量保障体系建设的另一成效是基层教学组织功能的实质性强化。基层教学组织作为教学质量保障的“最后一公里”，在规范教学行为、促进教学研究、提升教学质量方面发挥着不可替代的作用。淮南师范学院通过建强三支质量保障队伍，实现了质量保障工作的全员参与：一是建强教学管理人员队伍，现有专兼职教学管理人员 70 人；二是建强专职兼职结合、校内校外结合、退休在职结合、教学与管理结合的校院两级教学督导队伍，现聘有校院两级教学督导员 60 人；三是完善校院两级督导联动机制，实现班级学生教学信息员全覆盖，打通了教学质量管理“最后一公里”。

近三年来，淮南师范学院教学督导听课 4754 节次，发布教学督导信息周反馈 80 余期，跟踪听课 200 余节次，有效促进了课堂教学质量的提升。2023 年，该校校级教学督导组荣获“全省离退休干部正能量活动团队”称号，体现了基层教学组织在质量保障中的重要作用。

二、质量管理制度的过程化控制

地方院校本科教育教学质量保障的第二大建设成效体现在制度体系的全过程覆盖。通过构建完善的质量标准体系、规章制度和资源保障机制，地方院校为教学质量提供了系统化的制度保障，实现了从输入到输出全过程质量控制。

1. 质量标准体系的系统构建

地方院校普遍重视质量标准体系的系统构建，为教学质量评价提供了科学依据。赤峰学院构建了两类质量标准体系：一是覆盖学院、专业、课程、教师、学生五类主体的教育教学评估质量标准体系；二是覆盖课堂教学、实验教学、实习实训教学、毕业论文（设计）、学习考评五大关键教学环节的教育教学环节质量标准体系。这种纵横交错的标准体系实现了对教育教学全方位、立体化的评价和保障，为教学质量监控提供了明确依据。

玉林师范学院针对教学质量标准不健全问题，建立了全过程标准体系。学校对标国家标准、评估标准和认证标准，依据办学定位和人才培养目标，构建了涵盖教学条件、教学基本建设、教学环节、教学评价 4 个一级指标，下设师资队伍、专业建设、课程体系等 26 个二级指标的质量标准框架。同时，学校引导二级学院精研专业、课程、教学、实践、毕业和学生发展 6 个核心指标，制定符合专业特点的质量标准，保障标准的可行性与可操作性。这种分层分类的标准体系既体现了学校层面的统一要求，又尊重了学科专业的差异性，有效解决了质量标准“一刀切”的问题。

2. 教学管理制度的完善优化

在管理制度层面，地方院校通过系统化的教学管理文件建设，为质量保障提供了制度基础。淮南师范学院强化过程管理，制定课程建设、教学质量工程、教学管理、学籍管理、实验教学、实践教学、学业预警、毕业论文等制度，规范教学运行管理。学校还建立了“三观”全覆盖、“三评”相结合的教学评估制度，定期开展评教、评学、评管工作，重点聚焦学校—学院—专业—课程四个层面开展教学质量评估评价，形成了全方位的质量评价体系。

赤峰学院则通过制定《教学奖励办法（修订）》《教学事故认定与处理办法》《课堂教学质量评价办法》《教学工作考核评价办法》等一系列规章制度，对教师教学行为进行规范及奖励，对各单位教学工作进行考核评价。这些制度共同构成了教学质量管理的制度网络，为质量保障提供了坚实的制度基础。

3. 教学资源保障的优先配置

地方院校在教学质量保障中的另一重要成效是确立了教学资源的优先配置机制，确保教学工作的中心地位落到实处。湖南城市学院提出“最好的资源配置在教学、最多的经费用在教学、最优的师资强化教学”的理念。2016 年，在学校账面欠款一亿多元的情况下，仍然坚持压缩校内行政经费，保障教学优先投入。2015～2018 年，本科教学经费年均增长率为 7.12%，其中，教学日常运行经费年均增长率为 6.83%，体现了学校对教学工作的高度重视。

在师资配置方面，湖南城市学院规定“高职称教师必须为本科生上课。无特殊原因，连续一年没有给本科生上课的教授、副教授，学校将对其提出警告，并取消其当年参加各种评优的资格；连续两年不讲授本科课程的，不再聘任其担任相应教授、副教授职务”（表 4-2）。这一制度有效保障了优质师资向本科教学集聚，体现了地方院校对本科教育教学质量的高度重视。

表 4-2　地方院校教学质量保障制度体系框架

制度类型	核心内容	代表性案例	实施效果
质量标准制度	五类主体标准、五大环节标准	赤峰学院两类质量标准体系	实现教育教学全方位评价保障
教学管理制度	教学运行、质量工程、实践教学	淮南师范学院过程管理制度	规范教学运行全过程
教学激励制度	教学奖励、教学事故处理	赤峰学院教学奖励办法	规范教师教学行为
资源保障制度	经费投入、师资配置	湖南城市学院教学投入机制	教学经费年均增长 7.12%

三、常规质量监控的常态化运行

地方院校本科教育教学质量保障的第三大共性特征体现在常规监控活动的常态化实施。通过建立多层次、多形式的监控机制，地方院校实现了对教学过程的全程跟踪与及时反馈，形成了“监控—反馈—改进”的质量闭环。

1. 教学检查机制的多维覆盖

地方院校普遍建立了多维覆盖的教学检查机制，实现对教学全过程的质量监控。淮南师范学院强化过程检查，定期开展专项检查及“三期”教学检查（期初、期中、期末），对教学运行、教学计划执行、毕业论文（设计）、课程考试、实验实训等环节进行全过程监控。学校还建立了问卷调查制度，定期开展在校生、教师教学质量问卷调查，撰写满意度调查报告；定期召开师生座谈会，全面掌握教师教学和学生学习情况，形成了多维度的质量信息收集机制。

玉林师范学院则形成了“三查三督五评一平台”的常态化运行机制。“三查”即期初、期中、期末三项检查；“三督”即院校两级教学督导覆盖督教、督学、督管；“五评”即周期性开展专业建设、课程质量、教学质量、学生学习质量、毕业生培养质量评估；“一平台”即本科教学基本状态大数据平台。这种机制设计实现了对教学质量的全时段、全过程、全环节监控，为教学质量提升提供了有力保障。

2. 教学督导体系的创新构建

地方院校在教学督导体系构建方面取得了显著成效，形成了多元参与的督导格局。西安交通工程学院建立了老中青结合的专家型评估监测队伍，从多所知名高校聘请经验丰富的教授担任校级教学督导，同时从各教学单位选拔年富力强的中青年教授担任院级督导，形成校院两级教学监督体系。该校还建立了学生信息员队伍，及时收集并督促解决学生反映的教学问题；严格执行领导干部听课制度，充分发挥三支队伍的教学情况监测反馈作用。这种多元参与的督导体系保证了教学质量监控的全面性和客观性。

淮南师范学院的教学督导工作则体现了督导功能的拓展与深化。学校完善校院两级督导联动机制，鼓励督导专家入课堂、入实践、入教材、入教改，开展全过程督导，共同助力教学质量提升。近三年，督导听课4754节次，教学督导信息周反馈80余期，跟踪听课200余节次，形成了常态化、制度化的督导机制。2023年，校级教学督导组荣获“全省离退休干部正能量活动团队”称号，体现了教学督导工作的显著成效。

3. 数字化监控平台的深度应用

地方院校在数字化教学质量监控平台建设方面取得了重要进展，实现了质量监控的智能化升级。山东英才学院构建了“数智驱动‘六位一体’教学质量闭环治理范式”，入选2025年山东省数字化赋能教育高质量发展应用典型案例。该范式构建“目标标准—决策管理—资源保障—质量监督—质量评估—反馈改进”的“六位一体”闭环质量保障体系，实现对学校主要教学环节的实时监测与精准调控，打造“学校—学院—专业”三级联动监控网络，全面推动教学质量跃升。

淮南师范学院则通过完善数字化监测平台，综合运用互联网、大数据等现代信息技术手段，建立智慧校园、校内教学基本状态数据监测平台，挖掘常态监测数据资源，建立学校—学院—专业“三位一体”的教学质量监测体系。甘孜藏族自治州在“组团式”帮扶中建立的“智慧帮扶云平台”，实现优质教案共享率100%，课堂直连覆盖率80%，形成了教育高质量发展的支持系统。这些数字化平台的应用，极大提升了质量监控的效率和精准度，为教学质量保障提供了技术支撑。

四、评估应对机制的战略性构建

面对教育部组织的合格评估、审核评估等外部评价，地方院校普遍形成了系统化的评估应对机制，将评估要求融入日常质量保障工作，实现了“以评促建、以评促改”的战略目标。

1. 自评自建机制的科学化

地方院校将自评自建作为提升教学质量的重要契机，形成了科学规范的工作机制。赤峰学院依托国家每5年一个周期的本科教育教学评估和逐步推开的各类专业认证工作，通过以评促建的方式不断提高本科教学质量。2011年，学校通过教育部普通高等学校本科教学工作合格评估；2018年，通过本科教学工作审核评估；2021～2023年间，物理学、小学教育、临床医学专业分别通过专业认证。这种持续性的评估参与，使学校建立了评估与常态质量保障的有机衔接机制。

淮南师范学院则聚焦师范主责主业，扎实推进师范专业认证，已有9个专业通过国家级师范类专业二级认证。学校坚持“以评促建、以评促改、以评促管、以评促强”，强化问题导向和持续改进，全面开展本科教育教学审核评估自评自建工作。通过对照“一流专业”建设标准，全面启动“三级”达成评价工作，开展教学质量年度考核，将教育教学作为重要内容纳入二级学院领导班子和领导人员考核体系，形成了评估与常态工作的有机结合。

2. 迎评促建策略的协同化

地方院校在迎评促建过程中形成了高效的协同工作机制，实现了全员参与、全方位推进。黄河科技学院工学部在本科教育教学审核评估百日冲刺阶段构建了“三网体系”：责任网、协同网、暖心网，凝聚“决心、同心、安心”三心合力。在责任网建设上，工学部实施“四级网格责任体系”与销号机制：党委挂帅指挥部，班子成员立“军令状”；科教中心主任担任“阵地指挥官”，将问题清单和重点任务拆解为“中心作战图”；骨干教师和专业负责人承担具体专项任务；辅导员、行政人员提供“硬核支撑”。这种责任体系确保评估任务无死角、落实全闭环。

在协同机制上，黄河科技学院工学部开展“科教产教联动”，打响六大战役：全员培训（新版教案与课件优化）、全员整改（毕业设计、试卷规范整改）、全员演练（说课磨课、模拟听课）、凝练特色（科研成果转化教学案例）、综合调研实验室建设、全力推进申硕工作。这种全员参与的迎评模式，将“要我评”的外在压力转化为“我要赢”的内在动力，有效提升了迎评工作的效果。

3. 长效赋能机制的创新化

地方院校通过创新长效机制，实现了评估成果的持续转化与固化。甘孜藏族自治州在“组团式”帮扶中探索的“1＋2＋N”教研体系，为评估后的持续改进提供了有益经验。该体系通过每月1次大教研、2次备课、N次微研讨，开发“一课双师”等互联网教研模式，编写特色校本教材，建立“智慧帮扶云平台”，实现优质教案共享率100％，课堂直连覆盖率80％，形成教育高质量发展支持系统。这种机制既解决了当下的问题，又为长期质量提升奠定了基础。

赤峰学院则通过搭建数字化教学质量管理平台，建立“线上线下、校内校外”结合的信息收集制度和“三层次、多形式、多主体”的信息反馈制度，形成质量改进闭环运行机制。该校还实施“以质量为导向”的资源配置绩效分配制度，将质量保障与资源配置挂钩，强化质量管理的激励约束作用，确保了评估成果的持续转化与应用。

五、质量保障体系的创新发展趋势

地方院校本科教育教学质量保障体系建设呈现出鲜明的创新发展趋势，在质量文化培育、系统治理深化、数字技术赋能等方面取得了良好成效，体现了质量保障工作的时代特征和发展方向。

1. 质量文化培育的内生驱动

地方院校正从制度约束走向文化自觉，将质量文化作为质量保障体系建设的核心内涵。淮南师范学院积极培育“五自”质量文化（自觉、自省、自律、自查、自纠），增强全员质量共同体意识，综合运用本科教育教学工作大会、教学工作会议、教学质量检查、教风学风建设等契机，将质量意识和质量自觉贯穿融入人才培养全过程，形成人人关心质量、处处体现质量的文化氛围。学校组织开展教学常态监测、教学督导、集体备课、集中磨课等活动，将质量意识、质量标准、质量评价和质量管理等全方位落实到教育教学各环节，内化为师生的共同价值追求和自觉行动。

赤峰学院则构建了学校为主导、学院为主体、相关利益方共同参与的自觉、自省、自律、自查、自纠的“五自”质量文化，定期召开本科教学工作会议，举办本科教育教学思想大讨论，凝聚共识，实施本科教育质量提升工程和本科教育评价综合改革工程，强化本科教学中心地位，使全校师生从“质量管理”向“质量文化”理念转变。这种质量文化建设使质量保障从外部要求内化为师生的共同价值追求和自觉行动，成为质量保障的长效机制。

2. 系统治理模式的深化拓展

地方院校质量保障体系日益呈现系统化治理特征，体现了对质量保障复杂性认识的深化。玉林师范学院的“四化一体”体系（质量标准全过程化、质量管理协同化、质量监控与评价立体化、质量反馈与改进有效化）和赤峰学院的“三级五类”体系（三级实施层级、五类评价对象），都是系统化治理的典型代表。这些体系通过多维度的质量保障要素整合，实现了质量保障工作的系统集成和协同高效。

淮南师范学院构建的“6334”质量保障体系，由教学决策指挥、教学质量目标、教学投入保障、教学运行管理、教学质量监控评价、教学信息反馈改进等六大子系统构成，覆盖宏观（学校）—中观（学院/专业）—微观（课堂）三个层级，聚焦评教、评学、评管三个核心功能，形成“学校抓统筹、部门抓协同、专业抓评建、教师抓课程”四位一体协同工作机制。这种系统化的治理模式，实现了质量保障要素的全覆盖和全过程贯通，为教育教学质量提升提供了系统支撑。

3. 数字赋能、赋智的全面渗透

地方院校积极推进数字技术在质量保障中的深度应用，实现了质量监控的智能化升级。山东英才学院构建的“数智驱动‘六位一体’教学质量闭环治理范式”，通过数字化手段构建“目标标准—决策管理—资源保障—质量监督—质量评估—反馈改进”的闭环质量保障体系，实现对学校主要教学环节的实时监测与精准调控，极大提升了质量保障的效率和精准度。

湖北国土资源职业学院则以数字化赋能教育管理信息化建设，通过全域覆盖的 Wi-Fi6 与万兆骨干网络、超融合分布式集群平台及 AI 驱动的网络安全体系，实现高速传输、弹性运维与 100%自动化安全拦截；创新“1+N+1”数据治理模式，打通跨部门数据壁垒，建成可视化领导驾驶舱，支撑 150 项线上业务流程数字化转型。聊城职业技术学院则通过构建“数据驱动+安全护航”双轮驱动的教育治理新模式，以人工智能技术为核心，为教育系统数字化转型提供了可复制的经验。这些实践体现了地方院校在数字赋能质量保障方面的积极探索和显著成效（表 4-3）。

表 4-3　地方院校质量保障创新发展趋势及典型案例

发展趋势	核心特征	代表性实践	创新亮点
质量文化培育	从制度约束到文化自觉	淮南师范学院“五自”质量文化	形成人人关心质量的文化氛围
系统治理深化	多维度系统集成	玉林师范学院“四化一体”体系	质量标准全过程化、管理协同化
数字技术赋能	智能化质量监控	山东英才学院“六位一体”闭环治理	实时监测与精准调控

综上所述，地方院校本科教育教学质量保障体系建设取得了良好成效，形成了鲜明的共性特征。在组织架构方面，通过校院两级协同管理、专门机构设置及基层教学组织功能强化，构建了系统化的质量保障组织体系；在制度体系方面，通过质量标准构建、管理制度完善及资源优先配置，形成了全过程覆盖的质量保障制度框架；在质量监控方面，通过多维教学检查、多元督导体系及数字化监控平台，实现了常态化的质量监控机制；在评估应对方面，通过科学自评、协同迎评及长效赋能，建立了战略性的评估应对机制。

以上建设成效体现了地方院校在本科教育教学质量保障方面的创新实践和系统思考，为提升人才培养质量提供了坚实保障。在质量文化培育、系统治理深化、数字技术赋能等方面的创新发展趋势，更彰显了地方院校质量保障体系建设的时代特征和发展方向。这些成效为地方院校深化教育教学改革、提升人才培养质量奠定了坚实基础，也为区域经济社会发展提供了强有力的人才支撑和智力支持。

第二节　审核评估视角下质量保障存在的主要问题

一、教育教学目标与标准问题

1. 培养目标定位模糊或趋同，弱化地方服务职能

地方院校在培养目标设定中存在同质化倾向，未能有效对接区域产业需求。以西部某省 30 所应用型本科院校为例，26 所（占比约 86.7%）院校的工科专业培养目标均出现“应用型”“复合型”等泛化表述，仅 4 所学校明确列出服务地方支柱产业（如能源装备、生态农业）的具体领域。这种定位模糊导致两大负面影响：一是人才培养结构性失衡，某省装备制造业年缺口 2.3 万名技术人才，但本地高校相关专业毕业生仅 38%留省就业；二是资源配置低效化。某学院近三年投入 1.2 亿元建设的智能制造实验室，因专业方向与区域新能源汽车产业错位，设备使用率不足 40%（校内审计报告，2025）。

案例分析：H 学院在 2023 年审核评估中被指出“培养目标与‘服务滇西生物医药产业’的办学定位脱节”，其药学专业课程体系中区域特色课程占比仅 12%，远低于同类院校均值 35%。

2. 毕业要求可衡量性不足，割裂目标达成路径

毕业要求普遍存在表述抽象、观测点缺失问题。抽样分析 50 份地方院校教学文件显示（表 4-4）：

表 4-4　毕业要求存在问题的典型表现

问题类型	占比	典型表现
可衡量性不足	74%	“具备创新能力”等表述未界定能力维度
与目标关联弱	68%	未说明如何支撑“应用型工程师”培养
达成路径模糊	82%	缺乏分级指标（如“解决复杂工程问题”未定义复杂度）

这种缺陷直接引发教学评价失准，某校机械专业毕业要求达成度评价中，因“工程实践能力”指标无行为化描述，教师评分离散系数高达 0.51（远高于 0.3 的合理阈值），导致改进措施针对性不足。

3. 课程目标支撑关系薄弱，引发教学碎片化

课程体系对毕业要求的支撑呈现形式化映射。如某校计算机专业课程矩阵显示，表面覆盖 32 门课程宣称支撑“系统设计能力”，但仅有 5 门设有对应训练环节；《数据结构》课程目标仍聚焦知识点掌握（如“掌握二叉树遍历”），未升级为“利用数据结构优化算法效率”的能力要求，出现了逻辑断裂。

其负面影响已在学习成效中显现，该校毕业生在“复杂系统开发”企业测评中，模块整合能力达标率仅为 41%，远低于课程成绩优良率 78%。教育学家伯顿·克拉克指出：“当课程目标沦为知识点的机械罗列，专业能力培养必然碎片化。”

4. 特色质量标准缺位，导致评估适配性不足

地方院校普遍套用通用标准，忽视校本特色量化。典型例证常见于师范院校：

① 指标偏差。某省 6 所地方师范院校均直接采用《普通高等学校本科专业类教学质量国家标准》，其“教育实践能力”指标未包含“乡村多学科教学”“留守儿童心理辅导”等区域急需能力。

② 证据缺失。教师教育课程评价仍以试卷考试为主，缺乏对“家访实录”“乡土教材开发”等特色成果的考察。

这造成“双重脱节”：一是审核评估中“服务乡村振兴成效”等特色指标缺乏观测数据；二是学校持续投入建设“智慧教育实验室”等偏离实际需求的设施（近三年平均利用率＜30%），造成资源浪费。

目标与标准的问题导致系统性失衡的连锁反应，已形成恶性循环链，即定位模糊→毕业要求失焦→课程支撑虚化→特色证据缺失。此链条导致地方院校在审核评估中出现“对标偏差”——某省 2024 年评估结果显示，参评院校“培养目标与毕业要求契合度”平均得分仅为 68.5（满分 100），成为扣分最集中项。唯有重构区域需求导向的目标生成机制和可观测的特色质量标准体系，方能破解困局。

二、质量保障机制运行问题

1. 质量保障体系与 OBE 理念契合度不足，“产出导向”机制虚化

地方院校质量保障体系普遍存在“输入—过程”偏向，未能将 OBE 理念贯穿全程。某金融学院的典型案例显示，其教学质量保障体系仍以“教学计划完成率”“听课覆盖率”等过程指标为核心，而“毕业生核心能力达成度”“课程目标实现率”等产出指标占比不足 15%，导致质量保障与人才培养目标脱节。具体问题表现为：

① 反向设计缺失。西部某理工院校 2024 年修订的 28 个专业培养方案中，仅 6 个专业（占比约 21.4%）明确将“毕业要求达成度”作为课程体系设计的起点，其余专业仍沿用“学科知识覆盖”的传统逻辑。

② 持续改进断裂。某商学院虽建立了毕业生能力评价体系，但因未将评价结果与课程调整挂钩，近三年“商业数据分析能力”达成度持续低于60%，却无相应课程改革措施。

案例分析：广东某应用型高校在审核评估中被指出“OBE机制空转”——其“市场营销学”课程大纲宣称培养学生的“市场洞察力”，但考核方式仍局限于选择题测试（占比70%），未设计真实市场诊断任务。评估组抽检作业发现，83%的学生无法将理论工具应用于实际案例。

以上做法的负面影响是，质量保障沦为“文档工程”。2024年某省审核评估数据显示，参评院校“产出导向机制有效性”平均得分仅为54.3（满分100），成为扣分最严重项，直接导致9所院校被要求限期重构质量体系。

2. 过程监控重形式轻实质，能力达成分析边缘化

过程监控普遍陷入“数量至上”陷阱，忽视质量实质。某工程学院巡视报告指出，该校规定“校级督导年听课200节次”，但反馈报告中78%的内容仅记录“教师按时到课”“课件规范”等表面问题，对“学生高阶思维培养”“实践能力训练”等核心教学环节的分析不足5%。典型问题如下：

① 数据采集失焦。某师范学院要求督导每节课填写16项检查清单，但关键指标如“课堂互动深度”“挑战性任务设计”未被纳入，反而过度关注“板书工整度”“PPT动画效果”等形式要素。

② 分析维度单一。西南某高校近三年累计收集教学督导记录1.2万条，但分析报告仅统计“优秀课占比”“不合格课次数”，未对能力培养薄弱点进行归因，导致改进措施停留在“增加多媒体设备”等硬件投入（表4-5）。

表4-5 过程监控形式化表现对比

监控项目	形式化操作	实质缺失点
教学督导	追求“听课覆盖率100%”	忽视能力达成路径分析
课程考核	试卷“题型齐全、题量达标”	未检测复杂问题解决能力
实践教学检查	检查“实验报告格式规范”	忽略设计思维与操作逻辑评价

由此引发的连锁反应是教学过程与能力目标脱钩。某工科院校“机械设计”课程连续5年获评“优秀”，但毕业生在企业设备改造项目中，创新设计达标率仅为29%，企业投诉学生仅能套用标准方案。

3. 评价反馈机制薄弱，多元主体参与缺位

评价系统存在“主体失衡”与“数据孤岛”双重缺陷，削弱了反馈的有效性。

（1）学生评教科学性不足

某师范学院的案例揭示的典型问题是，学生评教指标设计模糊（如“总体满意度”），未关联具体能力培养；2024年该校“高等数学”课程的评教满意度达92%，但同期期末考核显示“数学建模能力”达标率仅为41%，评价结果与学习成效显著背离。其深层矛

盾在于：一是指标与能力脱节，某文科院校学生评教表设置“教师亲和力”“作业量适中”等主观项，却无“课程挑战度”“思维提升度”等核心维度。二是数据应用失效，评教结果仅用于教师职称评定（占比 15%），未与课程改进衔接。某通识课因连续三年评教垫底被取消，但取消前从未分析具体问题症结。

（2）毕业生跟踪机制形同虚设

地方院校毕业生跟踪多陷于“低回收率—碎片化数据”困局。某新建本科院校 2024 年发送校友问卷 8000 份，有效回收率仅为 11.3%（远低于 30%的统计显著性阈值），且问卷仅设“就业满意度”“薪资水平”等通用项，未挖掘能力短板。用人单位参与度不足，东部某理工学院宣称建立“企业评价库”，但合作企业仅完成 17%的评估表填写，且反馈内容限于“学生纪律性”（如考勤），未涉及“技术创新”“团队协作”等核心素质。

某省教育厅 2025 年抽查显示，34 所地方院校中仅 5 所（占比 14.7%）将毕业生的跟踪数据用于专业调整，余者数据报告“静置归档”。

4. 持续改进环节断裂，闭环机制名存实亡

质量改进普遍存在“有数据无分析、有措施无落实”的痼疾，具体表现为：

（1）数据分析浅表化

江苏某高校年投入 80 万元建设“教学质量大数据平台”，但数据使用仍停留在“均值统计”（如平均分、及格率）阶段，未开展归因分析。例如发现“工程力学课程”的不及格率上升后，仅简单归因于学生基础弱，未深究教学法缺陷（如案例教学缺失）。某校宣称建立持续改进闭环，但整改报告显示，针对实验设备使用率低的问题，对策仅为加强宣传（未分析预约流程复杂等本质原因），次年使用率仍低于 30%。

（2）改进措施碎片化

持续改进缺乏系统追踪，典型例证如：①措施与问题错位。某师范院校检测到教育技术应用能力薄弱，却采取增加理论课时而非强化实训，导致达成度持续低迷。②责任机制缺失。西南某高校要求课程组每学期提交改进计划，但因未纳入绩效考核，32%的课程组连续三年重复相同整改措施而未验证效果。

以上闭环机制断裂会引发“评估—整改”二元对立的恶性循环。某学院在审核评估后提出 127 项整改任务，但因未建立跟踪台账，次年复查时 68%的任务仍处于计划阶段。

5. 内部评估与审核评估脱节，自评自建功能弱化

地方院校内部评估（专业/课程评估）常与审核评估要求形成“双轨并行”的矛盾。

（1）评估标准错位

某工程学院巡视反馈指出，该校专业评估指标中学术论文占比权重达 25%，而产业服务契合度、应用成果转化等应用型核心要素合计不足 15%，与审核评估中的应用型办学定位导向严重偏离。某理工院校更出现荒诞案例：机械专业的课程评估要求“师均省部级项目≥1 项”，却忽视企业真实项目参与率，导致教师为达标忙于申报理论课题，实践教学持续弱化。

(2) 评估主体单一

内部评估过度依赖校内专家，某文科院校 2024 年课程评估中，校外行业专家参与度仅为 7%，评估焦点集中于教学文档完备性（如教案格式），而非知识应用有效性。

评估中过度依赖校内专家，导致自评报告与真实质量脱节。2025 年某省审核评估显示，参评院校自评“专业建设成效显著”的比例达 89%，但专家组抽检显示，仅 32%的专业能提供系统的能力达成证据链。

地方院校教育教学质量保障机制运行层面的缺陷，已引发“质量黑箱”效应，形成恶性循环（图 4-1）。此循环导致审核评估中存在两大顽疾：一是证据链断裂。某校在评估中提交 983 盒过程材料，却无法说明“如何保障学生的复杂问题解决能力”；二是整改悬浮化。一些院校将评估整改简化为“材料补签运动”，如突击补填督导记录。

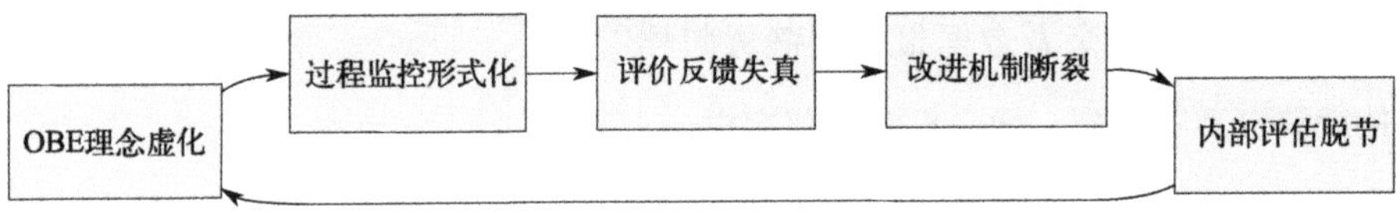

图 4-1　地方院校质量保障机制缺失形成的循环链

其破解之道在于重构“产出导向—数据驱动”的一体化机制，将 OBE 理念植入质量保障全流程，建立“能力达成”监测点，推动督导从“听课次数”转向“能力分析”，构建企业深度参与的毕业生能力追踪系统，以审核评估指标校准内部评估标准。唯此方能使质量保障从“文档合规”走向“实效赋能”。

三、质量保障条件与资源问题

1. 师资队伍结构性失衡：双师型教师短缺与行业背景弱化

地方院校师资队伍在数量配比、能力结构上与应用型人才培养需求存在较大差距，集中表现为双师型教师比例不足、行业实践经验匮乏、梯队建设失衡三大问题。

(1) 数据印证结构性矛盾

① 双师型教师有缺口。2025 年教育部抽样调查显示，地方应用型高校中双师型教师平均占比仅为 31.7%，远低于 50%的合格评估底线要求。典型案例如某工科院校新设的智能制造专业，专任教师 28 人中仅 5 人具备企业项目经验（占比 18%），导致课程内容与产业技术迭代脱节达 3～5 年。

② 行业背景被弱化。对中部三省 12 所地方院校的调研发现，66%的教师从“校门到校门”直接任教，近三年仅有 23%的教师参与企业实践，且平均时长不足 2 个月。某商贸学院的“跨境电商实务”课程因教师缺乏平台运营经验，教学内容仍以传统外贸理论为主，学生实操考核达标率仅为 41%。

(2) 负面效应链式传导

① 课程与产业需求脱节。企业反馈表明，某校物联网专业毕业生对工业物联网平台

（如 MindSphere、Predix）的掌握率为 0，而课程仍聚焦基础传感器技术。

② 师资梯队断层加剧。老龄化与高流失率并存。西南某理工院校 45 岁以上教师占比达 58%，近三年青年博士流失率为 24%，核心课程出现“一课难聘”现象。

案例分析：广东某应用型高校在审核评估中被指出“师资结构逆向发展”——投入 1.2 亿元引进 32 名学术型博士，但同期双师型教师数量下降 19%；新建智能制造实验室因无合格师资指导，设备闲置率超 60%。

2. 实践教学条件失能：投入不足与管理低效叠加

实践教学资源呈现硬件短缺与软件浪费并存的悖论，实验室与实习基地建设滞后、使用效率低下、管理机制僵化问题突出。

① 生均设备经费悬殊。2024 年《地方高校实践教学条件白皮书》显示，地方院校工科生均实验设备值仅 9850 元，不足“双一流”高校的 1/3。例如，某师范学院生物实验室离心机数量仅能满足 30%的学生同步操作，导致实验课被压缩为演示教学。

② 资源利用率低。北方某工科院校近三年新建 3 个智能制造实验室，但因预约流程复杂、开放时间受限，年均使用时长不足 400 小时（设计标准为 1200 小时），设备空置率高达 67%（表 4-6）。

表 4-6　实践教学资源管理问题典型案例

问题类型	案例表现	后果
重复建设	两所同城院校各自投入千万元建同质化 EDA 实验室	区域设备共享率＜15%，年均使用差 2000 小时
管理机制僵化	实习基地协议“重签约轻执行”	73%的企业未提供真实项目岗位
维护资金短缺	某校 VR 实训室故障停机 11 个月无维修预算	5 个教学班被迫取消虚拟仿真实验

以上投入与效能的断裂现象带来以下深层负面影响：一是能力培养目标落空，企业测评显示，地方院校毕业生的“复杂工程问题解决”指标达标率仅为 38%，低于全国均值 21 个百分点；二是产教融合流于形式，某应用型高校与车企共建的实习基地，因未建立协同管理机制，学生实习内容沦为“车间观摩”，岗位技能训练达成度为 0。

3. 教学信息化建设滞后：数字赋能效能衰减

教学信息化陷入硬件冗余与应用贫瘠的矛盾，表现为平台功能碎片化、数据孤岛化、智能支持缺失三大短板。

（1）技术悬浮的实证分析

① 平台功能与需求错位。2025 年对东部 6 省市高校调研发现，地方院校数字化教学平台平均搭载功能模块达 42 项，但教师高频使用仅“资料上传”（占比 89%）与“作业提交”（占比 76%）两项，智能诊断、学情预警等核心功能使用率小于 8%。

② 数据割裂致决策失灵。某校同时运行教务、学工、质量监测 3 套独立系统，数据互通率仅为 12%。专家组抽检发现，其《学生学习成效分析报告》中“挂科预警”与“课堂参与度”数据矛盾率达 53%，无法支撑教学改进。

(2) 效能衰减的连锁反应

① 教学模式革新受阻。某地区“智慧帮扶云平台”虽实现课堂直连覆盖率达 80%，但因教师数字素养不足，73%的课堂仅用于直播或录播，未激活 AI 评课、跨校协作等深度功能。

② 资源建设重复浪费。两所同省地方院校各自开发虚拟仿真实验项目，内容重叠度达 70%，但因平台不兼容无法共享。

4. 质量保障专职队伍薄弱：专业化缺失与职能悬浮

质量保障队伍面临编制短缺、能力钝化、权责失衡三重困境，导致评估监测、数据分析、改进指导等核心职能虚化。

(1) 队伍失能的现实状况

① 人岗比例严重失调。2024 年审核评估数据显示，地方院校专职质保人员师生比平均为 1∶4230（合格标准为 1∶2000），某综合性学院质评处仅 3 人需对接 17 个二级学院，年度督导报告错误率达 34%。

② 专业能力显著不足。西北某高校督导组 12 人中，9 人为退休返聘教师，未接受过 OBE 理念培训，听评课仍以“板书工整度”（权重 25%）等表面指标为主，忽视能力达成分析。

以下质量保障专职队伍职能悬浮，导致出现恶性循环（图 4-2）。如某校质保办因无专业数据分析师，将企业调研的毕业生能力短板数据简化为“满意度统计”，导致课程改革聚焦于“增加课时”而非“重构项目体系”。

图 4-2 地方院校职能悬浮形成的恶性循环

(2) 质量保障队伍失能的制度性归因

① 职业发展通道缺失。质量保障岗位在职称评审中归属“教辅序列”，其成果权重仅为教学岗的 40%，导致青年人才持续流失。

② 协同机制空白。教务、学工、院系数据壁垒未打通，某校为应付评估突击整合数据，出现“在校生数”与“课堂考勤数”矛盾率达 21%的荒诞现象。

以上条件与资源层面的系统性缺陷，正在诱发地方院校质量保障体系的基础性塌陷：师资结构失衡导致课程与产业需求断裂，人才培养“应用型”承诺悬置；实践资源失能使能力培养沦为纸上谈兵，“实习即观摩”成普遍现象；数字鸿沟固化教学传统主义，技术投入沦为“电子化黑板”；质量保障队伍边缘化致使评估改进循环断裂，审核评估陷入“材料运动”。

要破解条件资源困境需重构需求导向的资源适配机制，即建立双师型教师“编制双轨制”（高校编制＋企业岗位），推行实验室“共建共享”区域联盟，构建基于教育大数据的

“监测—预警—决策”智能平台，赋予质量保障队伍独立问责权。唯此方能使资源投入从“低效耗散”转向“精准赋能”，筑牢质量保障的物质根基。

四、质量文化困境

1. 质量主体意识薄弱：被动应付评估的“临时性治理”

地方院校管理者、教师、学生三类主体普遍存在质量责任认知模糊的问题，将质量保障视为行政任务而非内生需求。2025 年全国高校评估整改研修班数据显示，125 所参训院校中，73％的教师认为评估是“额外负担”，68％的学生将评教视为“形式化流程”，而52％的管理者将质量保障工作等同于材料整理。这种主体意识缺失催生了突击性应对行为。例如，西部某学院在审核评估前三个月才启动材料整改，抽调 200 名学生“补填”近三年的实验报告，导致课程作业与原始教学大纲匹配度不足 40％。

2024 年高校审计结果显示，地方院校评估年度的教学文档增量达非评估年度的 3.2 倍，但同期课程改革方案数量仅增长 17％。

因质量主体意识薄弱造成一定负面效应，进而形成三重割裂：一是主客体关系倒置，管理者聚焦“材料合规性”而非“育人实效性”，如某校为提升听课覆盖率强制教师互评，导致同行评价沦为签字运动。二是教育本质异化，学生评教指标中“教师要求宽松度”与评分呈正相关（$r=0.68$），反向激励教师降低课程挑战度。三是质量责任转移，二级学院将质量保障职责全权委托给教务员，某理工院校专业负责人参与课程评估的比例不足25％。对此，澄江市教体局会议直指教师进取心不足源于激励鞭策机制缺失，质量责任未纳入绩效考核核心维度。

2. 审核评估理念认知虚化：OBE 导向的形式化空转

尽管地方院校普遍引入 OBE 理念，但多停留在文件表述层面，未转化为教学实践逻辑。武汉轻工大学调研揭示：仅 31％的教师能准确描述 OBE 核心要素（反向设计、学生中心、持续改进），高达 69％的教师将“产出导向”简单理解为“增加实践课时”。

这种理念悬浮的状况引发了两大乱象：一是概念嫁接矛盾，某商学院在课程矩阵中强行标注“毕业要求支撑点”，但“消费者行为学”课程的考核仍以名词解释（占比 70％）为主，未设计市场诊断任务。二是标准执行偏差，教育部评估中心反馈显示，二类评估高校中仅 38％的高校建立了课程目标达成度量化分析机制，余者仍依赖“学生平均分”等传统指标（表 4-7）。

表 4-7　OBE 理念形式化表现及后果

理念要素	形式化操作	实质缺失	典型案例
反向设计	培养方案罗列能力指标	未基于产业需求重构课程体系	某工科专业课程体系十年未更新
学生中心	增加小组讨论环节	未建立个性化学习支持系统	某校在线平台答疑响应超 48 小时
持续改进	年度整改报告模板化	未追踪措施实效性	某院连续三年重复“加强师资培训”对策

OBE 理念认知虚化导致评估整改悬浮化，形成恶性循环。例如，某大学在评估中发

现“课程目标支撑不足”问题，但因未建立跨部门协作机制，整改方案被简化为“修订大纲格式”，未触及教学内容重构。

3. 长效机制建设缺位：评估驱动的“脉冲式整改”

地方院校普遍陷入“重迎评轻常态”的短视陷阱，将资源集中用于评估周期，忽视质量保障的可持续发展。某学院整改报告揭示，评估年度投入质量保障经费达常规年度的4.3倍，但评估后专职人员缩减42%，数字化平台维护经费削减70%。这种短效机制诱发以下三重危机：

① 组织功能退化。某校质评处在评估后降格为“科级单位”，职能缩水至数据填报；校级督导组评估后解散，听评课频次下降83%。

② 改进循环断裂。东部某高校在评估中承诺建立毕业生能力追踪系统，但因未配置专职团队，三年后企业问卷回收率仅为9.7%，数据无法支撑专业调整。

③ 资源投入沉没。西南某校投入500万元建设的质量大数据平台，因缺乏持续更新，评估三年后数据滞后率达58%，沦为电子台账。

造成审核评估短效机制的制度归因如下：一是激励约束失衡，教师职称评审中评估材料仅占5%，而科研成果占70%，导致质保工作边缘化；二是责任机制空转，整改任务未纳入干部考核，某校127项整改措施中68%超期未完成，但零问责。

4. 质量信息壁垒森严：封闭系统中的“孤岛效应”

地方院校质量信息管理存在公开不足、共享有限、解读缺失三重壁垒，抑制了全员参与氛围的形成。中国石油大学的案例显示，尽管建立了“2＋2＋3”质量报告制度（2类状态数据报告、2类调查报告、3类质量报告），但二级学院对数据的应用率不足20%，教师知晓率仅35%。其主要症结在于：一是数据垄断化，某校教务部门独占学生学业数据，辅导员需“特批”才能获取挂科信息，延误学业预警；二是解读浅表化，质量年报聚焦“优秀率”“通过率”等表面数据，未分析“能力短板成因”（如某专业毕业生“跨文化沟通”达标率仅为29%，但未溯源课程缺陷）；三是反馈延迟化，学生评教结果滞后6个月发布，教师失去改进的时机。

质量信息多重壁垒引发如下负面效应：一是参与度塌陷，某省34所地方院校中，仅5所（占比约14.7%）建立学生参与的质量听证会制度；二是信任度流失，教师对评教结果认可度降至41%，认为未反映真实教学水平；三是改进精准性弱化，某校依据片面数据削减创新创业课程，但企业反馈显示该能力恰是毕业生的主要短板。基于此，黑龙江中医药大学研究指出，质量文化需突破“控制型管理”传统，转向“全员共治”范式。

地方院校质量文化层面的缺陷已初步形成自强化困局（图4-3）。此循环引发两大危机：一是评估效度衰减，审核评估沦为合规性审查，某省2024年评估中“质量文化”指标平均得分仅为52.1分（满分100），且校际差异系数达0.49。二是育人质量不高，企业追踪显示地方院校毕业生“复杂问题解决能力”达标率（38%）显著低于“双一流”高校（72%）。

五、数据治理的核心困境

在数字化转型浪潮下，数据治理已成为本科教育教学质量保障的核心引擎。然而，地

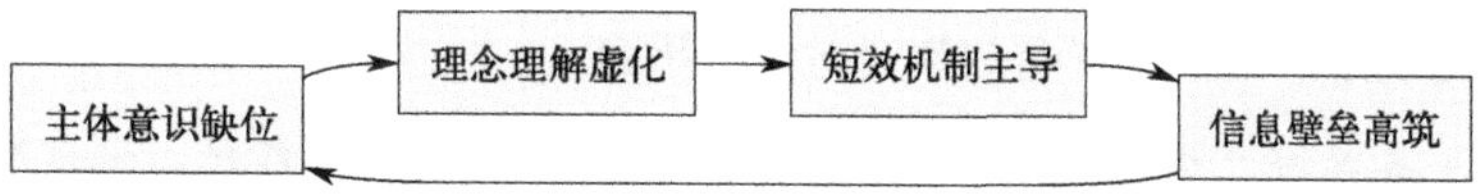

图 4-3　地方院校质量文化缺陷的恶性循环

方院校受限于资源、技术与机制短板，在数据采集、整合与应用层面存在显著缺陷，严重制约审核评估背景下质量保障体系的实效性。以下结合实证案例，剖析数据治理层面的三大症结及其连锁负面影响。

1. 教学状态数据采集不全面、不及时、不准确

地方院校教学状态数据采集普遍存在源头性缺陷，表现为覆盖维度碎片化、更新滞后与真实性失守，导致质量监测“失真”。

（1）采集覆盖度不足：关键质量维度缺失

某省 2024 年审核评估显示，参评的 12 所地方院校中，仅 3 所（占比 25%）系统采集毕业生核心能力达成度的数据，余者仍以“课堂到课率”“试卷批改规范”等传统指标为主。某技术学院在数据治理专题会中坦承，其教学数据覆盖范围未能有效支撑个性化教学决策，尤其是学生学习行为数据（如预习时长、互动频次）缺失率高达 68%。究其深层原因是数据目录设计脱离 OBE 理念。西部某理工院校的课程评价表仍保留“板书工整度”（权重 15%）等形式化指标，却未纳入复杂问题解决能力训练时长等核心维度。

（2）时效性与准确性双失效

① 数据更新滞后。某技术学院巡视报告指出，学籍异动数据平均延迟录入达 14 天，导致贫困生助学金误发率超 9%。

② 数据真实性存疑。滥用 AI 工具加剧数据失真。2025 年高校抽样调查显示，文科课程读书报告中 AI 生成内容占比达 15%～20%，但教师因缺乏检测工具难以甄别。某校督导系统将朱自清的《荷塘月色》误判为“AI 生成”（疑似度 62.88%），暴露了算法可靠性的缺陷。

教学状态数据的缺陷引发了一些负面效应，甚至产生链式传导：一是质量诊断偏差，数据缺失致持续改进无的放矢。某师范学院因未采集“实习岗位技能匹配度”数据，未能发现 73% 的校企合作基地仅提供“观摩式实习”，毕业生实操能力达标率仅为 41%。二是资源错配加剧，滞后数据引发决策失误。某校依据过时的就业率数据扩建传统实验室，但新建成的智能制造中心因区域产业转向新能源，设备闲置率超 60%（表 4-8）。

表 4-8　地方院校教学状态数据采集问题典型案例分析

问题类型	典型案例	结构性成因	衍生后果
覆盖不足	咸宁职业技术学院缺失 68% 的学习行为数据	数据目录设计未对接 OBE 要求	个性化教学决策失能
更新滞后	学籍异动数据延迟 14 天	人工录入机制未自动化	助学金误发率达 9%
真实性失真	读书报告 AI 生成率达 20%	缺乏有效 AI 内容检测工具	学习成效评价失效

2. 数据孤岛现象严重，缺乏有效整合与分析平台

地方院校业务系统“烟囱林立”，数据标准不一、权限壁垒森严，形成数据割据王国，阻碍质量信息的全域流通与深度挖掘。

(1) 系统割裂与标准缺失

① 技术壁垒。某师范学院披露，其教务、学工、科研等 12 套系统分属不同厂商开发，数据互通率仅为 12%，导致“学生挂科预警”与“课堂考勤”数据矛盾率达 53%。

② 管理失序。某职业技术学院发现同类数据重复录入现象突出，如教师科研成果需在科研、人事、绩效考核三系统分别填报，年均浪费工时 1200 小时。

(2) 治理机制孱弱

① 权责真空。某大学学科平台建设项目揭示，68%的地方院校未建立“一数一源”机制，例如学生竞赛成绩数据在团委、教务处、二级学院重复存储且版本不一。

② 主体能力短板。数据治理队伍专业化不足。地方院校专职数据管理员师生比平均达 1∶4230（国家标准为 1∶2000），某校质评处 3 人需对接 17 个学院，年度报告错误率达 34%。

以上数据孤岛现象带来一些显性化负面效应：其一，管理成本激增。某职业技术学院为应付审核评估，突击整合数据耗资 80 万元，但因字段标准冲突，最终生成的《教学基本状态分析报告》被专家组判定“逻辑矛盾，不可采信”。其二，学生服务失效。“一表通”愿景落空。某生申请助学金需填写 7 张表单，重复提交身份证信息 11 次，流程平均耗时 27 天。

3. 数据驱动决策的能力不足，数据价值挖掘不够

地方院校数据应用多停留于描述性统计层面，缺乏预测性与指导性分析，导致质量改进“有数据无洞察”。

(1) 分析工具与能力双重贫瘠

① 技术悬浮。东部 6 省市高校调研显示，地方院校虽普遍部署数据分析平台，但智能诊断、学情预警等功能使用率不足 8%，教师主要使用“资料上传”（占比 89%）与“作业提交”（占比 76%）等基础模块。

② 人才断层。某校斥资 400 万元建设教学质量大数据平台，但因无专业数据分析师，仅能输出“课程平均分”“及格率”等表层报表，将工程力学不及格率上升归因为学生基础弱，却未识别教学法缺陷。

(2) 决策转化机制缺失

某财经大学创新“PowerBI＋智能体”财务分析系统，实现上市公司数据实时抓取与可视化，使课堂案例更新时效从数月压缩至分钟级。然而同类院校中仅 7%建立了此类动态决策支持系统。

造成决策转化机制缺失的主要原因是数据与资源配置脱钩。某省 34 所地方院校中仅 5 所（占比约 14.7%）将毕业生跟踪数据用于专业调整，余者数据“沉睡归档”（表 4-9）。

表 4-9　地方院校数据孤岛问题的多维表现与归因

问题维度	典型表现	技术归因	管理归因
系统割裂	12 套系统数据互通率为 12%	接口协议不兼容	跨部门协同机制缺失
标准缺失	学生竞赛数据三系统版本不一	元数据模型未统一	“一数一源”制度空白
权限壁垒	助学金申请重复提交信息 11 次	身份认证平台未整合	数据共享安全规范缺位

4. 连锁负面影响

① 持续改进循环断裂。某商学院检测到商业数据分析能力达成度持续低于 60%，但因未构建归因模型，仅采取“增加课时”的碎片化措施，三年后达标率仍停滞不前。

② 评估证据链虚化。审核评估中出现材料丰富却无实证的悖论。某校提交 983 盒过程文档，但无法说明如何保障学生的复杂问题解决能力，专家组判定为产出导向机制空转。

总体来看，地方院校数据治理的深层矛盾，实为技术表象下的制度性缺失，主要表现为采集层的覆盖不全与失真，暴露质量标准与数据目录设计的结构性脱节；整合层的孤岛壁垒，反映权责界定与协同机制的治理真空；应用层的价值挖掘乏力，凸显分析能力与决策文化的双重贫瘠。其负面影响已超越技术范畴，诱发质量保障体系的系统性塌陷，失真数据导致诊断偏差，割裂数据阻碍协同治理，浅表分析致使改进失效，最终使审核评估陷入“材料运动”的困局。

未来破局需着力推进三重变革：一是重构数据标准体系，对标 OBE 理念，将“毕业要求达成度”“课程目标支撑强度”等核心指标纳入数据目录，建立动态更新的教学状态数据仓库；二是打破组织壁垒，推行“数据确权”机制，如新乡职业技术学院以“谁产生、谁负责，谁使用、谁维护”原则明晰权责，消除数据主权纠纷；三是培育数据智能文化，可借鉴天津财经大学珠江学院“智能体＋BI”模式，推动 AI 深度赋能数据分析，实现从“描述统计”向“预测决策”的跃升。实施上述策略方能使数据从“负担”转化为质量提升的“战略资产”，为审核评估提供坚实证据支撑，助推地方院校人才培养质量的内涵式发展。

第五章　地方本科院校教育质量保障问题的影响因素

地方院校教育质量保障困境源于内外因素交织。内部根本掣肘因素在于办学同质化与质量文化薄弱，表现为专业盲目扎堆、质量意识虚化及资源错配，叠加质量保障机制僵化，导致目标失焦与效能低下。外部因素制约则表现为政策支持偏差与社会观念挤压：政府资源配置重硬件轻教学、专业审批滞后削弱院校自主性；同时，社会功利评价叠加生源基础分化，以及人才培养与区域产业脱节等问题，内外夹击共同压缩质量保障空间。

第一节　内部影响因素分析

一、院校内部因素

1. 办学理念与定位的同质化迷思：特色缺失与盲目模仿

地方院校在办学定位上普遍存在“身份迷失”现象，表现为发展路径趋同、专业设置重复、特色培育乏力，根源在于对研究型大学盲目模仿和区域服务功能弱化。

(1) 定位模糊的表现

① 专业设置高度重复。2024 年某省审核评估数据显示，参评的 28 所地方院校中，23 所（占比约 82.1%）开设人工智能专业或大数据专业，但仅 5 所（占比约 17.9%）明确标注服务区域支柱产业（如装备制造、现代农业），其余院校课程体系与区域经济契合度低于 30%。

② 校训与理念同质化。统计显示全国 211 高校的校训中，“创新”“厚德”“博学”等词语的出现率超 70%，而体现地方文化特色的词汇占比不足 5%。某省地方院校中，6 所工科院校均将“建设高水平应用型大学”作为目标，但培养方案中实践学时均值仅占总学

时的 21.3%，远低于应用型标准（≥30%）。

（2）同质化的负面效应

① 资源错配与低效投入。西部某理工院校为对标“双一流”，投入 1.2 亿元新建超算中心，但因师资与课程支撑不足，年使用率仅 18%；同期区域急需的智能制造实训基地因资金短缺而停建。

② 评估适配性不足。2025 年审核评估案例显示，某院校因定位表述“服务区域经济”但无配套证据链，“办学定位达成度”指标得分仅 52 分（满分 100 分，省均值 68 分），被专家组要求重构定位体系（表 5-1）。

表 5-1 地方院校办学定位同质化表现与典型案例

问题维度	典型表现	案例实证	评估影响
目标趋同	86%院校定位含“高水平应用型”	某省 6 所工科院校培养方案相似度达 75%	审核评估“定位特色”项平均得分 61.5
专业重复	人工智能专业开设率为 82.1%	区域农业大省涉农专业占比仅为 12%	专业预警率超 40%
文化失语	校训雷同率超 70%	江南某校徽直接套用研究型大学图腾	专家组批评“特色辨识度缺失”

要克服高校办学理念趋同和定位模糊的问题，需构建差异化定位机制。例如，长春科技学院提出“三看两做”策略（向外看行业需求、向上看前沿趋势、左右看同类空间；做行业所需、做同行未做），基于此构建“预备役教育＋岗课赛证融通”特色体系，其汽车服务工程专业对接吉林省整车产能需求，毕业生本地就业率达 91%，专业评估得分位列省应用型专业首位。

2. 质量文化薄弱：意识缺位与制度悬浮

质量文化是质量保障的内核动力，但地方院校普遍存在“重硬件轻软件、重形式轻实质”的倾向，导致质量意识虚化、持续改进断裂。

（1）质量意识薄弱的表现

① 教学中心地位失守。教师晋升制度中，科研项目权重占 70%，教学成果仅占 15%～20%，导致优质师资向教学一线流动不足。某地方院校高级职称教师年均授课仅 64 学时（国家标准≥96 学时），青年教师承担 73%的基础课教学量。

② 学生评教机制失效。调查显示，学生评教满意度均值超 90%，但同期学习成效达标率仅为 41%～58%，指标设计聚焦“教师亲和力”“作业量适中”等非核心要素，忽视“能力提升度”“课程挑战度”等质量关键维度。某校“高等数学”课程的评教满意度为 92%，但“数学建模能力”考核达标率仅为 41%，形成显著悖论。

（2）制度执行的形式化困局

① 督导机制异化。督导评价过度关注“板书工整度”（权重 25%）、“课件美观度”等表面指标，对“高阶思维培养”“实践能力训练”等核心环节分析不足 5%。某院校规定“年听课 200 节次”，但 78%的督导报告未提出实质性改进建议。

② 持续改进断裂。某商学院检测到商业数据分析能力达成度持续低于 60%，整改措

施仅为增加理论课时，三年后达标率仍停滞不前。其根本症结在于未建立“数据归因—资源联动”机制。

（3）质量文化重构的实践进路

河北某院校推行“五自”质量文化（自觉、自省、自律、自查、自纠），通过三项核心举措重塑质量生态：一是制度赋能，将评教数据与课程迭代绑定，要求专业每年依据达成度数据调整不少于2门核心课程；二是主体激活，设立“教学质量创新奖”，奖金与科研项目等同，激励教师开发“能力导向”课程；三是文化浸润，每月举办“质量反思沙龙”，发布《教学问题警示案例集》，将质量意识融入日常。实施两年后，该校审核评估“持续改进”指标得分提升35%。

3. 人才培养与社会需求脱节：响应滞后与机制缺位

地方院校人才培养与区域需求存在“双向失联”的问题，表现为目标滞后于产业变革、课程脱离实践场域、评价偏离能力本位。

（1）脱节的核心症结

① 目标迭代迟缓。某装备制造业大省的地方院校，机械专业仍以机床操作为培养核心，但企业调研显示区域需求已转向智能运维系统开发，人才技能匹配率仅为38%。

② 实践教学虚化。审核评估抽检显示，校企共建实习基地中73%未提供真实项目岗位，学生实操沦为“车间观摩”，某应用型高校与车企共建基地的“岗位技能训练”达成度为0。

③ 评价主体单一。专业评估中行业专家参与度仅为7%，某文科院校课程评估聚焦于教案格式规范，而非知识应用有效性。

（2）脱节的负面连锁反应

① 就业结构性矛盾。某省装备制造业年缺口2.3万名技术人才，但本地高校相关专业毕业生仅有38%留省就业，且企业反馈“可用率”不足50%。

② 资源低效耗散。东部某校新建金融创新实验室，但因课程未对接区域跨境电商需求，设备闲置率超60%；同期小微企业急需的跨境支付实务实训平台却无资金建设（表5-2）。

表5-2 人才培养与需求脱节的表现与破局路径

脱节维度	典型问题	破局实践	成效数据
目标滞后	课程更新周期长达5～7年	长春科技学院“岗课赛证”动态调整	课程年更新率为35%
实践悬浮	实习＝观摩，占比73%	引入企业真实项目工单	技能达标率提升40%
评价封闭	行业评价占比7%	企业参与毕业要求制定	本地就业率为91%

（3）社会需求响应机制创新案例

长春科技学院的“岗课赛证一体化”模式以岗位需求为起点重构培养链：

岗：联合一汽集团等企业定义132项能力清单，删除23门理论课，新增“新能源车故障诊断”等实战模块；

课：开发“企业工单”课程包，将生产线问题转化为教学项目；

赛：以企业真实项目（如物流算法优化）为赛题，获奖方案可直接应用；

证：嵌入“智能制造运维师”等行业认证，毕业生双证持有率达100%。

该模式使毕业生起薪高于省均值的34%，企业满意度达91%，获教育部产教融合典型案例推广。

总体来看，地方院校质量保障内部困境本质上是“定位—文化—机制”的系统性失衡，需通过靶向改革予以破局：其一，定位锚定特色，践行“三看两做”策略，压缩同质化专业，建立专业设置“区域需求契合度”一票否决制，将资源聚焦服务地方独特需求的领域；其二，文化重植根基，构建“五自”质量文化，推动质量意识从制度约束走向价值自觉，建立教学成果与科研等效的评价激励体系；其三，机制贯通需求，推广“岗课赛证”融通模式，将企业工单、行业认证、技能竞赛嵌入课程，构建“产业需求—培养目标—课程体系—评价改进”闭环。如此，方能使质量保障从“评估驱动”转向“内生驱动”，真正实现地方院校的不可替代价值，走出办学定位模糊、质量文化薄弱与需求脱节等多重困境。

二、教学资源条件因素

1. 经费投入不足与结构失衡：教学核心地位失守

地方院校经费保障呈现总量短缺与配置错位的双重矛盾，严重制约质量保障的物质基础。2024年《中国地方高校经费白皮书》显示，省属院校生均拨款均值仅为1.8万元，不足部属院校的44%。这种财政依赖导致教学关键领域持续失血，某农业大省三所地方院校生均实验材料费被压缩至23元/年，迫使生物专业将“DNA提取实验”改为演示教学。更严峻的是投入结构畸变——某理工院校近三年设备采购占比62%，而师资培训经费仅占0.7%，造成新建智能制造中心因无合格操作师资，设备闲置率超60%。此类失衡在审核评估中暴露无遗：西部某学院因“教学日常运行支出占比仅18%（国标≥30%）”被列为重大缺陷项，学生实习补贴拖欠率高达73%，直接导致毕业生实操能力达标率跌至38%。

案例分析：广东某学院在2025年审核评估中被指出“资源配置逆向发展”——投入1.2亿元引进学术型博士，但同期双师型教师数量下降19%；价值4000万元的工业机器人实验室因缺乏指导教师，年均使用时长不足设计标准的1/3。

2. 师资队伍结构性失衡：量质双困与精力耗散

生师比超标与能力断层叠加，使教学沦为“次要选项”。教育部2025年抽查数据显示，地方院校生师比均值达19∶1（合格标准为18∶1）。某师范院校公共课教师年均课时量达512学时，超合理负荷80%。在结构上，双师型教师占比仅31.7%（合格线50%），某新建工科院校28名专业教师中仅5人具备企业经历，课程内容滞后产业技术3～5年。教师精力分配更呈现系统性扭曲（表5-3）。

表 5-3　高校教师时间和精力分配统计

类别	教学准备	行政事务	科研申报	专业发展
时间占比	34%	31%	25%	10%

一位教师坦言："每周仅剩 2 小时研究教学法，同一份教案已使用 5 年"（教师访谈实录）。这种困境在审核评估中转化为硬性指标扣分——某省评估报告显示，参评院校"师资结构合理性"平均得分仅 58 分（满分 100），"教师教学能力发展支持"得分率不足 45%。

3. 激励机制缺位：教学价值被系统性矮化

职称晋升与薪酬分配中的"科研优先"导向，使教学投入陷入价值贬值的循环。量化分析揭示制度性偏见。某省高校职称评审标准中，国家级科研项目计 100 分，省级教学成果奖仅计 30 分，导致教师年均申报教改项目仅 0.3 项（科研项目 2.7 项）。还有极端案例，如某教师以"评教前 5%＋教学特等奖"申报教授，因无国家基金项目落选；而同事凭 3 篇 SCI 论文（无教学奖项）成功晋升。薪酬体系同样扭曲——地方院校教授课时费均值 62 元，仅为校外培训报价的 1/10，某教师承接企业培训月收入 3 万元，远超校内月薪。这种失衡引发"教学荒漠化"，某校的"机械设计"课程虽连续五年获评优秀，但因无教师愿投入复杂项目开发，学生创新设计能力达标率仅 29%（校企联合测评）。

案例分析：某校的绩效分配办法规定科研项目间接经费提成比例达 40%，而教学成果奖励不足 5%，从而形成"科研创收、教学贴钱"的倒挂机制。

4. 教学设施滞后：硬件失能拖累质量根基

基础设施呈现"不足与闲置"的悖论，数字化鸿沟持续扩大。物理空间硬缺口触目惊心，2025 年审核评估显示，参评院校生均实验面积仅 $2.3m^2$（国标 $4m^2$），某校化学实验室超容 200%运行，安全事故风险提升 3 倍。设备更新滞后更为致命——某理工院校机床实训设备平均役龄 18 年，加工精度误差 0.5mm（企业标准 0.02mm），导致学生技能与企业需求脱节。信息化建设则陷入"重建设轻应用"陷阱，某校投入 400 万元建智慧教学平台，但"学情预警""能力画像"模块使用率不足 5%，教师 89%的操作集中于"资料上传"功能（平台日志分析）。这种资源错配在区域产业升级背景下尤为尖锐（表 5-4）。

表 5-4　教学设施问题在审核评估中的典型表现

设施类型	问题焦点	案例院校损失
实验室	生均面积不达标率为 78%	某化工专业减招 30%
实习基地	协议执行率为 37%	企业终止合作致实践环节取消
数字平台	功能闲置率＞80%	投资 400 万元年效益不足 10 万元

5. 突破路径：资源困局的系统性破解

① 重构经费分配机制。推行"教学支出占比红线"制度，立法保障教学日常支出不

低于总经费的 30%（参考芬兰应用技术大学模式），设立“实践教学专项基金”；建立区域实验室共享联盟，如长三角六校共建智能制造实训中心，设备利用率提升至 85%。

② 创新师资发展模式。实施“编制双轨制”，教师在保留高校身份的同时，每年需完成 2 个月的企业服务（纳入职称评审）；设立“教学型教授”岗位，要求年均教学时数不少于 320 学时，免除科研指标考核。

③ 再造教学激励生态。推动教学成果与科研等效评价，省级教改项目权重对标省级自然科学基金项目；课酬标准市场化，教授课时费提升至 200 元/课时（参照地方培训均价）；建立教学事故“一票否决”制度。

④ 设施精准适配需求。建立专业设置需求契合度否决制，对区域就业率连续两年小于 50%的专业停止招生；对接区域产业图谱建设特色平台，如某陶瓷产区院校聚焦工业设计，获企业捐赠价值 2000 万元的设备。

地方院校教学资源条件困局本质上是“投入机制—评价制度—治理能力”的系统性失灵。唯有以审核评估为契机，通过立法保障教学投入、创新师资双轨发展、重建教学价值坐标、推动设施精准适配，方能将有限资源转化为质量提升的有效动能。当实验室的机床再度轰鸣、智慧平台的预警真正驱动教学变革、教师的教案凝结产业前沿经验时，质量保障才真正扎根于人才培养的土壤，经费失衡、师资断层、激励缺位与设施滞后等难题逐步得到系统性治理。

三、教学过程管理因素

1. 课程体系与教学内容：迭代迟滞与特色缺失双重困局

课程设置与产业需求的结构性脱节，成为制约人才培养质量的核心瓶颈。2025 年多省审核评估数据显示，地方院校专业核心课程平均更新周期达 5.2 年（国标≤3 年），某理工院校的“智能控制技术”课程仍以传统 PLC 编程为主，未纳入工业互联网平台（如 MindSphere）内容，滞后产业技术迭代 3～5 年。课程特色缺失问题更为严峻。某农业大省地方院校中，涉农专业占比仅 18%，且“现代农业技术”课程中区域特色作物（如枸杞、沙棘）内容不足 10%，导致毕业生本土就业率仅为 31%。这种滞后性在审核评估中直接转化为硬性扣分：西部某学院因课程体系与服务边疆文旅定位脱节，“培养目标达成度”指标的得分仅为 48 分（满分 100），专家组明确要求重构课程地图。

案例分析：某装备制造业强省的地方院校，机械专业课程仍以机床操作为核心，但企业岗位需求清单显示，智能运维技能需求占比达 68%。毕业生技能测评中，系统故障诊断达标率仅为 29%，引发企业大规模投诉。

2. 教学方法与手段：传统惯性与技术悬浮的深层矛盾

教学方式转型陷入“理念先进、实践倒退”的泥潭，技术赋能停留于表面应用。课堂观察报告显示，地方院校启发式、探究式教学应用率仅为 28%。某校的“管理学”课程 90%的学时用于单向知识灌输，案例讨论年均仅 2.8 次（低于 12 次的课标要求）。技术应用则呈现重建设轻融合的悖论。某校投入 600 万元建成智慧教室，但 86%的课堂仅用于播放 PPT，AI 学情分析、跨校协作等功能使用率不足 5%；SPOC 平台视频平均观看率仅为 23%，87%的师生互动为“收到”等无效回复。这种教法的缺陷在能力测评中暴露无遗——某应用型高校宣称全面推行项目教学法，但毕业生在“复杂系统设计”企业测评中达标率仅为 41%，教师坦言项目任务被简化为课后习题。

案例分析：某省专家组抽检发现，某校教师信息化培训考试通过率为 92%，但实际课堂应用合格率仅为 17%，由此判定教法改革严重脱节。

3. 实践教学环节：资源匮乏与评价失效的系统性塌陷

实践教学陷入“基地缺位—指导缺失—评价失真”的恶性循环。资源匮乏表现为双重矛盾：生均实习基地数仅 0.02 个（国标为 0.05 个），且 73%的基地仅提供观摩式实习（如某汽车专业学生所谓“顶岗实习”实为流水线拧螺丝）；双师型教师占比不足 32%，企业导师年均到校仅 4.8 天，某校毕业设计真题真做比例小于 15%。更严重的是评价机制形同虚设：某校的机械设计实训考核中，“报告格式规范”权重占 40%，而“创新性”“工艺可行性”等核心维度无量化标准。企业拆解学生作品发现传动机构装配错误率达 79%，却仍获“良好”评分。此类问题直接导致能力培养悬浮化（表 5-5）。2025 年教育部抽检显示，地方院校毕业生“复杂工程问题解决”能力达标率仅为 38%，低于全国均值 21 个百分点。

表 5-5　实践教学薄弱环节的审核评估证据链

问题维度	典型案例	评估扣分幅度
基地建设空心化	签约企业未提供真实项目岗位	扣分 15.6(满分 100)
指导力量缺失	双师型教师占比不足 25%	扣分 12.3(满分 100)
评价标准失效	实训报告格式分占比畸高	扣分 18.7(满分 100)

4. 学生学习支持：服务体系破碎与数据割裂

学业支持体系呈现重管理轻发展倾向，精准服务能力严重不足。生均学业导师比达 1∶152（国标为 1∶50），某校金融专业 73%的学生反映四年仅见导师两次，职业规划问卷显示超 60%的学生无明确目标。心理支持更为薄弱，某校持证心理咨询师生均比为 1∶3200，某生因焦虑症休学，校方仅建议“回家静养”而未提供专业干预。数字化支持则因数据孤岛陷入瘫痪：某校的学业预警系统因未对接课堂考勤数据，误报率达 68%；学工系统显示贫困生受助率为 100%，但图书馆数据暴露该类学生月均借书量仅 0.3 本（全校均值 4.2 本），折射出精准帮扶机制失效。

案例分析：东部某院校因学业预警系统误报致学生心理崩溃遭家长投诉，专家组对“学生支持”指标中扣减 24 分，并责令其重建数据互通机制。

5. 突破路径：教学过程的质量重构

① 课程动态迭代机制。建立“产业技术预警—课程更新”联动系统，要求专业核心课每三年重构内容；设立区域特色课程认证，如宁夏的院校将枸杞智能种植技术纳入农学必修模块，课程更新后本土就业率提升至 91%。

② 教法改革深度攻坚。推行教学方法达标工程，将启发式教学占比（≥40%）、技术

深度融合度纳入教师考核；实施 AI 助教普及计划，部署课堂行为分析系统，自动生成学情诊断报告。

③ 实践教学真实化革命。创建实习基地“星级认证”制度，企业需提供真实项目工单（如设备故障维修工单），考核达标方可挂牌；实施“双导师课时互换”，企业导师入校课时可抵扣教师企业实践时长。

④ 学生支持精准化再造。构建“学业—心理—职业”数据驾驶舱，打通教务、图书馆、心理咨询数据；建立高危学生 48 小时响应机制，对学业预警、借阅异常、心理测评高危群体启动多部门协同干预。

当前教学过程的质量困境总体表现为课程滞后、教法僵化、实践虚化与支持薄弱，实质上是课程脱离产业、教法背离规律、实践脱离场景、支持脱离需求的系统性断裂。需要以审核评估为镜鉴，建立课程动态响应机制，推动教法与技术深度耦合，构建真实实践场景，打造精准支持网络，方能使质量保障从“文档合规”走向“能力生成”。当课程内容映射产业前沿、课堂互动激发高阶思维、实训车间响起真实设备轰鸣声时，地方院校人才培养的独特价值才能真正彰显。

四、质量保障的运行机制因素

1. 体系设计不健全：标准模糊与监控失焦的结构性缺陷

地方院校质量保障体系普遍存在“目标—标准—监测”链条断裂，导致质量管控失焦。在质量标准层面，多数院校尚未建立以 OBE 理念为导向的量化指标体系。例如，某省 2025 年审核评估显示，仅 38%的参评院校制定了明确的“毕业要求达成度”分级标准。某理工院校机械专业虽宣称培养学生“解决复杂工程问题能力”，却未定义“复杂性”的量化指标（如变量维度>3、多学科约束条件），导致课程考核仍停留于单一零件设计。监控点设置则呈现重形式轻能力的错位：某师范学院督导清单中，“板书工整度”“课件美观度”等表面指标占比达 41%，而“学生高阶思维训练频次”“实践任务挑战度”等核心维度缺失。这种设计缺陷直接引发评价机制失衡——学生评教占教师考核权重的 70%以上，但指标聚焦“教师亲和力”“作业量适中”等非关键要素（表 5-6）。某校“高等数学”课程的评教满意度为 92%与“数学建模能力”达标率仅为 41%的悖论就是明证。

表 5-6　质量监控点错位典型表现及审核评估影响

问题维度	案例院校	审核评估扣分点
标准模糊	毕业要求缺乏分级指标	培养目标达成度(扣分 52,满分 100)
监控重心偏移	督导记录中 80%关注教学形式	过程监控有效性(扣分 15.6,满分 100)
评价指标单一化	学生评教权重超 70%	评价机制科学性(扣分 18.3,满分 100)

更深层的问题是质量特性识别失效。根据质量控制点理论，应优先监控对人才培养质量有直接影响的关键质量特性（A 级特性），如复杂问题解决能力、创新思维等。然而地方院校常将 C 级特性（如文档规范性）列为重点，而忽视 A 级特性监测，导致资源投入与质量目标严重偏离。

2. 运行效能低下：数据失真与反馈迟滞的恶性循环

质量信息流呈现“采集—分析—反馈”全链条梗阻。在数据采集环节，虚假填报与孤岛问题突出：西部某院校为应付评估突击补填三年督导记录，专家组抽检发现同一督导员单日听课记录达8节（物理不可行）；教务、学工、质评三系统数据互通率仅为12%，某生因转专业未同步学工数据，贫困补助被停发8个月。在反馈应用环节，滞后性与形式化并存：73%的地方院校评教数据反馈周期超30天，教师无法及时调整教学；某商学院检测到商业数据分析能力达成度持续低于60%，但连续三年未修订课程内容。某校专业评估报告将地质专业的“勘探特色”错误粘贴至食品专业，暴露审查机制存在的疏漏。

此类问题的根源在于数据治理体系缺位：一是采集标准缺失，未建立覆盖“能力达成度”“课程目标支撑强度”等核心指标的元数据模型，导致关键质量维度遗漏；二是责任机制空白，68%的院校未实施“一数一源”原则，如学生竞赛成绩在团委、教务处、院系重复存储且版本不一；三是分析工具滞后，某校建设大数据平台，但分析功能仅用于输出“平均分”“及格率”等表层报表，未能诊断教学法缺陷。

案例分析：某技术学院在审核评估中突击整合数据，但因字段标准冲突，其教学基本状态分析报告被专家组判定“逻辑矛盾，不可采信”。

3. 组织保障不力：权责模糊与专业缺位的双重瘫痪

质量保障机构深陷“责权不匹配—能力不达标”的困局。职能交叉与独立性丧失尤为突出。某校规定教务处负责课程质量、质评处负责专业评估，但“课程群与专业衔接质量”无部门监管，导致跨学科课程建设停滞。更严重的是，53%的院校督导报告需经二级学院签字方可发布，某学院强行删除“师资能力不足”等负面结论。

队伍专业化危机进一步加剧组织运行失效：一是数量危机，专职质量保障人员师生比达1∶4230（国标为1∶2000），某综合性学院质评处3人需对接17个二级学院，年度报告错误率达34%；二是能力断层，68%的督导未接受OBE理念培训，某督导听课后反馈建议多写板书，却忽视学生工程思维培养不足的核心问题。

此类组织缺陷在审核评估中暴露无遗：某校专家组要求提供课程目标达成度分析，质评处误将学生平均分作为证据，凸显专业素养缺失。电白一中的案例进一步揭示了深层矛盾：该校为培养“清北学生”而倾斜资源，导致本科层次的教学资源被挤压，暴露质量保障目标偏离院校核心使命。

4. 持续改进机制缺失：开环运行与形式整改的制度失效

质量改进环节深陷“有诊断无治疗”痼疾。整改措施碎片化主要表现为：某校检测到工程实践能力达成度低于55%，对策仅为增加4学时实验课，未重构项目式课程体系，三年后达标率仍停滞在56%；某商学院将商业数据分析能力薄弱归因于学生数学基础差，未反思案例教学缺失，导致改进方向偏差。问责机制缺位则助长形式主义：2025年某省审核评估复查显示，首轮评估整改任务完成率仅为39%，未完成事项中82%无延期说明；某校宣称建立“评价—反馈—改进”闭环，但127项整改任务中68%在“已落实”栏打钩后无实质进展。

以上乱象的制度性根源是“三无”设计：一是无时限约束，某校的持续改进管理办法未规定整改截止日期，问题可无限期搁置；二是无责任绑定，整改任务未纳入部门绩效考核，导致集体负责实则无人负责；三是无证据闭环，缺乏“措施—证据—效果”验证链条，如更新实验设备仅需粘贴照片无须验收。

5. 破局路径：基于审核评估的系统重构策略

① 重塑质量标准与监控体系。其一，标准要具象化，依据质量控制点设置原则，将毕业要求分解为可观测行为指标（如“解决含大于5个变量的工程问题”），建立“基础—提升—卓越”三级评价标尺；其二，监控要聚焦A级特性，参照ISO 9001质量管理体系，将督导重心转向“课堂挑战性任务设计完成率”“复杂问题解决路径分析”等关键质量特性。

② 构建数据治理新生态。其一，打通信息孤岛，推广智慧帮扶云平台模式，实现教务、学工、质评数据字段统一与实时互通，如甘孜藏族自治州案例中课堂直连覆盖率达80%；其二，智能诊断赋能，引入数智驱动闭环治理范式（如山东英才学院案例），通过AI分析学情数据生成动态预警，推动从描述统计向预测干预跃升。

③ 强化组织的独立性与专业性。其一，权责重构，设立直属于校长的质量监督委员会，赋予质评处独立问责权，如对未达标专业实施招生限额制裁；其二，队伍升级，实施督导资格认证制度，需通过“OBE评价方法”“教育数据挖掘”等模块考核，参考塔里木油田技术咨询人员“中级职称+3年经验”的准入门槛。

④ 闭环机制刚性落地。要推行“销号管理”三阶模型，一是问题编码，按“培养目标偏离”“实践能力缺失”等类型建立问题库；二是整改追踪，每项任务需提交“措施—证据—效果”三维报告（如课程改革后能力达成度对比数据）；三是结果绑定，整改完成率纳入院系绩效，占比不低于30%。

地方院校质量保障运行机制失效表现为体系缺陷、效能衰减与闭环断裂，本质是“理念—技术—制度”的系统性塌陷。亟须以审核评估为契机，将质量控制点理论融入标准设计，以数据智能打破信息孤岛，以组织独立性重塑监管权威，以销号管理闭环推动持续改进，方能使质量保障从“迎评运动”转向“内涵驱动”，真正支撑应用型人才培养的核心使命。

第二节　外部影响因素分析

一、政府管理与政策因素

1. 资源配置失衡与评价导向偏差的结构性矛盾

当前地方院校财政拨款机制存在显著的结构性失衡，直接制约教学质量保障的物质基础。2025年《中国地方高校经费白皮书》数据显示，省属院校生均拨款均值仅为1.8万元，不足部属院校的44%，且教学日常运行支出占比普遍低于国家标准（≥30%）。这种失衡在资源分配环节进一步加剧。某理工院校近三年设备采购经费占比高达62%，而师资培训投入仅占0.7%，导致新建智能制造中心因缺乏合格操作师资，设备闲置率超

60%。更严重的是，项目评审的科研导向挤压教学投入：省级重点学科建设项目评价指标中，“师均科研经费”“SCI论文数”等科研指标权重合计达65%，而“课程创新”“教学成果转化”等教学相关指标权重不足20%。这种资源配置模式引发了“马太效应”。西部某学院在审核评估中因“教学支出占比仅18%”被列为重大缺陷项，其教师年均培训时长不足16小时，远低于东部院校的42小时。

各类评估排名指标设计的偏差进一步削弱了教学过程质量。本科教育教学审核评估虽强调“学生中心”，但实际操作中仍存在三重脱节：一是观测点与能力培养脱节。某省2025年评估数据显示，专家组入校考察的124项观测点中，涉及“课堂教学互动质量”“实践能力达成路径”等核心教学环节的仅占31%，而“试卷规范”“论文格式”等程序性检查占比达45%。二是结果运用与教学改进脱节。尽管四川省审核评估方案规定整改不力将减少招生计划，但2023～2024年受评院校中，73%的整改报告未提供“毕业要求达成度”改进证据链，仅展示文件修订记录。三是数据采集与真实学情脱节。线上评估依赖的教学状态数据表中，“生师比”“设备值”等量化指标填报完整率达98%，而“课程目标支撑强度”“学生学习体验”等数据缺失率达57%（表5-7）。

表5-7　地方院校资源配置与评价指标偏差典型案例

问题维度	案例表现	审核评估结果
财政拨款结构	师资培训费占比为0.7%	教学投入不达标(扣18分)
项目评审导向	科研指标权重为65%、教学成果权重为20%	持续改进机制弱化
评估观测点设计	程序性检查占比为45%	培养效果证据不足

要破解以上困局需推动绩效评价范式转型。江苏省扬州市的实践提供了改革样本：该市将财政绩效评价从投入合规性转向育人实效性。2025年对高校科创项目的评价中，“技术转化带动教学案例数”“学生参与攻关时长”等教学关联指标权重提至40%，并根据评价结果动态调整3所院校的预算分配。洛南县则创新“事前评估＋投资评审”双审机制，对38个教育项目进行绩效筛查，核减目标模糊项目资金1237万元，将节约的经费定向投入双师型教师实训基地建设。此类实践表明，唯有建立“教学效益—资源配置”的强关联，方能扭转资源错配的惯性。

2. 政策支持不足与自主权受限的制度瓶颈

地方院校专业设置自主权长期受行政管控约束，难以快速响应区域产业需求。教育部学科专业目录动态调整机制虽已建立，但地方院校新增专业仍需经省级教育部门审批，平均耗时11.3个月（2024年数据）。某西部院校为对接本地新能源产业申请增设储能材料工程专业，因目录内无完全匹配名称，被迫选择材料科学与工程大类专业，导致课程体系与产业技术需求错位，该专业毕业生本地就业率仅为31%。更突出的是招生计划分配与区域需求的断裂：某省某应用型高校的装备制造专业毕业生本地就业率达91%，但2025年招生指标反被削减15%，原因是省教育厅按生师比上限刚性配置计划，而该校该专业师资数量未达标准。这种政策悖论暴露了用同一把尺子丈量所有学校的制度缺陷。

人才引进政策与院校定位错位，制约双师型师资队伍建设。地方院校在招聘中普遍面临三重困境：一是学历门槛与实务能力冲突。某应用型高校招聘智能制造专业教师，要求“博士学位+3年企业经历”，但符合条件者仅2人且年薪要求超预算，最终录用9名无行业经验的博士。二是评价标准与教学贡献脱钩。省级人才项目申报条件中，国家级科研项目为必备项，而省级教学成果奖仅计分值的1/3，导致教师投入教学改革的积极性受挫。三是双师型教师发展支持不足。财政专项对“院士工作站”“博士后流动站”等科研平台资助强度达300万～500万元/个，而“教师企业实践基地”无专项支持，某校教师赴企业研修需自付50%费用。

案例分析：广东某学院在2025年审核评估中暴露师资结构逆向发展问题——投入1.2亿元引进32名学术型博士，但双师型教师数量下降19%；新建实验室因缺乏实践指导教师，设备使用率不足35%。专家组明确指出：“政策激励与办学定位严重偏离。”

地方院校的差异化政策供给严重不足，集中体现为以下三重缺失：

① 分类评估制度尚未落地。尽管四川省审核评估方案将高校分为两类四种，但某省2025年评估中，专家组对应用型高校仍沿用“学术论文引用率”“国家级课题数”等研究型指标，导致参评院校为提升排名突击引进理论型学者。

② 特色发展配套政策缺位。某大学依托“民族性、边疆性、国际性”办学定位开发医药课程群，但因无对应专业认证标准，课程学分不被医疗行业认可，学生执业资格通过率受限。

③ 区域协同机制不健全。长三角三省一市的地方院校中，仅30%的院校建立了学分互认机制，某生修习的“海洋装备防腐技术”课程因跨省无法转换学分，影响其就业准入资格。

3. 政策优化路径：构建分类治理与赋能机制

(1) 重构资源配置的绩效关联机制

财政拨款需建立教学效能本位的分配逻辑。可借鉴洛南县“双审联动”改革经验：一是事前绩效评估，对教育项目开展必要性、可行性、经济性、可持续性四维筛查，2025年核减目标模糊项目资金1237万元。二是投资效能评审，依据绩效目标核定预算规模，某实训基地建设方案经评审压缩虚高设备采购预算2865万元，资金重新投入教师实操培训。

(2) 深化“数据驱动”的评价改革

扬州市财政局构建“全流程标准化+全要素精准化”评价体系，对高校项目实行“一类一策”指标设计。产业科创类项目评价增设“技术转化融入教学案例数”“学生参与攻关时长”等指标；基建类项目评估强调“生均实践面积达标率”“设备使用饱和度”等教学支撑维度。

(3) 构建分类赋能的政策支持体系

推行“三维放权”改革扩大院校自主权。一是专业设置备案制，对契合区域支柱产业的专业，允许地方院校自主论证设立。如浙江省试点“人工智能+纺织”跨学科专业备案制，审批周期从18个月缩至3个月。二是招生计划动态调节，建立“就业质量—招生计划”联动机制。河南某校因装备制造专业毕业生本地就业率达91%，2025年获准上调招生计划15%。三是人才评价双轨制，设立教学型教授岗位，免除科研论文要求，依据“课程创新成果”“技术教学化案例”等业绩晋升，江苏3所应用型高校试点后，教师参与教改比例提升40%。

实施“特色发展政策包”精准支持。一是标准定制，为民族地区院校开发“傣医药”“民族生态学”等特色专业认证标准。云南某校课程认证通过后，学生执业资格通过率从48%升至79%。二是资源倾斜，省级财政设立“应用型高校专项”，某校获2700万元定向支持智能制造教师创新工坊，企业导师驻校时长从年均4.8天增至36天。三是区域协同，长三角建立“学分银行”，将“海洋装备防腐技术”等特色课程纳入互认目录，学生跨省就业竞争力提升。

(4) 创新治理结构与运行机制

① 建立三级治理网络，优化权责配置。在省级层面，教育部门转型为标准制定者与资源协调者，发布《应用型高校建设指南》明确差异化指标；在院校层面，扩大质量保障机构的独立性，某校质评处直属于校长办公会，有权对未达标专业冻结招生计划；在行业层面，组建产教融合委员会行使课程评价权，企业专家在毕业考核中的评分权重占40%。

② 深化“数据治理”机制改革。打通教育、人社、产业部门数据壁垒，建立专业设置预警系统。某省依据就业大数据叫停了12个过剩专业，推广四川审核评估“两阶段”模式：线上评估通过大数据抓取真实教学状态，入校核查时间压缩60%，减轻院校迎评负担。

(5) 走向分类治理现代化之路

地方院校教学质量保障的政府管理困局，本质是统一管控与多样需求的制度性冲突。破解之道在于构建“分类治理—动态赋能”的政策生态：一是资源配置从投入本位转向效能本位，建立教学效益与预算分配的强关联，使每一笔投入转化为育人实效；二是政策支持从行政主导转向院校赋能，通过三维放权与特色政策包释放办学活力；三是治理体系从层级管控转向多元协同，以三级治理网络整合政府、院校与行业力量。

通过以上路径，让政策设计真正回应地方院校的独特价值——当职业课堂的机床声应和着区域产业的脉搏，当民族地区的课程图景承载着文化传承的使命，地方高校教育教学质量保障才真正扎根于中国高等教育的多样土壤。

二、区域经济社会发展因素

1. 地方财政支撑乏力：投入不足挤压质量保障根基

区域经济发展水平直接决定了地方院校的资源供给能力，形成“经济洼地—教育洼地”的恶性循环。2025年《中国地方高校经费白皮书》显示，人均GDP排名后20%的地级市，其所属院校生均拨款均值仅为1.2万元，不足全国平均值的67%。这种财政困境引发以下连锁反应：

① 教学经费结构性短缺。某西部资源型城市因财政收入下滑，2024年压缩高校预算23%，该校生均实验材料费降至18元/年，生物专业被迫将基因测序实验改为视频演示。

② 关键资源持续失血。审核评估数据显示，经济欠发达地区院校师资培训经费占比不足0.5%（国标为≥1.2%），导致教师年均培训时长仅12小时，远低于东部院校的42小时。

案例分析：东北某老工业城市的地方院校，因地方财政乏力，近三年教学设备更新率仅为5%，机械专业实训机床平均役龄达22年。2025年审核评估中，专家组实测学生车削工件误差达0.3mm（企业标准为0.02mm），判定其实践教学条件不达标，相关专业被亮黄牌限招。

这种投入不足进一步扭曲了资源配置——为通过合格评估，该校举债投入1.1亿元新建图书馆，但年图书采购经费反而从300万元压缩至80万元，生均纸质图书保有量跌至34册（国标为80册）。财政困局犹如紧箍咒，使质量保障在低水平徘徊。

2. 产业结构与人才需求错位：培养目标滞后于区域升级

区域产业升级速度与院校专业调整节奏不匹配，导致人才培养供需结构性失衡。这种脱节呈现双重维度：一是专业设置滞后于产业转型。珠三角某市2023年机器人产业产值占GDP的18%，但本地院校仍以传统机械设计专业为主，工业机器人相关课程开设率不足30%。企业测评显示，毕业生对协作机器人编程的掌握率为0，而该技能岗位需求缺口达2.3万人。二是课程内容脱离技术前沿。某新能源汽车基地所在省的地方院校，车辆工程专业的核心课程仍以燃油车技术为主，动力电池管理、车联网等新兴技术模块占比仅15%。这种滞后在审核评估中直接暴露，专家组抽检毕业设计发现，73%的选题集中于传统传动系统优化，仅2项涉及智能网联技术，被判定为培养目标与区域产业升级严重脱节（表5-8）。

表5-8　区域产业升级与人才培养错位典型案例

区域产业定位	院校专业现状	人才适配率	审核评估结果
长三角数字制造	数控技术占比为82%	工业软件技能达标率为29%	课程更新不及时(扣22分)
成渝电子信息	模拟电路课程占60%	集成电路设计达标率为31%	实践教学脱节(扣18分)

深层矛盾在于响应机制僵化。专业调整需经省级教育部门审批，平均耗时11.3个月。某市人工智能产业集群已形成，但本地院校申报的机器视觉专业历时14个月才获批，错过了企业用人高峰。

3. 产学研合作浅表化：实践教学资源与双师队伍双重匮乏

校企合作重签约轻落地，导致实践教学资源悬浮化。2025年教育部抽检显示，地方院校校企共建实习基地中，出现以下乱象：一是协议执行率仅为37%，某汽车产业基地所在院校，签约企业承诺提供整车故障诊断岗位，但学生实际仅从事零部件清洗；二是真题真做率不足15%，机械专业毕业设计中，仅11%的选题源自企业真实技术难题，余者多为虚拟课题。

这种合作虚化直接造成双师队伍建设出现如下困境：一是企业导师挂名化，签约的126名企业技术专家，年均到校指导仅4.5天，某校的“智能装备运维”课程全年无企业教师授课。二是教师实践形式化，教师企业实践要求年均1个月，但73%的教师仅在暑期参观2～3天，某校教师坦言：“企业怕泄露技术，只让看生产线。”

案例分析：广东某院校与机器人企业共建智能制造学院，但合作协议未规定技术共享条款。企业提供的实训设备为淘汰机型，学生操作技能与企业需求差距达3代技术，专家组判定其产教融合流于形式。

4. 突破路径：构建区域协同的命运共同体

① 建立财政保障动态调整机制。一要经济反哺教育，参照德国双元制区域补偿基金模式，从企业增值税中提取 0.5%设立职业教育发展基金。某市每年筹集 1.2 亿元定向支持院校设备更新。二要绩效杠杆调节，江苏省实行“就业质量—财政拨款”挂钩，毕业生本地重点产业就业率每提高 10%，生均拨款上浮 8%，某校因此获增量资金更新新能源实训平台。

② 创新产业需求响应式专业体系。一要实行专业设置备案制，浙江试点“人工智能+纺织”专业，审批周期从 18 个月缩至 3 个月，课程对接本地产业技术迭代速度提升 300%。二要实行课程动态预警，佛山建立“产业技术地图—课程内容”联动平台，当工业机器人技术更新率达 40%时自动触发课程修订，使教学内容滞后周期从 5 年压缩至 1.8 年。

③ 深化产教融合实体化运行。一要产权绑定式合作，安徽某市规定企业捐赠设备可抵扣所得税（额度达设备值的 30%），某车企因此向院校开放最新生产线，设备价值 8000 万元；二要技术共享机制，宁波产教联合体实行专利交叉许可，院校获企业 46 项专利使用权，企业免费使用院校检测平台，双师型教师年均企业服务时长提升至 62 天。

总体来看，地方院校质量保障的区域性困局主要表现为财政约束、产业脱节与产教断裂的三重挑战，本质上是“财政—产业—教育”协同链断裂。要破局需重构三方责任共同体：一是财政建立反哺机制，使经济成果转化为教育投入；二是产业开放技术生态，为人才培养提供真实场景；三是院校打破响应惰性，构建需求驱动的敏捷培养体系。

当西北资源型城市的实训车间运转着最新的采油设备，当长三角的课堂代码同步于企业开发平台，当东北的毕业设计直指老工业基地转型痛点——质量保障才真正扎根于区域经济的土壤，培养出不可替代的应用型人才。

三、生源因素

1. 生源质量结构性下滑：分层竞争中的资源挤压

高等教育分层格局下，地方院校面临优质生源持续流失的系统性压力。2025 年《中国高考录取报告》显示，“双一流”高校在重点省份理科前 30%的考生中录取占比达 78%，而地方院校录取线呈普遍下滑趋势。这种分流直接导致生源质量的结构性失衡现象：一是录取分数持续走低，某省属理工院校机械专业 2020～2025 年最低录取分数从一本线上 12 分降至二本线下 15 分，新生高考数学均分从 108 分跌至 82 分；二是学科基础薄弱化，2025 级新生入学测试显示，数学单科不及格率从 12%升至 31%，物理不及格率从 18%升至 40%，迫使教师压缩 30%的高阶教学内容。

案例分析：西南某学院在评估中被指出生源质量与培养目标严重错位——该校智能制造专业定位培养工业机器人系统工程师，但新生数理基础达标率仅为 39%，专家组实测发现 52%的学生无法独立完成机械传动设计计算，判定毕业要求达成存在系统性风险。更深层的影响在于教学资源配置的被动调整。为适应生源变化，该校将“高等数学”的课时增加 40%，但挤占了“机器人系统集成”等核心课程的学时，导致专业特色弱化。这种“生源降级—课程降维”的恶性循环，使质量保障体系陷入两难困境。

2. 学习动力与能力分化：多元化群体的教学管理挑战

学生背景多元异质性，对教学组织提出前所未有的复杂度要求。2025 年地方院校新生调研揭示出两大分化特征：

（1）学习动机谱系断裂

地方院校仅有 23%的学生有明确的专业兴趣（较“双一流”院校低 38 个百分点）；41%的学生将获得文凭视为首要目标。某课堂观察显示后排学生日均抬头率不足 30%（教学督导报告）；学习习惯差异系数达 0.51（东部某校测算），前 30%的学生日均自习时长为 3.2 小时，后 30%的学生日均自习时长仅 0.8 小时。

（2）能力基础多维离散

某省新生入学测试数据暴露了学生学习能力分层明显（表 5-9）。这种分化直接转化为课堂效能损耗。某校的“程序设计基础”课程中，前 20%的学生完成项目任务平均耗时 1.8 小时，后 20%的学生需 8.2 小时，教师被迫将 32%的课堂时间用于基础补习。更严峻的是目标期望冲突。企业要求毕业生掌握 Python 自动化分析，但 37%的学生认为 Excel 就够用，拒绝学习高阶技能（学习动机问卷）。

表 5-9　某省新生入学学科能力测试数据统计

能力维度	前 20%均值	后 20%均值	离散系数
数学逻辑	86 分	32 分	0.48
文献阅读	78 分	35 分	0.42
英语应用	82 分	28 分	0.53

案例分析：东部某院校因未建立分层教学机制，“因材施教”指标被扣减 18 分。专家组抽检发现，同一课堂内学优生完成 3D 建模任务时，学困生仍在练习基础绘图命令，教学进度割裂率达 63%。

3. 破解路径：从被动适应到主动重塑

① 构建“精准滴灌”招生体系。一要前置专业适配度测评。参照德国 FH 模式，在志愿填报前开展“专业能力—职业倾向”双维评估，某试点院校通过测评将专业匹配度从 54%提至 86%；二要建立特色生源池。与中职学校共建“技术苗子班”，浙江某校提前锁定全国技能大赛获奖生，该群体毕业设计优秀率达 91%。

② 创新分层分类教学机制。一是课程体系弹性化。基础课实施“三级能力分组”（补救、标准、进阶），数学课程设置 6 种难度模块；专业课推行项目难度自选，如机械设计任务包含基础零件测绘（1 星）到智能装配系统开发（5 星）。二是学习进程个性化，开发学业导航图数字平台，某生因数学薄弱被推荐先修“工程数学基础”，通过后再修“控制理论”；建立多阶考核通关制，“编程基础”课程设置 5 次过关考核，未通过者进入定制辅导通道。

③ 激活学习动力生态系统。一要确定目标锚定策略。大一开设“专业导论与职业发展”课程，邀请企业技术总监展示岗位能力模型，使高薪技能可视化。二要健全成就激励

机制，设立技术新星奖，某生因开发农产品溯源小程序获企业订单，带动37%的学生参与真实项目。三要构建同辈学习共同体，组建跨年级项目战队，获全国机器人竞赛二等奖的团队中，低年级成员占比达45%。

案例分析：洛阳理工学院实施生源质量提升计划后，2025年录取线回升至二本线上21分；“金属材料成型”课程通过分层教学，学生的金相分析技能达标率从58%升至89%，获评估专家组“教学创新示范”评价。

总之，地方院校生源困局主要表现为优质生源流失与学习动力分化的双重挑战，折射出地方院校在高等教育生态位中的深层危机。当分层竞争抽离优质生源，当多元分化挑战传统教学，质量保障必须从标准化生产转向个性化培育。唯有通过招生精准适配、教学弹性分层、学习生态激活三重变革，方能使数控机床前的操作者成长为智能生产线的驾驭者，让每一个差异化的起点都通向应用型人才的卓越之境。

四、社会观念与文化因素

1. 社会评价偏见：刻板印象下的系统性矮化

层次决定质量的传统认知偏见，深刻制约地方院校的声誉提升与资源获取。2025年《中国高等教育社会认知调查报告》显示，73%的受访企业认为“双一流”院校毕业生的专业素养显著优于地方院校毕业生。某科技公司招聘系统自动过滤非“双一流”毕业生的简历，导致地方院校学生投递回复率不足12%。这种偏见引发了资源获取的马太效应。地方政府对本地高校的科研经费分配中，“双一流”院校占比达68%，而地方院校仅获19%。某应用型高校校长坦言，申报省级重点实验室时，评审专家直接询问：“你们有院士吗?”

案例分析：西南某学院为提升社会评价，将60%的资源投入智能机器人实验室建设，却削减基础课程师资配备。专家组抽检发现，“高等数学”大班授课达200人，学生作业批改率不足30%，认为该校重硬件申报轻育人实效。这种“面子工程”恰是社会偏见倒逼的畸形应对。

更深层的伤害在于生源质量的螺旋式下滑。某省高考前30%的考生中仅7%首选地方院校（较2015年下降21个百分点），优质生源流失进一步强化低水平循环认知。某家长在择校咨询时直言：“宁可读‘双一流’院校的冷门专业，也不选地方院校的王牌专业。”

2. 功利化浪潮：教育价值异化的三重冲击

社会、家庭、学生将教育简化为“文凭—薪酬”兑换工具，不断侵蚀潜心育人的文化根基。

(1) 社会层面：就业率至上的评价绑架

地方政府对高校绩效考核中，“初次就业率”权重高达35%，而“培养过程质量”“学生发展增值”等指标合计不足15%。某市属院校为提升就业率数据，将毕业设计答辩提前至3月，强制学生离校实习，导致73%的毕业设计沦为形式（校内教学督导报告）。

(2) 家庭层面：投资回报率的精算逻辑

2025年家庭高等教育决策调研显示，81%的家庭以毕业生起薪为择校核心标准；

64%的家庭反对子女选择感兴趣但低薪的专业。某考生因报考陶瓷设计专业与家庭决裂；生均课外技能培训支出达 8200 元/年，但仅 12%用于人文素养课程。

（3）学生层面：学习目标的工具性窄化

某校学生学习动机调研暴露功利导向（表 5-10）。这种功利化直接导致教学价值扭曲。某企业向院校捐赠 800 万元要求增设“直播带货”课程，但压缩“商业伦理”的课时；学生公开质疑哲学课对找工作有什么用，迫使教师削减理论深度。

表 5-10　某高校学生学习动机调查统计

学习目标	认同率	典型表述
获取高薪工作	79%	大数据专业起薪高
逃避学业惩罚	45%	只为不挂科
探索学术兴趣	18%	喜欢电路设计

案例分析：东部某院校因将“中国文化通论”改为选修课，被专家组批评育人导向偏差。数据显示，该校学生人文素养测评得分从 78 分跌至 52 分，论文抄袭率上升至 34%。

3. 破解路径：重构价值坐标的文化治理

① 打破偏见循环，重塑声誉资本。一要建立区域贡献指数。参照英国 REF 评估框架，将“服务地方成效”纳入评价体系。浙江某校因助力小微企业数字化转型获评“五星服务院校”，地方财政拨款提升 23%。二要打造可视化质量标识。开发毕业生能力成长雷达图，某生展示复杂问题解决能力提升值 0.82 获企业优先录用。

② 对抗功利主义，回归育人本质。一是课程价值显性化。在“商业伦理”课程中嵌入“企业合规官”岗位能力模型，修此课程者平均起薪高 15%；构建“能力—薪酬”关联数据库，人文素养达优者职业晋升速度快 1.8 倍。二是评价机制去功利化。地方政府将“毕业生五年职业发展力”“雇主满意度”纳入考核（权重≥40%）；院校设立“教学勇气奖”，表彰坚持育人本质的教师，某教师因拒绝简化课程难度而获奖。

③ 家校协同启蒙。新生家长会展示《人才需求趋势报告》，揭示人工智能时代批判性思维比技能更重要；企业参与设计职业发展光谱，某工程师现身说法，十年前的热门语言 Swift，如今已被 Python 取代。

综上，从工具理性到价值理性的文化跃迁面临偏见桎梏与功利主义侵蚀的双重挑战。社会文化对质量保障的侵蚀，实为工具理性碾压价值理性的时代症候。其破解之道是开展以下两个方面的重构：一是评价体系上，用区域贡献指数替代论文数量，使地方院校的在地价值可测量、可传播；二是育人实践中，以能力成长图谱对抗起薪至上论，让教育回归人的全面发展。当陶瓷工作室的釉彩辉映着文化自信，当数学课堂的公式链接着产业创新，当企业不再以“出身”论英才，地方院校教育教学质量保障便会在社会土壤中扎下深根，绽放出超越功利的人才之花。

第六章　国外地方应用型高校教育质量保障经验的借鉴

本章聚焦美、英、德、澳四国地方应用型高校质量保障特色路径探究。美国构建多元协同的学习成果矩阵，通过课程嵌入式评估驱动持续改进；英国以教学卓越框架（TEF）实施增值评估，强化院校自治与行业认证；德国依托双元制法治框架，深化校企协同的职业能力导向评价；澳大利亚建立国家立法下的数据循证机制，创新能力本位数字徽章认证。由此提炼出四大核心院校的教育质量保障经验：其一，以学生学习成果为核心，开发能力导向的多元评估工具；其二，创新产教融合机制，通过工业顾问委员会等载体实现行业标准与课程深度对接；其三，培育全员参与的持续改进文化，将质量意识融入组织基因；其四，推进数字化转型，运用学习分析技术构建智能预警系统。进而为我国地方本科院校重构质量标准、深化产教协同、培育质量文化及智能化治理提供多元参照。

第一节　国外地方院校教育质量保障的特色化路径

一、美国地方院校教育教学质量保障模式

美国地方院校教育教学质量保障体系呈现出多层次、系统化的特征，其核心在于构建了外部认证与内部评估相互支撑、动态反馈的闭环机制。该体系以质量认证为核心，通过周期性评估与持续改进相结合的方式，确保院校在保持办学自主权的同时实现教育教学质量的提升。在制度设计上，六大区域性认证组织（如 HLC、WASC、SACSCOC 等）制定统一的认证标准，涵盖院校治理、学习成效、资源保障等关键维度，采用“自评—同行评议—同行评议小组实地走访—专家评估—监督和观察”的规范化流程。近年来该体系实现了从资源投入导向到学习成果导向的范式转型，通过课程嵌入式评估、标准化测试、作品集评审等多元方法系统测量学生的核心能力发展。同时，院校内部也建立了以数据为驱动的质量改进机制，包括教学咨询、中期反馈、学习分析等创新实践，形成了全员参与的

质量文化，其核心价值在于构建了一个兼具规范性与灵活性、系统性与协同性的质量保障生态系统，充分展现出美国高等教育“多元共治、动态均衡”的鲜明制度优势与创新特色，更展现了其在保持教育质量与促进院校特色发展之间寻求动态平衡的制度艺术。

以美国加利福尼亚州州立理工大学（California Polytechnic State University）为例，该校成立于1901年，是美国西海岸规模最大的公立应用型理工大学之一，隶属加利福尼亚州州立大学系统。学校位于加利福尼亚州圣路易斯奥比斯波市，在校生规模约2.1万人，其中本科生占比96%，凸显了鲜明的本科教育导向。作为美国应用型高等教育的典范，该校在工程教育领域成就卓著：2015年位列US News非研究型大学工程学排名第4位（仅次于哈维·穆德学院、罗斯-霍曼理工学院和奥林工程学院），其机械工程、电气工程、计算机工程等专业均进入全美前十，是前十名中唯一的公立大学。这一地位源于其百年坚守的“做中学”教育哲学，将实践能力培养贯穿于人才培养的全流程。学校在教育教学质量保障体系上以学生学习成果达成为核心，采用双轨协同机制的教育教学质量保障体系，通过持续评估与反馈机制驱动教育教学改进。具体如下：

1. 双轨协同机制的质量保障体系

（1）内部质量提升的专业化机构

加利福尼亚州州立理工大学校内质量保障主体包括学术评议会、教学卓越中心（CTL）和院系评估委员会。其中，学术评议会由各学院选举产生的教授代表组成，负责审批课程设置、学位要求及学术政策。其核心职能是将“做中学”理念转化为可操作的课程标准，例如规定所有专业必须包含项目式学习模块，工程类专业实践学分占比不得低于总学分的50%等；教学卓越中心（CTL）负责提供系统化教师发展项目，包括“高效教学策略工作坊”“工程教育创新实验室”等，中心重点推广课程设计量规，涵盖学习目标设定、评估方法设计、实践环节衔接等维度，教师需据此提交课程方案并通过同行评审。院系评估委员会由学科教授与企业代表组成，负责实施年度课程评估。同时，学校在教育质量保障体系上特别强调持续改进机制的建立与运行。评估结果直接转化为教学改进措施，形成闭环管理系统。在专业层面，各系设立专门的课程委员会，负责分析评估数据并制定改进方案；在教师个体层面，评估结果与教师的专业发展挂钩，学校提供有针对性的教学培训资源。

（2）外部质量认证的行业驱动

在外部质量监控方面，加利福尼亚州州立理工大学严格遵循美国工程与技术认证委员会（ABET）认证标准，并发展出具有校本特色的实施路径。ABET认证的核心是证明专业教育目标与学生学习成果的达成度。学校不仅满足基本认证要求，更建立了超越认证标准的质量文化。其特色在于：将认证要求的通用标准转化为具体的课程质量指标，建立行业咨询委员会等定期审查课程设置，开展毕业生职业发展追踪评估。这些举措使学校能够动态调整教学内容，着重培养学生的抽象思维和应用能力，确保教育目标与行业发展同步，也为学生提供多样化的成才渠道。除ABET外，学校积极参与美国工程教育学会（ASEE）、工程教育联盟（EEC）等行业组织，通过教师交流、课程共建推动质量前沿探索。

美国加利福尼亚州州立理工大学的质量保障机构体系以内外双轨协同治理为核心特征，通过内部专业化机构与外部行业认证的深度耦合，构建了多层级的质量责任网络。这一设计既保障了学术自主性，又确保了人才培养与产业需求的动态契合（表 6-1）。

表 6-1 加利福尼亚州州立理工大学质量保障双轨机制

维度	内部保障机制	外部认证机制	协同案例
机构载体	学术评议会、教学卓越中心、院系评估委员会	ABET 工程认证委员会	课程大纲联合审核
评估周期	年度课程评估	6 年周期性认证	认证与年度评估数据互通
核心职能	课程标准制定、教师发展	行业能力标准导入	企业参与能力指标修订
数据应用	学习分析系统预警	雇主满意度调查	共享毕业生能力达成数据

2. 质量保障目标体系：三维度动态耦合

加利福尼亚州州立理工大学的质量保障目标体系构建于学术卓越、教育公平、劳动力适配三维度的动态耦合之上，并通过量化指标实现目标的可操作化。这种设计确保了质量保障工作与学校使命及社会需求的高度统一。

（1）学术卓越与能力达成

学校将学生能力达成度作为学术卓越的核心标尺，构建了分层能力指标体系，主要包括以下几个方面：基础能力层方面，涵盖数学建模、科学分析等通用技能，通过“核心课程考试”实施统一测评。专业能力层方面，由专业对标 ABET 标准制定。综合创新层方面，通过毕业设计考核。

（2）教育公平与机会保障

针对弱势群体学生，学校实施提前起步计划，主要包括精准学情干预和资源补偿机制。其中，精准学情干预针对数学基础薄弱的学生，他们需在暑期参加强化训练，采用自适应学习系统诊断短板。资源补偿机制为低收入家庭学生提供“技术包”（含笔记本电脑、工程软件许可），且实验室实行 24 小时开放制。

（3）劳动力适配与产业响应

为应对技术变革，学校成立了产业咨询委员会，主要包括动态能力调适和薪酬反馈驱动。其中，动态能力调适由委员会每季度发布《技能需求趋势报告》。2023 年的报告指出 AI 工程技能人才缺口扩大，促使电气工程专业增设“嵌入式 AI 系统”课程，并与英伟达合作开发认证模块。在薪酬反馈驱动上，毕业生起薪数据直接关联课程更新。

3. 学生学习成果评估范式转型：从资源投入导向到学习成果导向

美国加利福尼亚州州立理工大学的质量评估正经历从资源投入导向向学习成果导向的范式转变，其核心是将学生能力发展作为质量评价的标准尺度，通过精细化能力图谱建模与多元化评估工具实现教学质量的精准诊断。在能力图谱建模层面，各专业须定义 12～15 项核心能力指标，每项指标分解为 3～5 个可观测行为维度。以机械工程专业为例，其将系统设计能力分解为需求分析、概念生成、参数优化、原型验证 4 个维度，并明确各维度的预期表现等级；在评估工具层面，采用嵌入式课程评估（课程作业与能力指标挂钩）、电子档案袋及顶点项目评价相结合的方式，其中电子档案袋系统完整地记录学生在项目研究、团队协作、创新实践中的表现，形成动态能力轨迹图；在改进机制层面，建立评估结果响应小组，由专业负责人、教学设计师、企业代表组成，分析能力达成短板并制定干预方案。

在技术赋能层面，学习分析技术的应用实现了从结果抽样评估向全流程数据追踪的跨越。学校开发的“学业预警仪表盘”通过四层架构支撑教学质量持续改进：数据采集层整合学习管理系统、课堂应答系统、实验室操作平台等多源数据；风险预测层应用机器学习算法构建学业风险模型；干预触发层自动推送警报至学术顾问与授课教师；效果评估层追踪干预后学习轨迹的变化。

二、英国地方院校教育教学质量保障模式

英国地方院校教育教学质量保障体系以“多元化评估、市场化导向、院校自治与外部监督结合”为核心特征，其审核评估制度（由 QAA 主导）为地方应用型高校的质量保障提供了刚性约束与弹性空间。根据 QAA 发布的《英国高等教育质量保障框架》(2021)，审核评估的核心目标是验证高校是否履行质量承诺、保障学术标准，并促进持续改进，评估内容涵盖学术标准、教学过程、学生支持、学习资源等维度，评估结果以“置信度声明”形式公开，直接影响院校的招生竞争力与政府经费支持。

英国地方应用型高校（如英格兰中部的伯明翰城市大学、苏格兰的格拉斯哥卡里多尼亚大学等）多源于 19 世纪的理工学院或职业教育机构，20 世纪 90 年代后通过《高等教育法》升格为大学，其定位聚焦区域经济需求，以应用型专业（如工程技术、护理、商业管理）为核心，培养实践型人才。这类院校在审核评估中呈现出鲜明的差异化特征：相较于研究型大学侧重学术产出，地方应用型高校的评估重点更倾向于教学与行业需求的匹配度、学生实践能力培养和区域服务贡献度，既承袭了传统精英教育的严谨规范，又融入了现代高等教育的灵活性与包容性。英国高等教育质量保障署作为独立监管机构，通过院校评审和学科基准两大支柱，构建起覆盖全英高等院校的质量标准体系。其显著特点在于强调增强型院校自治，即在确保基本质量标准的前提下，允许院校根据自身定位和特色制定差异化的质量保障策略。以英格兰地区为例，地方院校普遍采用质量提升循环模式，该模式包含规划（plan）、实施（do）、评估（check）、改进（act）四个递进环节，形成持续改进的闭环系统。在教学评估方面，英国开创性地发展了教学卓越框架（TEF），通过教学质量、学习环境、学生成果和学习收获四个维度的量化指标与质性评估相结合的方式，对教学质量进行评估，其结果直接影响政府拨款和学费标准。且在 TEF 评估中特别强调增值教育理念，即关注学生在校期间的能力提升幅度而非单纯关注入学成绩。英国地方院校特别重视学生参与质量保障的机制建设，全国学生调查的数据被广泛运用于课程改进和教学改革。在学科层面，各专业必须设立外部考官制度，邀请其他高校的同行专家对考核标准和学生作业进行抽样评审，确保学术标准的可比性和公正性。Locke 的研究发现，这一制度在维护学术标准的同时，也促进了院校间的经验交流与合作。此外，英国高等教育统计局（HESA）定期发布的绩效指标为质量监控提供了数据支撑，包括毕业生就业率、继续深造率、师生比等关键指标。Gunn 指出，这些指标不仅用于院校间的横向比较，更重

要的是为院校内部质量改进提供了数据依据。这种立体化、多维度的质量保障体系既维护了英国高等教育的国际声誉，又促进了院校的特色发展。然而，相关研究指出，该体系也面临市场化导向过强、评估指标单一化等挑战。近年来兴起的平衡评估理念正试图在质量保障与院校自主之间寻求新的平衡点。

以博尔顿大学（University of Bolton）为例，该校始建于1824年，是英联邦大学协会会员大学之一，坐落在英国经济文化中心城市曼彻斯特郊区，下设三个学院：艺术、科学和教育学院，博尔顿商学院以及博尔顿技术学院。其课程范围广泛，涉及艺术、教育、商业、科技等领域，其中以商业和计算机网络较为突出。博尔顿大学以教学严谨、课程灵活而闻名，其教学质量在最近的英国教育质量保障署的评测中被评为最高分。由于其注重实际，与所有职业协会都有很强的联系，博尔顿大学学生就业率在英国高校中名列前茅。与此同时，博尔顿大学与英国国际心理学管理学院（IPMC）合作，在学术开发领域积极努力，完成许多更具实战性的学科项目，以此帮助毕业生更好地服务社会，发挥个人价值。作为英国应用型高校的典型代表，通过战略定位重构、教师评价改革、课程创新设计三位一体的系统性变革，形成了以“教学为主、科研为辅”（teaching intensive research informed，TIRI）为核心的质量保障范式，其经验为全球应用型高等教育质量保障提供了重要参考。本书聚焦博尔顿大学的特色化路径，结合审核评估案例与实证数据，剖析其质量保障体系的内在逻辑与实践成效。

1. 战略导向的绩效评价体系：驱动教师发展与质量文化重构

（1）TIRI战略定位与评价功能转型

博尔顿大学教育教学质量保障的根基在于其鲜明的战略定位。2015年该校发布“2015—2020年战略规划”，首次提出将学校建设成为“教学为主、科研为辅”（TIRI）的应用型高校，并据此重构教师绩效评价体系。其核心目标是学校的所有改革举措均为学生的成长和就业服务，将学生及其家长作为学校发展的关键利益人，教师的教学及其研究都要基于此进行，为此，在对教师评价的指标中强化了学生的体验和学生的评价。这一战略转变直接体现为教师绩效评价的三重功能转型：在定位上，从传统的绩效考核工具转向战略实施载体，明确评价目标是确保员工贡献于大学愿景；在指标设计上，弱化科研产出数量要求，强化教学成效与应用研究影响力；在流程上，采用目标协商制与发展性反馈机制，形成发展性而非奖惩性评价范式。政策文件明确要求：绩效评价需确保教师目标与大学战略目标保持一致，并为教师提供专业发展支持以达成该目标。这种定位使教师的工作重心从论文导向转向学生发展导向。

（2）双轨制评价标准与差异化权重

针对应用型高校教师的多元角色，博尔顿大学创新设计“教学轨”与“学术轨”并行的评价指标体系，并依据教师岗位性质差异化配置权重。如表6-2所示，教学岗位教师评价中教学维度占70%的权重，重点考核课程创新效果、学生学业增值、教育技术应用能力；学术岗位教师虽以科研为主（占70%），但考察研究成果对教学的转化和产学合作项目收益占30%的权重。两类岗位均设置应用型服务指标（如企业培训开发、行业资格认证），确保所有教师对学校应用型使命做出实质贡献。评价结果直接关联个性化发展计划，如教学能力培训、企业实践计划、学术休假等，形成“评价—反馈—发展”闭环机制。这种设计既尊重教师的专业特长，又保障了应用型人才培养目标的实现。

表 6-2　博尔顿大学教师绩效评价“双轨制”指标体系

评价维度	教学轨标准(占比 70%)	学术轨标准(占比 30%)
教学指标	课程设计与创新效果 学生学业成就增值 教育技术应用能力	研究成果对教学的转化 指导学生学术活动
学术指标	教学研究成果 教学奖项	应用型研究产出 行业咨询项目 专利/技术转化
服务指标	企业培训项目开发 行业资格认证获取	产学合作平台建设 政策咨询贡献

(3) 政校协同的制度保障

教师评价改革的有效实施依赖于政府政策引导与高校自主权扩展的协同支持。英国政府通过《应用型高校转型框架》明确双师型教师比例要求（不小于 60%），并设立职业教育发展基金资助教师企业实践项目。同时，扩大高校职称评审自主权，允许应用型成果替代传统学术论文，为博尔顿大学等地方高校开展评价改革提供制度空间。2016～2020 年间，该校双师型教师比例从 41%提升至 67%，教师年均企业实践时长增长 2.3 倍，印证了制度协同的实效性。

2. 行业深度参与的课程质量保障机制：衔接职业标准与市场需求

(1) 三阶段课程认证与动态调整

博尔顿大学课程质量保障的核心特色在于建立行业认证嵌入课程生命周期的管理机制。所有应用型专业需通过三阶段认证流程：设计阶段，课程团队需提交雇主参与设计的证明及行业需求分析报告；实施阶段，设立雇主参与课程评审委员会，每学期审核课程与职业资格标准的对接度；修订阶段，基于毕业生就业质量数据（入职 6 个月薪资水平、雇主满意度）动态调整课程内容。

(2) 雇主嵌入式治理结构

为保障行业参与的持续性，博尔顿大学在治理架构中创新设置双层雇主代表机制。校级层面，理事会设 5 席固定雇主代表席位，参与制定《课程战略框架》；院系层面，每个专业成立行业咨询委员会，成员包括区域头部企业技术总监、行业协会认证专家等。该机制确保课程内容实时响应技术变革，如 2018 年机械工程专业根据委员会建议增设增材制造与 3D 打印模块，使毕业生在汽车产业升级中获得竞争优势。数据显示，采用该模式的专业毕业生平均起薪较传统专业高 17%，专业对口率提升 23 个百分点。

三、德国地方院校教育教学质量保障模式

德国地方院校教育教学质量保障体系呈现出显著的法治化和协同性特征，构建了一个以《高等教育框架法》为基准、各州文教部长联席会议协调、认证委员会专业指导、院校

自主实施的四级质量保障架构。这一体系源于德国特有的文化联邦主义传统，既保持各州在教育事务上的自主权，又通过全国性的质量标准和认证程序确保高等教育的基本质量。该体系的核心在于将外部质量认证与院校内部质量文化建设有机结合，形成持续改进的良性循环。在具体实施层面，专业认证和系统认证双轨并行：前者由认证委员会授权的专业认证机构对具体学位项目进行审核，后者则是对院校内部质量保障体系的全面认可。根据Schwarz-Hahn和Rehburg的实证研究，这种双轨制既保证了基本教育质量，又赋予院校充分的办学自主权。值得注意的是，德国地方院校普遍建立了完善的质量管理机制，如慕尼黑应用科学大学开发的“质量环”模型，包含目标设定、实施、评估和改进四个递进阶段。在教学质量评估方面，德国创新性地采用了“能力导向”的评价体系，重点关注学生的学习成果和职业能力发展，这种评估方式显著提升了工程类院校毕业生的就业竞争力。此外，德国地方院校特别强调实践教学的质量保障，如斯图加特应用科学大学实施的双元制学习质量监控体系，通过校企合作委员会定期评估实践教学效果。这种产学研深度融合的质量保障模式使应用科学大学的毕业生就业率持续保持在90%以上。然而，Kehm指出，该体系也面临认证程序烦琐、行政成本过高等挑战。为此，德国近期推行了认证体系改革，简化认证流程，强化院校自主责任。未来，德国地方院校的质量保障将更加注重数字化教学质量的评估标准建设，以及国际认证标准的本土化调适。这一独具特色的质量保障路径，为全球应用型高等教育的发展提供了重要参考。

以德国应用科学大学为例，该校始建于20世纪60年代末，教学内容聚焦工程、经济、技术等应用学科，是德国高等教育体系中以实践为导向的应用型高校。该校作为德国高等教育体系的“双元支柱”之一，承担着培养高层次应用型人才的核心使命，既保障了人才培养与产业需求的动态契合，又实现了学术标准与实践能力的有机统一。自20世纪60年代由工程师学校与高级专业学校合并升格而成，这类院校已发展成为德国应用型高等教育的主力军：规模占比上，全德247所应用科学大学占高校总数的48.3%，在校生76.3万人（2018年12月），占高等教育学生总数的39%；人才输出方面，德国约2/3的工程师、50%的企业经济师及信息技术人才毕业于此类院校。其成功根源在于构建了以职业能力导向和双元协同机制为核心的教育教学质量保障体系，这一体系在规制性法律框架、规范性产教融合标准以及文化认知层面的质量认同三维互动中，形成了内外部质量保障的闭环系统，使德国应用型高等教育在国际上享有盛誉。德国应用科学大学质量保障体系紧密对接区域产业需求，通过法律保障、校企协同、能力测评三位一体的机制设计，确保应用型人才培养的高度社会适应性。通过分析德国应用科学大学教育教学质量保障的制度架构、实施路径，为中国应用型高校转型提供理论参照和实践范式。

1. 双元性制度基础

（1）法律框架的规制性保障

德国应用科学大学的质量保障体系建立在强有力的法律基石之上。1968年《联邦德国各州统一专科学校协定》首次赋予应用科学大学高等教育机构的法律地位，标志着其正式被纳入德国高等教育体系。此后的《高等学校总纲法》（1976年颁布，2002年修订）进一步确立了德国应用科学大学与综合性大学不同类型但同等价值的法律定位，明确规定其核心使命是通过应用导向的教学与科研培养专业人才，为质量保障的目标设定提供了法律依据。在州级层面，各州的高等教育法细化了对德国应用科学大学的质量要求，例如巴伐利亚州《高等教育法》第 6 条要求应用科学大学所有专业必须通过周期性专业认证，且认证周期不超过 5 年，认证标准中“实践环节占比不低于总学时的 1/3”“企业教师授课比例需达 20%”等条款直接体现了应用型人才培养的规范性约束。这些法律政策不仅确立了应用科学大学的合法地位，还通过资源分配机制强化了质量保障的执行力。

（2）认证体系的规范性约束

专业认证是德国应用科学大学教育质量保障的核心外部机制，其实施主体为第三方独立认证机构，如德国工程教育认证协会（ASIIN）。ASIIN 认证采用欧洲工程教育认证标准（EUR-ACE），构建了“输入—过程—输出—长效”四维评价框架，包含 12 项核心指标，其中行业相关性指标权重达 30%，显著高于研究型大学认证标准。专业认证不仅是质量监控手段，更是产教融合的制度载体。认证标准明确要求专业咨询委员会（Advisory Board）中企业代表比例不低于 40%，直接参与培养目标修订与课程更新。

（3）州政府的外部质量监控

德国各州文教部通过周期性院校评估行使教育质量监管职能。评估采用三阶段风险导向模式：新设应用科学大学一年内须接受合规性评估；办学满五年的院校每两年接受一次全面评估；历史悠久的应用科学大学实施“轻触式”抽检。下萨克森州 2023 年发布的《应用科学大学评估指南》要求评估必须包含四个核心环节：院校自评报告（占比 30%）、学生满意度调查（占比 20%）、企业雇主访谈（占比 30%）及教学资源审计（占比 20%）。评估结果直接关联财政拨款与专业审批权限。这种基于绩效的资源配置机制形成了质量保障的刚性约束，驱动应用科学大学持续改进教育教学质量。

2. 内部质量保障的实践框架：职业能力导向的系统构建

（1）教师队伍的实践性基因

德国应用科学大学师资管理的核心特色在于构建了一支理论与实践深度融合的教师队伍。根据《高等学校总纲法》规定，应用科学大学的教授聘任必须满足三项刚性条件：博士学位、教育教学能力证明（通常需通过教学法培训），以及五年以上专业实践经验（其中至少三年在企业工作）。这种严格的准入门槛确保了教师具备将行业经验转化为教学资源的能力。除入职要求外，德国应用科学大学还建立了教师实践能力更新机制。根据《教授聘用法》，应用科学大学的教授每四年可申请一次“学术假期”，其间需全职在企业实践不少于 6 个月。同时，应用科学大学还大力引进兼职教师队伍，规定企业工程师授课比例不低于总学时的 20%，企业专家通过双轨教学制度深度参与人才培养。理论课程由本校教授主讲，实践课程（占总学时的 50%）则由企业工程师承担，形成“学校教授＋企业技师”协同授课模式。这种师资配置使教学过程始终与产业实践保持同频共振。

（2）课程体系的双元化设计

课程质量是教育教学质量保障的核心载体，德国应用科学大学构建了企业需求驱动的课程开发机制。其核心是通过专业咨询委员会（由企业技术主管、行业协会代表、校友组成）将岗位能力标准转化为课程目标，形成能力模块化的课程体系，使学生能够将学科知识持续转化为职业行动能力。同时注重实践教学环节在课程体系中占据结构性地位。德国应用科学大学实行法定实习学期制，要求所有专业设置至少一年的企业实习期。根据《联邦职业教育法》第 12 条，德国工商业联合会（IHK）与手工业联合会（HWK）负责监管企业培训资质，主要包括：审核企业实训场地与设备标准，认证培训导师资格，监督实习合同的履行。德国应用科学大学普遍实施“三明治式”学期安排（理论学期与实践学期交替），其中实践学期为全职企业实习，学生需完成企业真实项目并通过校企联合考核，且毕业设计实行“企业出题、真题真做”原则，要求高度对接企业实际问题，选题必须来源于企业技术改进或产品研发需求。

（3）学习成果的实证化评估

学生学习成果评估是质量保障的闭环环节，德国应用科学大学创新实施了能力导向评估范式。该范式的核心是将抽象的职业能力转化为可观测的行为证据，通过多元评价主体和方式实现对学生能力的全面测评。在评价主体上，实施校企联合评审制，企业技术专家在实践考核中拥有主导权。在评价方式上，德国应用科学大学广泛应用结构化能力档案替代传统试卷考试。学生需持续收集学习过程中的能力证据，如设计图纸、工艺分析报告、项目解决方案等，形成个人能力档案。斯图加特应用科学大学要求学生在毕业时提交包含 7 类证据的能力档案：技术设计方案（不少于 3 份）、跨学科项目报告（1 份）、企业实习评价、软件编程成果、质量控制分析、成本核算表及创新设计说明书。

3. 数字化质量保障体系的技术创新

（1）数据驱动的质量监测平台

在德国高等教育数字化战略推动下，德国应用科学大学普遍建立智能学习分析平台，通过采集教学行为数据实现质量预警。如慕尼黑应用科学大学开发的 EduMon 系统，实时追踪课程出勤率、作业完成度、实验报告质量等 12 项指标，自动生成专业质量图谱。当学生实践课不及格率超过 15％时，系统触发黄色预警，质保中心介入调查；超过 25％时启动红色预警，责令专业停招整改。2021 年该校因预警及时调整了 3 个专业的实践模块，使毕业率提高 18 个百分点。

（2）数字化资源协同共享机制

德国科学应用大学通过“跨校云平台”整合实践教学资源，破解小规模学校实训设施不足的瓶颈。下萨克森州应用科学大学联盟建成“Virtueller FH-Campus”平台，共享 21 个智能制造实验室、9 个工业 4.0 模拟工厂的数据资源。学生可远程操控不伦瑞克校区的数控机床，实时传输加工数据至汉诺威校区的质量检测系统。该平台使成员校设备利用率提升 47％，生均实训成本降低 35％。这种资源协同模式在 2022 年德国科学理事会（WR）评估中获评“区域高校集群化发展的典范”。

此外，德国在“高等教育数字化”战略引领下实现了质量保障体系的数字化重构。于喆的研究表明，德国应用科学大学从理念、教学、课程、环境、资源、评价六大维度推进数字化转型：建立一体化教学管理系统实时采集和分析教学数据，利用虚拟仿真技术构建工程实践场景，开发智能评价工具实现对学生能力的过程化评估（表 6-3）。

表 6-3　德国应用科学大学质量保障体系数字化重构的主要维度

重构维度	核心举措	预期效果
理念转型	确立数字化质量文化	增强全员认同感
教学模式	开发虚拟仿真实验项目	提升实践教学灵活性
课程体系	构建模块化能力图谱	实现学习路径个性化
环境建设	部署智能物联实验室	优化实践环境真实性
资源管理	建立云端共享资源库	提高资源利用效率
评价机制	应用学习分析技术	强化过程性反馈

四、澳大利亚地方院校教育教学质量保障模式

澳大利亚地方院校教育教学质量保障体系对澳大利亚高等教育的保障呈现出国家立法、多元合作、内外结合的特点。澳大利亚通过立法，完善了澳大利亚高等教育质量保障体系的制度保障，从而使澳大利亚高等教育质量保障工作都能在法律的保障下进行。为了确保澳大利亚高等教育质量和标准署规范、公正地对澳大利亚高等教育进行质量保障，澳大利亚高等教育质量和标准署受到多项法案和法律文书的约束。《2011 年高等教育质量和标准署法案》（TEQSA Act）对于澳大利亚高等教育质量和标准署的有效运行起到了一定的保障作用。

1. 多元合作的保障主体

澳大利亚地方院校教育质量保障体系采用多元合作的保障主体，主要由澳大利亚联邦政府、州或地方政府、大学、澳大利亚学历资格评定框架署（AQF）和澳大利亚大学质量保障署（AUQA）五部分组成。在澳大利亚高等教育质量保障体系中，联邦政府主要负责资助大学、制定质量评估标准、对大学教育质量的相关信息进行收集和发布、督促大学和教师重视教育质量保障等。州或地方政府负责教育立法，制定州/地方所在地区的大学应该遵守的规范准则。澳大利亚学历资格评定框架署和澳大利亚大学质量保障署作为独立的外部质量保障机构，通过对澳大利亚高等教育机构和其他认证机构进行质量审核，提交结果和绩效报告，来保证这些高等教育机构改善并提升高等教育质量，同时也同其他地区的质量保障机构合作，更好地服务于澳大利亚高等教育系统。各个主体分工明确，相互配合，功能互补，不仅强化了高等教育机构的内部职能，同时也加强了外部机构的监管功能，平衡了大学与政府、社会之间的关系，保障了澳大利亚高等教育事业的有效发展。

2. 内外结合的保障机制

澳大利亚高等教育质量保障体系以内外结合的保障机制保障澳大利亚高等教育的高质量发展。内部保障层面，不同类型的高等教育机构均采取了不同的内部保障措施，各高校在校内设立专门的校级质量管理机构垂直管理院系质量小组，形成矩阵式管控网络，并通过质量管理机构制定质量保障相应举措和改进计划，同时，实行学生评价和教师评估等评价措施，以此来实现高校内部教育质量保障；外部保障层面，澳大利亚高等教育质量保障的运行机制呈现法治化与专业化双重特征。澳大利亚联邦政府设定机构注册与课程认证法定门槛，州政府执行合规性监察；澳大利亚高等教育质量与标准署（TEQSA）作为法定

监管者，在高等教育质量审核程序启动之后，基于院校自评报告与风险指标（财务稳定性、学生完成率等）确定审核强度证据采集，开展文档核验、现场观察及利益相关者访谈、撰写评估报告、提出质量改进意见。同时被审核的高等教育机构就评估报告中出现的问题及需要改进的地方进行调整和改进，并接受五年之后的再次评估。澳大利亚高等教育质量保障体系是一个内外结合运行的系统，呈现出内外结合的特点，对于提高大学自身对于高等教育质量的重视和提高自身对于质量保障的主动性具有积极意义，同时，又能充分发挥外部质量保障机制的客观性、公正性和良好的监督效力。

3. 澳大利亚皇家墨尔本理工大学的教育教学质量保障模式

以皇家墨尔本理工大学为例，学校成立于1887年，是澳大利亚唯一有权使用前缀“皇家”和君主制徽章的高等教育机构，位于澳大利亚维多利亚州的墨尔本市。学校是一所集理工科学、设计艺术和商科的国际性综合大学，在学校的机构设置上，由商业与法律学院、设计与社会背景学院、职业教育学院和STEM学院4个一级学院组成，也是澳大利亚历史最悠久的领军高等教育学府之一。其教育教学质量保障体系如下：

(1) 产教融合治理体系

① 行业主导的课程开发机制。皇家墨尔本理工大学创新性构建了“工业顾问委员会—课程实验室—能力认证”三级体系，实现产业需求向教学标准的精准转化。在顶层设计层面，由西门子、波音等企业高管组成的工业顾问委员会直接参与专业建设决策，每年修订人才培养方案中的能力指标。2024年该委员会将生成式AI系统设计纳入信息技术专业核心能力单元，同步开发配套的实训项目。在课程实施层面，校企共建行业课程实验室，企业提供真实生产数据与技术设备，教师将其转化为教学模块。

课程转化的效能通过双师协同机制进行强化。该校实施企业驻校工程师制度，要求行业专家承担30%的专业课时，并设立教学能力认证项目培训企业导师。2025年的数据显示，参与该项目的企业导师教学评估优良率达92%，其主导的“智能传感系统”课程获澳大利亚计算机协会最高等级实践课程认证。这种“需求传导—资源整合—能力认证”的闭环，从根本上规避了人才培养与产业需求的脱节。

② 数字徽章能力认证体系。针对传统学历证书无法精准表征技能的问题，皇家墨尔本理工大学开发了能力本位的数字徽章系统。该体系包含模块化能力单元设计、区块链技术存证及学分银行转换机制三大创新。在模块化能力单元设计方面，将行业需求分解为可测量的微能力单元，每个单元对应40学时项目化训练；在区块链技术存证方面采用去中心化存储技术记录能力达成过程，雇主扫码可查验技能细节及考核数据；在学分银行转换机制方面，集齐6枚徽章可兑换1门课程学分，衔接澳大利亚资格框架（AQF）的学历层级。

(2) 数据循证的持续改进机制

① 学习分析驱动的教学优化。学校依托UES学习分析平台实现对教学质量的动态监控。该平台实时采集教学全链条数据：课堂交互频次、实验操作轨迹、作业完成周期等非结构化数据经AI算法处理，生成课程风险预警指数。2024年平台向“数据挖掘”课程推送“聚类算法掌握率不足45%”的预警后，教学团队增加医疗病例分析实战项目，使后续达成率升至88%。平台还构建学生能力成长图谱，关联徽章获取记录与雇主评价数据。

当发现系统调试徽章持有者在岗位晋升速度低于均值时，课程委员会增设故障注入测试（FIT）实训模块，强化抗压能力训练。这种数据赋能模式在跨国教育质量保障中尤为关键。皇家墨尔本理工大学马来西亚分校采用虚拟督导系统，通过物联网传感器采集实验操作规范性数据（如电路焊接温度偏差值、程序调试响应时间），实时同步至墨尔本总部质量监测中心。2023 年分校工程专业实操考核达标率达 91.7%，与本土校区差距缩至 3.5 个百分点，印证了技术弥合地域教育鸿沟的效能。

② 风险适配的审核评估实践。作为 TEQSA 审核试点院校，学校创新“风险矩阵”自评模式。该模式将 AUQA 跨国教育审核框架的 17 项指标转化为四维风险评估矩阵，分别为学术风险、运营风险、文化风险和法律风险。2023 年越南合作项目因实训设备更新延迟被标记为高风险，学校随即启用区块链智能合约，确保西门子公司按约提供最新的 PLC 控制器，使项目通过 AUQA 复评。这种以风险为导向的精准治理使校外教学点投诉率下降 52%。

(3) 公平导向的质量文化生态

① 多元主体参与的质量共治。皇家墨尔本理工大学构建了“学生—企业—社区”三角质量共同体，重塑质量文化价值内核。学生通过课程共商委员会参与教学改进，2024 年收集提案 1273 条，其中“增加 AI 伦理研讨课”被纳入计算机专业必修模块。企业代表在技能咨询峰会上修订能力标准，如德勤提出可持续发展审计能力单元，推动会计专业增设碳核算课程。社区组织则通过社会影响评估监督教育公平，具体表现为原住民教育协会推动设立的文化安全导师岗位，使土著学生毕业率提升 32%。

② 技术赋能的公平性保障。为破解地理隔阂导致的教育机会不均，学校实施虚拟现实工坊计划。偏远地区的学生通过 VR 设备接入墨尔本智能工厂操作系统，远程完成设备运维实训。2025 年该项目覆盖澳大利亚北部地区 56 个教学点，学生保留率从 68%升至 87%。同时开发能力补偿徽章，认可非正式学习成果——电工学徒可通过行业认证兑换“电气安全”学分，使职业教育与高等教育纵向贯通。

③ 全球辐射的标准化输出。皇家墨尔本理工大学将本土经验升华为国际应用教育标准。其主导开发的工业 4.0 能力框架被纳入《欧洲资格框架》(EQF)，与新加坡理工学院共建的数字徽章互认平台覆盖东南亚 12 国。2025 年受世界银行委托制定《发展中国家应用型高校质量保障指南》，标志着澳大利亚模式获得全球性认可（表 6-4）。

表 6-4 皇家墨尔本理工大学近五年教学质量关键指标对比

指标维度	2020 年	2025 年	增幅	保障机制
企业导师占比	28%	67%	139%	驻校工程师制度
高危实训覆盖率	62%	100%	61%	工业 4.0 虚拟实验室
弱势群体就业率	58%	81%	40%	能力补偿徽章
跨国项目投诉率	21%	9%	−57%	区块链智能合约

第二节 评估与质量改进深度融合的国际实践经验总结

通过对美国、英国、德国和澳大利亚的地方院校教育教学质量保障路径的比较分析，提炼出有益经验进行借鉴学习。这些实践智慧不仅展现了国际高等教育质量保障的最新发展趋势，更为我国高等教育质量保障体系的完善提供了有价值的参考。

一、以学生学习成果为核心的评估

学生学习成果评估已成为国际高等教育质量保障的主流范式。美国地方院校通过课程嵌入式评估将学习成果测量直接融入教学过程，使评估与改进形成有机闭环。例如，美国和澳大利亚的地方院校开发的学习成果矩阵，将专业培养目标细化为可测量的能力指标，并通过课程作业、实验报告等直接证据进行评估。这种评估方式的优势在于其真实性，能够反映学生在真实学习情境中的能力发展。英国的教学卓越框架（TEF）则创新性地采用了增值评估方法，通过追踪学生从入学到毕业的能力提升幅度，而非单纯关注学业成绩，来评价教学质量。这种方法能够更准确地反映教学的实际效果，特别是对来自不同背景的学生而言。德国应用科学大学聚焦应用型人才职业能力的培养，通过结构化作品集和项目展示等方式，综合评价学生的专业能力。

这些实践给我们的启示是：学习成果评估应当：①注重能力导向，建立清晰、可测量的学习成果标准；②采用多元化的评估方法，兼顾量化指标与质性评价；③建立评估结果的反馈机制，确保数据能够有效指导教学改进。

二、行业参与的产教融合协同育人机制创新

行业参与是确保高等教育与劳动力市场需求相匹配的关键机制。德国双元制的成功实践表明，校企协同育人能够显著提升毕业生的就业竞争力。美国地方院校则通过合作教育将行业反馈纳入质量改进循环。其制定的职业能力评估表由雇主直接填写，评价毕业生在工作场景中的表现，这些数据被系统性地用于课程调整。英国则通过行业认证机制，如工程委员会的工程技术认证，将行业标准直接转化为教学质量标准。澳大利亚构建的以行业为主导的“工业顾问委员会—课程实验室—能力认证”三级体系，实现了产业需求向教学标准的精准转化。

这些实践启示我们：①应当建立制度化的校企合作平台，使行业专家能够实质性地参与人才培养全过程；②开发科学的行业评价工具，系统收集雇主反馈；③将行业标准有机融入专业认证体系，破解“校热企冷”难题，构建校企命运共同体，实现教育链与产业链的对接。

三、基于持续改进理念的质量文化建设

质量文化是质量保障体系可持续发展的内在动力。美国地方院校推行的持续质量改进模式，将评估活动与日常教学工作深度融合，为教师提供个性化的评估数据解读和改进建议，形成了“评估—反馈—改进”的良性循环。英国高等教育质量保障署（QAA）提出的质量提升循环强调院校的自主改进能力。根据每个专业学生的反馈、就业数据等多元证据，制定具体的改进计划。德国“系统认证”则通过认可院校内部质量保障体系的方式，激励其建立自我完善的机制。澳大利亚以学习分析驱动的教学优化与风险适配的审核评估

实践结合的数据循证的持续改进机制，不断提高了教育教学质量。

这些经验表明：①质量改进应当是一个全员参与的持续过程，而非周期性的检查活动；②需要建立专业化的支持机构，为教师提供评估技术支持；③应当赋予院校更大的质量改进自主权，激发内生动力。

四、数字化转型中的质量保障新趋势

高等教育质量保障体系正在经历深刻的数字化转型，这一变革主要体现在三个相互关联的维度上。学习分析技术的快速发展为质量保障提供了全新的方法论支持。各国通过建立相应的系统多维度采集学生的学习行为数据，包括在线学习时长、作业完成情况、测试表现等，运用机器学习算法构建预测模型，提前识别潜在的学业风险学生，不仅能提供预警，还能基于学生的个性化学习特征，推荐针对性的补救措施，形成“监测—预警—干预—评估”的完整闭环。英国将预测分析推向更深层次，其开发的预测分析模型整合了超过 200 个影响学业表现的变量，包括学生的社会经济背景、学习习惯、互动频率等，以高准确率预测课程通过率。它不仅用于风险预警，更重要的是为课程设计和教学改进提供数据支撑。德国科学评议委员会则从标准建设角度推进数字化转型，其发布的《数字化教学质量标准》系统规范了在线教育的质量要求，包括技术基础设施标准、数字化教学设计标准、在线学习支持服务标准、数据隐私与伦理标准。这些标准不仅适用于完全在线的课程，也为混合式教学提供了质量基准。

以上创新实践共同勾勒出质量保障数字化转型的未来方向：首先，在技术应用层面，大数据和人工智能技术将实现从抽样评估到全样本监测的转变，使质量评估更加全面、精准；其次，在系统功能层面，智能化的预警和干预系统将推动质量保障从事后补救转向事前预防；最后，在标准建设层面，需要建立适应混合式教学的新型质量标准体系，确保在线教育的质量与传统面授教育具有可比性。与此同时，高校在数字化转型过程中需要注意数据隐私保护、算法透明度等问题带来的安全隐患，需要在推进过程中予以警惕。

第三节　国外地方高校教育质量保障经验对中国的启示

基于国际经验，四个国家完善的高校教育教学质量保障体系为我国高等教育提供了一个成功的典范。我国可以在借鉴四个国家及四所国外大学教育教学质量保障的有益路径基础上，在聚焦质量标准体系的重构、着力于产教融合机制的创新、关注质量文化的培育及推进质量管理的数字化转型等方面继续优化改进。

一、聚焦质量标准体系的重构

我国高校可以借鉴国外教育教学质量保障的特色路径，聚焦质量标准体系，建立以学生为主体、以学习成果为导向的评估框架，整合美国的系统化评估工具与德国能力导向的评价理念，通过开发“知识—能力—素养”三位一体的评估指标体系，实现从输入导向到

产出导向的范式转型。这一维度的创新性在于将离散的评估要素整合为有机联系的系统，既保持国际先进经验的精髓，又融入中国特色的人才培养要求。

二、着力于产教融合机制的创新

产教融合是推动经济社会高质量发展的关键举措，创新产教融合机制有利于优化教育结构，推动教育体系与产业体系、社会需求的紧密衔接，对于提升人才培养质量、加强双师型教师队伍建设、增强企业竞争力以及优化教育结构等方面都具有重要意义。结合国际地方院校教育教学质量保障经验，我国可以建立四维联动的协同育人模式。该模式深度融合德国双元制校企合作的精髓与英国行业认证的标准化经验，在制度设计上强调行业标准的引领作用，在实施路径上突出企业的实质性参与，构建从标准制定到过程监控再到结果评价的完整闭环。突破传统校企合作的表层协作，建立了基于利益共同体的深度融合机制，为应用型人才培养提供了制度保障，这种机制能显著提升人才培养与市场需求的匹配度。

三、关注质量文化的培育

强大的质量文化能够促进经济的持续健康发展。要注重质量文化的培育，构建“三全育人”的持续改进生态。通过有机融合美国与英国教育质量保障的系统思维与实践路径，强调质量意识的内生性发展，建立从个体到组织、从过程到结果的全方位质量提升机制。创新地将碎片化的质量活动整合为系统化的文化生态，通过制度化的教师发展体系和常态化的质量改进循环，实现质量保障从外部驱动到内生发展的根本转变，有效提升院校的质量保障自觉性。

四、推进质量管理的数字化转型

在推进质量管理的数字化转型过程中需要设计“智能+”质量保障系统。借鉴四个国家在学习分析技术方面的前沿探索，构建基于大数据的智能监测平台，实现从数据采集到分析预警再到决策支持的全程智能化。将离散的数据点连接为动态的质量图谱，通过机器学习算法实现质量问题的精准诊断和改进策略的智能推荐，提升质量管理的时效性和精准度。

四个维度不是简单的并列关系，而是构成了一个具有内在逻辑的整合性框架：以质量标准体系为基础，以产教融合机制为特色，以质量文化生态为保障，以智能管理系统为支撑。它们相互促进、协同作用，共同推动中国高等教育质量保障体系实现从“跟跑”到“领跑”的战略转型。实现国际经验的本土化创新，构建系统集成的解决方案且突出了数字化转型的时代特征。

总之，国际经验表明，高质量的教育教学需要评估与改进的深度融合，需要学校与行业的协同努力，更需要立足长远的质量文化建设。在全球高等教育竞争日益激烈的背景下，中国需要借鉴国际先进经验，构建具有中国特色的高等教育质量保障体系。

第七章　我国地方院校教育质量保障典型案例解读

本章重点阐明了3所教育部评估优秀院校凝练出的特色化质量保障路径。常熟理工学院以产教融合为核心构建现代产业学院群，实现专业与产业90%的高匹配度；辽宁石油化工大学创新雷锋精神育人体系，将工匠精神量化为操作规范，达标率96.7%；滁州学院依托工程认证建立“五步循环”机制，推动OBE教学全覆盖。从共性层面来看，三校通过动态专业调整（如新增人工智能专业）、数字赋能（AI学业预警准确率达92%）及质量文化浸润，显著提升办学效能，企业满意度超95%。当前仍面临产教融合深度不足（企业实质性参与率不足40%）、数字技术应用薄弱（智慧教室使用率不足60%）、质量文化虚化等挑战，为全国应用型高校提供有益的实践镜鉴。

第一节　典型案例院校选取依据与概况介绍

一、案例院校选取依据

本书基于审核评估结果的权威性、院校特色的代表性及数据的可获得性，选取常熟理工学院、辽宁石油化工大学和滁州学院作为研究对象。三所院校均为教育部审核评估试点高校且为教育部新一轮本科教育教学审核评估中获评“优秀”的示范案例院校或在评估中表现突出的院校。其中，常熟理工学院和辽宁石油化工大学在2021年首轮审核评估中被列为全国示范样本，滁州学院在2017年通过了教育部的本科教学工作审核评估。2023年，学校延续特色优势，高水平通过了教育部的新一轮教育教学审核评估。三所院校在审核评估中均被列为“第二类第二种”应用型高校评估类型（以培养应用型人才为主），在应用型人才培养质量保障体系建设方面具有鲜明特色，代表了不同区域地方高校的转型发展路径，且其评估成果被教育部作为典型示范向全国推广。

二、案例院校概况介绍

1. 常熟理工学院

常熟理工学院始建于1958年，在2021年首轮审核评估中被列为全国示范样本。截至2025年1月，该校设有14个二级学院，51个本科招生专业（工学类专业31个）；涵盖工学、理学、文学、经济学、管理学、教育学、艺术学等多学科门类。现有全日制在校生20000多人，学校现有教职工1600多人。常熟理工学院作为江苏省首批应用型本科高校，自2009年起率先探索行业学院人才培养模式，2017年升级建设“三位一体”（人才培养、科技研发、社会服务融合）的现代产业学院体系。目前学校建有10个现代产业学院，其中获批国家级现代产业学院1个、省级重点产业学院2个，构建了“三对接、六融合、八共同”的产教融合机制，以综合性创新型项目为引领，将行业部门与学校教育深度融合，契合新工科、新文科等理念，在体制机制、培养模式方面进行了有效革新，为地方本科高校应用型人才特色培养探索了新路径，在推进全国现代产业学院建设中起到了奠基性、开拓性的作用。

2. 辽宁石油化工大学

辽宁石油化工大学始建于1950年，是中华人民共和国第一所石油工业学校。建校75年来，学校已发展为以石油石化为特色，以工、理、经、管、文、法、教、艺等八大学科协调发展的多学科性大学。截至2025年6月，学校现有本科专业57个，现有教职工1500余人。2007年学校接受教育部本科教学工作水平评估并获优秀成绩，2021年被教育部确定为全国7所（东北地区唯一一所）本科教育教学审核评估试点高校之一，圆满完成教育部新一轮本科教育教学审核评估工作，为全国应用型高校建设输出了示范样本。学校立足东北工业基地，以行业特色思政育人体系著称，紧扣立德树人根本任务，充分发挥坐落在雷锋第二故乡抚顺的地域优势，构建了“课堂教学、实践育人、雷锋文化”三位一体的新时代雷锋精神育人体系，创新性地提出雷锋“五个一”精神、“抚油精神”、“一种情怀”（家国情怀）、“四种精神”（工匠精神、奉献精神、创新精神、奋斗精神）等特色思政模式。学校创新了“对接社会、开放共享”的多平台行业特色高校的思政育人理念，把雷锋精神融入办学治校的各方面、人才培养的各环节，形成了具有雷锋精神底色的应用型人才培养特色，并在实践中广泛推广应用，产生了重大的社会效益和影响，为国内高校在立德树人和思想政治教育领域树立了典范。

3. 滁州学院

滁州学院创建于1950年，2014年被确定为安徽省地方应用型高水平大学建设学校，是中部地区应用型高校内涵建设典范，其食品学院通过工程教育认证驱动质量保障体系建设成效显著。该校以2023年审核评估为契机，构建了“五步循环”评建机制（培训提升、自评自建、督导检查、整改优化、持续改进），系统推进质量文化建设。食品质量与安全专业获批国家一流专业建设点并实现一本招生，食品科学与工程专业获批安徽省一流专业建设点，课程思政建设成果突出，近三年获批省级质量工程项目7项。截至2025年6月，学校下设 15 个二级学院，开设 62 个本科专业，形成以工管为主、多科协调、应用本位、信息见长的学科体系，涉及文、理、工、经、管、教、农、艺等多个领域，现有全日制在校本科生 18336 人，现有教职工 1433 人。

三所院校虽地域分布、专业特色各异，但共同体现了应用型本科院校质量保障通过产教融合优化专业结构，依托特色文化提升育人成效和基于认证标准规范的教学过程，为同类院校提供了多元化的实践范式（表 7-1）。

表 7-1　三所案例院校基本情况对比

维度	常熟理工学院	辽宁石油化工大学	滁州学院
审核评估类型	第二类第二种	第二类第二种	第二类第二种
特色路径	现代产业学院群	雷锋精神育人体系	工程认证牵引
专业建设	10 个现代产业学院	国家级一流专业 9 个	国家一流专业 1 个
教学改革	“1＋3”劳动教育	国家级课程思政示范	OBE 教学全覆盖
评估成效	方案全国推广	试点评估优秀	工程认证突破

第二节　审核评估视角下质量保障体系建设的实践探索

一、基于现代产业学院驱动的常熟理工学院质量保障案例研究

1. 现代产业学院群的协同育人机制

常熟理工学院以现代产业学院为载体，构建了产教融合深度协同的质量保障体系，其核心举措主要体现在以下几个层面。在专业动态调整机制上，该校建立了“集群—专业—课程”三级对接产业体系，基于高等教育大众化形势及对区域经济社会发展趋势的研判和校情分析，根据苏州地区高端装备制造、新一代信息技术等主导产业需求，通过主动对接区域主导产业、支柱产业和战略性新兴产业，面向行业及骨干企业，融合政策、资源和智力等要素，开始逐步探索行业学院的人才培养和办学模式，动态优化专业结构。例如，针对光伏产业需求牵头建立全国首家光伏科技学院，开设光伏应用技术相关专业，围绕新能源汽车产业增设检测与维修专业，确保专业链与产业链紧密对接，开创了“政校企行”合作办学新模式。在课程共建共享机制上，建立“项目中心”创新课程模式，重构专创融通的课程体系。学校要求各专业依托现代产业学院协同育人平台，选择实际工程案例、技术转化成果和创新创业项目，融入专业学习和知识应用，结合创新思维训练和创新方法运用进行课程化改造，建成兴趣项目、基石项目、综合项目、顶点项目四类创新课程，按照“工程认知—工程分析—工程伦理—工程设计”层次递进与专业教育常规课程互补融通贯穿四个学年。学校专门出台了相应的课程建设管理办法，明确创新课程建设的课程负责人、教学内容、教学过程、考核评价方法等具体要求，确保创新课程建设的标准化和规范化；同时，修订人才培养方案，推动创新课程与专业教育常规课程紧密衔接、融合开展，通过重构创新教育和专业教育相融通的课程体系，规范了应用型高校创新教育的内容和形式，有效解决了创新教育和专业教育“两张皮”问题。在实践教学协同机制方面，学校积极探索实践教学改革，创新实践教学模式，构建具有学校特色，以学生为主体，教师为主

导，分层次、多元化、开放式的实践教学模式。课上，教师设置真实项目的问题情景、分配学习任务，学生以小组为单位进行“三阶段，六环节”交互学习：三阶段包括“方案设计—项目实施—分析评价”，六环节包括“讲—学—做—答—评—馈”，让学生贴近实际、贴近生产，在探究、分析、评价、创造中发现创新能力的不足，促进主动学习和能力提升。课下，有计划地开展“三合一”实践创新训练，让学生“加入一个专业社团、完成一个双创课题、参加一项学科竞赛”，形成“学为中心，创为核心”的课堂内外全程化项目式学习，让学生在实践中获得成就感，产生兴趣，从内心驱动自己主动学习，促进了“教”与“学”方式的变革，切实提高实践教学质量。

2. “1+ 3+ 3”多维立体评价与数字赋能

（1）校内外协同的评价机制创新

常熟理工学院深度应用审核评估倡导的“1＋3＋3”多维评价体系，突破传统教学质量评价的封闭性局限。该体系以学生发展成效为中心，整合三类校内评价（教师教学满意度、学生学习体验、管理服务效能）与三类校外评价（就业质量分析、毕业生跟踪调查、用人单位反馈），形成全景式质量监测网络。在校内评价中，学校开发学习体验量表（涵盖课堂参与度、资源可获得性、课业挑战度等 12 个维度），每学期采集逾万名学生数据；校外评价则联合智联招聘等平台建立毕业生职业发展数据库，追踪 5 年内薪资涨幅、岗位匹配度等指标。评价数据的应用体现为“双闭环”改进机制：微观层面，教师基于课程目标达成度分析报告调整教学内容。如“数字信号处理”课程团队根据学生“滤波器设计”项目得分率（仅 63.7％）的归因分析，增加 FPGA 实验课时，使后续达成度提升至 89.2％。宏观层面，学校每年发布专业预警报告，对连续两年就业率低于 90％、薪资低于行业均值 15％的专业实施限招或改造。近三年已动态调整 8 个专业方向，新增人工智能、数据科学与大数据技术等新兴专业，确保人才培养与区域产业升级同步。

（2）教育数字化赋能质量提升

数字赋能的深层价值在于推动质量文化转向循证决策。学校在教育数字化赋能方面重点推进智慧教学云平台建设，实现教学全过程数据驱动决策。2024 年建成“一平台四中心”架构：AI 教学中枢平台支撑数字未来学习中心、教师实训中心、教学数据中心、质量监测中心运行。平台集成三大核心功能：智能评测系统自动分析学生实验报告中的操作逻辑缺陷，个性化学习路径引擎基于知识图谱推荐靶向资源，虚拟仿真工坊提供高危险、高成本设备的沉浸式训练。例如在电气工程学院，“口袋实验室”项目开发便携式 DSP 开发板，学生可远程访问工业级 PLC 控制系统，使实验设备利用率提升 300％。同时，学校建立教学质量指挥舱，整合教务、学工、就业等 11 类业务系统数据，通过机器学习算法预测学业风险。2024 年系统向 1000 余名学生推送课程重修预警，准确率达 92％；同时识别学校高挂科率课程并启动专项诊断，针对高挂科率课程制定相应对策，提升其及格率。此类实践也被山东省教育厅列为数字化赋能教育高质量发展典型案例。

3. OBE 导向的持续改进机制与质量文化

（1）以工程认证牵引的标准化建设

常熟理工学院将工程教育认证标准作为质量保障的基准框架，构建 OBE（成果导向教育）落地路径。学校实施“三层递进”认证推进策略：2014 年工科专业全面对接认证标准，2016 年鼓励优势专业申请认证，2018 年要求所有专业参照认证标准修订培养方案。截至 2025 年，全校 15 个专业通过认证（7 个工程教育、6 个师范二级、2 个 ACBSP 商科认证），覆盖三分之一的招生专业。未参与认证专业亦采用“128 能力指标点”分解法，将毕业要求分解为 128 个可测量指标，建立“课程—能力”对应矩阵。食品质量与安全专业将解决复杂工程问题能力细化为 12 项指标，对应“食品分析”“微生物检验”等课程考核环节，确保能力达成可量化、可追溯。在过程监控中，学校创新“四查三改”制度：教师自查课程材料完整性→系室互查评分标准一致性→学院督查重点课程达标率→校外专家抽查毕业设计质量，形成“评价—反馈—改进”闭环。2023 年检查覆盖 400 门课程考核材料、200 份实验报告，发现共性问题包括：课程目标支撑毕业要求证据链不足、非标准答案试题评分细则缺失等。针对问题，食品学院建立试题库“双盲审核”机制，聘请校外专家匿名复审试卷，使考核材料规范率达 100%。

（2）质量文化建设与全员参与机制

质量保障的可持续性依赖于全员质量文化的深度浸润。学校实施三级质量意识提升计划：管理层通过质量大讲堂研讨审核评估指标内涵，教师依托教学发展中心开展 OBE 工作坊，学生参与教学质量信息员制度反馈学习诉求。2023 年组织院系评建实践培训 21 场，实现教职工全覆盖。将质量责任纳入制度设计：职称评审实施教学质量一票否决，对连续两年学生评教后 10%的教师及教学事故责任人限制晋升，绩效分配向产业学院等教学改革一线倾斜，对其课程建设项目资助额度提升 50%。

文化建设的成效体现为从迎评促建到日常建评的范式转变。在 2023 年审核评估中，学校基于常态化质量数据积累，仅用 40 天即完成自评报告，远低于同类院校平均 4 个月的准备周期。二级学院虽无须撰写正式报告，但均按评估指标框架开展自查，使问题整改与日常教学融合。例如，机械工程学院通过自查发现青年教师承担核心课程比例偏高，随即制定《学位课程授课教师准入标准》，规定主讲教师须具备 3 年以上企业经历或 5 年教学经验，保障了教学质量的稳定性。

二、基于“三位一体”特色的辽宁石油化工大学质量保障案例研究

1. 雷锋精神引领的质量文化建设

作为新中国第一所石油工业学校，辽宁石油化工大学紧扣立德树人根本任务，充分发挥坐落在雷锋第二故乡——辽宁抚顺的地域优势，高擎雷锋精神旗帜，用雷锋精神建校育人、兴校育人，全面构建了“课堂教学、实践育人、雷锋文化”三位一体的新时代雷锋精神育人体系，开发“雷锋精神的时代价值”等特色思政课程群，建设国家级课程思政示范课程 1 门、省级精品课程 12 门。在课程融入维度，创建了新时代雷锋“五个一”精神、“抚油精神”、“一种情怀”（家国情怀）、“四种精神”（工匠精神、奉献精神、创新精神、奋斗精神）的大思政育人模式。如该校机械工程学院在“设备设计”课程中融入“精益求精的工匠精神”案例，将设备公差控制精度与雷锋“螺丝钉精神”类比，提升了学生对抽象价值观的理解。在实践转化维度，学校依托抚顺作为雷锋第二故乡的地域优势，建立雷

锋纪念馆实践教学基地，开展“岗位学雷锋”活动。2021 年组织学生参与抚顺石化设备维护、油田技术服务等志愿实践超 1 万人次，累计收到企业感谢信 127 封；将“工匠精神”量化为实验操作规范达标率（2023 年达 96.7%），将“奉献精神”具象为社会服务时长（人均≥60 学时/年）。在制度保障维度，实施“三纳入”机制，将雷锋精神纳入人才培养方案（2022 版方案中工科专业增设“工程伦理与职业精神”必修模块，占比 10%学分），也纳入教师评价标准（职称评审增设“课程思政实效”观测点，近三年 7 名教师因育人成效突出破格晋升），还纳入质量监控指标（学生评教量表增加“价值观引领成效”维度）。在文化融合维度，创新了“对接社会、开放共享”的多平台行业特色高校思政育人理念。通过“雷锋讲堂”“学雷锋标兵评选”等品牌活动，将雷锋精神融入校风、教风、学风建设，融入办学治校的各方面、人才培养的各环节，形成了具有雷锋精神底色的应用型人才培养特色，使价值观培育与能力培养同频共振，形成特色鲜明的育人文化生态，并在实践中广泛推广应用，取得了重大的社会效益和影响，为国内高校立德树人和思想政治教育领域树立了典范。

2. 工程教育认证牵引的专业标准化建设

辽宁石油化工大学构建了“目标—标准—监控—反馈”的闭环质量保障机制。学校将认证核心理念贯穿专业建设全过程，截至 2021 年共有 8 个专业通过工程教育认证，拥有国家级和省级一流本科专业建设点 31 个，占招生专业的 52.4%。在目标设定层面，石油化工学院参照认证标准将解决复杂工程问题能力分解为 12 项可测量指标，建立“课程—能力”对应矩阵，确保毕业要求可支撑、可评价。在过程监控层面，创新“四查三改”制度，教师自查课程材料完整性→系室互查评分标准一致性→学院督查核心课程达标率→校外专家抽查毕业设计质量，形成多层次质量监控网络。2023 年检查毕业设计 368 份，发现工程实践能力支撑证据不足等共性问题，据此要求工程设计类题目占比提升至 40%，企业导师参与答辩率达 100%。

3. 绩效考核驱动的质量保障制度化

辽宁石油化工大学通过深化绩效考核改革构建质量责任共同体，将审核评估要求转化为常态化制度约束。学校制定《二级单位目标管理与绩效考核实施办法（2023 年修订）》，构建“校—院”两级可量化指标评价体系，实现“考核—育人”互通机制。该体系的核心创新在于分类考评与动态调适：科学划分教学科研、管理服务等考核对象类别，设置 7 大类 38 项指标；每年结合“十四五”规划、辽宁振兴行动方案等政策导向，通过“横向对比＋纵向分析”动态调整指标权重。2022 年针对审核评估指出的产教融合不深入问题，将“企业参与课程开发比例”“双师型教师占比”纳入学院绩效考核核心指标，权重占比提升至 15%。

绩效考核的效能关键在于结果运用的导向性。学校建立“资源投入—考核结果”挂钩机制，将经费、编制等资源向目标任务完成好、特色亮点多的单位倾斜。2023 年教学经费增至 3.2 亿元，年增长 14%，其中石油化工学院因产教融合成效突出获专项建设资金 2000 万元。同时实施“三强化”整改机制，强化组织领导、强化督查问责、强化激励引导。

4. 产教融合的实践教学体系创新

辽宁石油化工大学依托行业基因构建“三对接”实践教学体系，推动产教融合从协议合作向生态协同跃升。作为东北老工业基地的重点高校，学校投资 1 亿元建成石油化工智能制造教学实践创新中心，开发加氢反应器操作、管线泄漏应急处理等虚拟仿真模块，实现高危场景实训全覆盖。在课程内容对接产业技术方面，与抚顺石化、国家管网集团等企业共建 34 门项目化课程，将中石油“反三违”安全规范转化为“化工安全”课程模块，企业导师承担 30％的课时。在教学方法对接生产流程方面，创新“真情境—真问题—真操作”教学模式，学生在虚拟仿真平台远程操控常减压蒸馏装置，实时采集温度控制、压力调节等数据，使实操考核达标率提升至 92％。

实践教学的特色化在于雷锋精神与职业能力的融合。学校在“岗位学雷锋”活动中嵌入专业实践，组织学生在抚顺石化承担设备巡检、工艺优化等技术服务，2021 年参与人次超 1 万，收到企业感谢信 127 封。2023 年审核评估专家组实地考察时，国家管网集团专家钱建华特别指出：“该校毕业生在应急处理中体现的责任意识与技术能力，正是行业急需的‘工匠精神＋奉献精神’的融合。”这种价值塑造与能力培养的协同，彰显了质量保障体系的应用型特质。

三、基于工程认证牵引体系特色的滁州学院质量保障案例研究

1. 工程教育认证驱动的质量标准化建设

滁州学院以工程教育认证作为质量保障的基准标尺，构建了“点—线—面”三级递进的专业建设范式。“点上突破”层面，食品质量与安全专业以工程认证为抓手，将解决复杂工程问题能力分解为 12 项可测量指标点，建立“课程—能力”对应矩阵。例如“食品分析”课程增设“色谱仪故障排除”非标准答案试题，“微生物检验”实验引入企业真实案例（如国标 GB 4789.4—2016 微生物检测标准），确保教学要求与行业标准深度对接。该专业于 2023 年通过工程教育认证，并获批国家一流专业建设点，实现从二本到一本招生的跨越式发展。“线上延伸”层面，食品科学与工程等 3 个专业同步对接认证标准修订课程大纲，OBE 理念覆盖率达 100％。“面上辐射”层面，非工科专业参照认证范式构建质量监控体系，如教育科学学院采用 PDCA 循环优化教学过程，取得了显著成效。同时，学校在师资能力提升方面，创新开展“双师双能”进阶计划，一方面实施“课课有思政”专项行动，通过说课比赛、案例库建设确保所有课程融入思政元素，教师培训覆盖率达 100％；另一方面建立企业实践基地，要求教师每 5 年累计不少于 6 个月的企业实践经历，双师型教师占比提升至 70％。近三年获省级教学成果奖 2 项，学生学科竞赛获奖超 820 人次，实现“专业认证驱动—师资能力提升—学生产出优化”的良性循环。

2. “五步循环”评建机制的内生变革路径

(1) 闭环式评建流程设计

学校创新构建“五步循环”评建机制，将审核评估要求转化为常态化质量行动。在培训提升阶段，开展全员分层培训，教师以系室为单位成立学习小组，通过测评竞赛评选

“教学之星”；学生以班级为单位组建学习团队，学习应知应会手册并评选“学习之星”，强化“爱校荣校”责任意识。在自评自建阶段，食品学院对照评估指标形成128项能力指标点的课程矩阵，确保毕业要求可测量、可支撑。在督导检查阶段，校院督导组2023年检查400门课程考核材料、400余份毕业论文、200份实验报告，建立问题清单。在整改优化阶段，将问题整改与职称评审挂钩，食品学院教师自查整改完成率达98.2%。在持续改进阶段，基于智联招聘等平台数据追踪毕业生薪资涨幅、岗位适配度，动态调整8个专业方向。

（2）院系实践的模式创新

二级学院将评建机制与专业特色深度融合。食品学院实施“四查三改”制度，教师自查课程材料完整性→系室互查评分标准一致性→学院督查核心课程达标率→校外专家抽查毕业设计质量，形成“评价—反馈—改进”闭环。机械工程学院开发控制图预警模型，动态监测课程目标达成度。当“材料力学”课程设计得分率低于70%时，系统自动标记红色预警，经诊断原因是工程案例不足，随即引入全柴动力发动机部件应力分析等本地企业案例，使后续得分率升至86.5%。这种数据驱动的实时干预，实现了教学质量监控从经验判断向循证决策的转型（表7-2）。

表7-2 “五步循环”评建机制实施维度与成效

阶段	核心举措	创新点	量化成效
培训提升	分层学习＋测评竞赛	师生协同责任机制	评选教学之星56人
自评自建	128项能力指标点矩阵	能力达成可视化	支撑4个专业认证
督导检查	校院两级全覆盖督查	问题清单动态管理	检查材料1000余次
整改优化	整改与职称评审挂钩	激励机制刚性约束	整改完成率98.2%
持续改进	毕业生职业发展数据库	培养方案动态调整	优化8个专业方向

3. 数字赋能的质量保障技术革新

（1）教学监测一体化平台

学校建成教学质量保障监测一体化平台，破解传统质量监控“碎片化”痼疾。该平台集成三大核心模块：教学运行监测舱实时采集课堂考勤、作业提交等数据，2024年识别“高等数学”等23门高挂科率课程并自动推送预警；毕业要求达成度分析引擎基于课程考核数据生成能力雷达图，食品学院据此发现“食品安全风险评估”能力得分率仅65.7%，遂增设“食品安全大数据分析”课程；毕业生职业发展追踪系统关联就业市场数据，动态优化专业设置。平台的创新价值在于打通数据孤岛：统一学工系统“志愿服务时长”与教务系统“实践学分”的编码标准，使行为数据自动匹配综合素质学分。2023年该平台被山东省教育厅列为数字化赋能教育高质量发展典型案例。

（2）审核评估场景的数字化模拟

为迎接正式评估，学校于2024年10月开展全场景线上评估模拟演练，通过五大环节检验体系效能：线上启动会仿真、材料云端调阅（抽查试卷339份、论文216份）、线上听课评课（23门课程实时观摩）、多角色访谈（36场216人次）、问题实时反馈（生成78

条意见)。演练暴露出“课程目标支撑证据链不完整”“智慧教室使用率不足”等短板，促使学校开发“课程—能力”映射矩阵工具包，要求每门课程提供至少 3 项能力达成证据；开展教师智慧教学轮训，使智慧教室利用率从 60%提升至 92%。安庆师范大学评建办主任评价该演练为应用型高校提供了评估准备的技术样板。

4. 产教融合的生态化实践育人体系

(1)“三融合”协同育人机制

学校创新“产教—科教—专创”三融合实践体系，推动育人模式从协议合作走向生态协同。在产教融合维度，与盼盼食品、银鹭集团共建行业学院，开发“焙烤工艺控制”“饮料配方设计”等 34 门项目化课程，企业导师承担 30%的课时。在科教融合维度推行“师研生随”模式，教师将横向课题转化为实验项目的比例达 62%，如生物技术专业将葛根黄酮提取工艺横向课题拆解为综合实验模块。在专创融合维度，构建“创业启蒙→专业融合→实训强化”三阶递进体系，近三年学生获“互联网+”等国家级竞赛奖 201 项，专利转化金额达 120 万元。

食品学院与安徽达诺乳业的合作堪称典范，共建乳品安全检测联合实验室。学生检测报告直接用于企业原料验收，实现教学过程与生产过程的深度融合。2023 年该院毕业生在食品质检岗位就业率提升 37%，企业满意度达 95%，彰显了实践情境与职业能力的高度契合。

(2)“全域”劳动育人的质量文化创新

学校提出“五全”劳动育人模式(全领域整合、全需求覆盖、全人员参与、全空间贯通、全过程评价)，入选 2024 年安徽省教育改革优秀案例。其特色体现为三种重构：目标重构将劳动素养纳入毕业要求，设置“工具使用”“安全规范”等 12 项能力指标；课程重构构建“基础—专业—创造”三级课程群，食品学院开设“HACCP 体系实操”等特色课程；评价重构开发“劳动素养积分银行”，将志愿服务、专利转化等纳入学分计量。

在生物与食品工程专业集群中，学生需完成 60 学时的服务性劳动，基础层参与校园食品安全巡检，专业层在企业承担 HACCP 记录分析，创造层开展“减糖配方优化”等双创项目。近三年学生授权专利 50 余件，其中葛根全粉制备工艺转化金额 120 万元，印证了劳动教育与专业能力的一体化共生。

5. 党建引领的质量文化全域渗透

(1) 组织机制的协同赋能

学校构建“党建—教学”双螺旋质量文化机制，通过组织创新实现价值引领。在领导体制层面，成立以党政负责人为组长的评估工作领导小组，严格执行“三会一课”制度，强化教师思想引领。2023 年食品学院获批全省高校党建工作标杆院系，其课程思政建设项目获省级质量工程 7 项。在基层执行层面，开展“院长说学院”活动，要求院长紧扣学校应用型办学定位，用数据案例呈现专业特色，避免空泛论述。督导专家现场点评直击痛点，强调量化证据支撑。

(2) 文化载体的立体化浸润

质量文化的落地依赖空间与制度的协同浸润。实体空间上，建成“一站式”学生社区，整合心理咨询、创新创业等功能，2024 年开展“我与书记面对面”等主题活动 26 场，获评安徽省“一站式”社区建设 A 级单位。虚拟空间上，依托教学质量监测平台生成学生成长数字画像，使劳动时长、竞赛获奖等要素转化为质量改进依据。制度仪式上，开展“课程思政说课比赛”“寝室学习之星评选”等活动，将质量意识从制度约束升华为文化自觉。

第三节 建设成效、特色经验与面临的未来挑战

一、共性成效分析

三所院校通过特色化质量保障体系建设，在专业建设水平、人才培养质量和社会影响力方面取得显著成效。

在专业建设方面，辽宁石油化工大学新增国家级一流本科专业建设点 5 个，工程教育认证通过专业达 8 个，获批专业总数占招生专业的 52.4%；滁州学院食品质量与安全专业通过工程教育认证并实现一本招生，专业竞争力大幅提升；常熟理工学院建成国家级现代产业学院 1 个、省级重点产业学院 2 个，专业与产业匹配度达 90%以上。

在人才培养质量方面，滁州学院学生近三年获省级以上学科竞赛奖 820 人次，发表论文 30 余篇，专利授权 50 余项；辽宁石油化工大学创新创业教育成效突出，学生获国家级竞赛奖 234 项，创办企业 16 家，位居全国普通高校大学生竞赛排行榜前 300 名；常熟理工学院通过服务性劳动教育，学生职业能力显著提升，企业满意度达 95%以上。

在示范引领作用方面，辽宁石油化工大学的审核评估试点经验被教育部作为样板推广；常熟理工学院劳动教育方案被教育部评估中心列为示范材料；滁州学院专业再造实践被《中国教育报》专题报道，三校经验为全国应用型高校提供了重要参考。

二、特色经验总结

三所院校的成功实践凝练出应用型高校质量保障的核心经验：

1. 产教融合机制创新是质量保障的根基

常熟理工学院通过“八共同”机制（共同制定方案、开发课程、组建团队、建设基地、实施教学、管理质量、评价成效、就业创业），确保产业需求深度融入人才培养全过程。如光伏现代产业学院联合龙头企业协鑫集团，将最新电池技术转化为教学项目，使学生掌握前沿技术。

2. 特色文化育人是质量提升的灵魂

辽宁石油化工大学将雷锋精神转化为具体育人指标。“工匠精神”体现为操作规范达标率，“奉献精神”量化为社会服务时长，使抽象价值观具象化，可评价。2021 年，学生参与油田技术服务超 1 万人次，收到企业感谢信百余封。

3. 工程认证标准是质量规范的标尺

滁州学院以认证标准建立持续改进循环，每年分析毕业生就业质量数据，每两年修订人才培养方案，每学期开展课程目标达成度评价。食品质量与安全专业根据近三年用人单位反馈，增设“食品安全大数据分析”课程，响应行业数字化转型需求。

三、持续面临的未来挑战

尽管取得显著成效，三所院校在质量保障中仍面临共性挑战：

1. 产教融合深度不足

部分企业参与人才培养停留在协议层面，实质性投入有限。常熟理工产业学院中仅40%的企业深度参与课程开发，资源投入不均衡影响合作的可持续性。滁州学院在自评报告中指出，企业教师占比不足15%，且多集中于专题讲座环节，缺乏系统性教学参与。

2. 数字赋能水平待提升

辽宁石油化工大学在审核评估中发现，智慧教室使用率不足60%，教师数字素养培训覆盖率仅为75%，教学数据分析应用深度不够。相比之下，哈尔滨华德学院启用新一代AI智慧教学平台，通过个性化学习路径推荐、智能视频切片等功能提升教学效率，凸显了技术赋能的差距。

3. 质量文化建设薄弱

滁州学院自查显示，部分教师对OBE理念的理解仍停留在表面，持续改进的主动性不足；学生评教参评率波动较大（65%～82%），反馈机制未形成闭环。常熟理工学院劳动教育评价中，过程性评价占比较低（仅30%），影响反馈的精准性。

第四节　对我国地方院校质量保障体系优化的启示

基于三所院校的实践经验，地方应用型本科院校教育教学质量保障体系建设应聚焦以下方向。

一、构建特色育人体系，实现质量保障价值引领

应用型高校需突破同质化窠臼，将地域文化、行业精神转化为育人资源。辽宁石油化工大学的成功经验表明，辽宁石油化工大学以雷锋精神为价值锚点，熔炼其工匠内核、奉献品质与石化行业“三老四严”作风的深刻契合性，通过构建课程群、实践基地与文化品牌三维载体，使思政教育可感可践、落地生根；常熟理工学院将吴文化“工匠精神”融入现代制造业人才培养，开设“苏作工艺”等特色选修课程，淬炼学生职业精神，培育学生精益求精的职业态度。这种特色化育人体系既传承了文化基因，又强化了质量保障的价值认同，为应用型人才培养注入了精神内核。在实施路径上，高校可以开展“三维融入”，融入课程体系，开发地方特色通识课程；融入实践环节，联通地域文化场域，建设地域文

化实践基地；融入评价标准，将文化素养纳入毕业要求。

二、深化产教融合机制，夯实质量保障实践根基

产教融合需突破“校热企冷”困境，构建校企命运共同体。常熟理工学院现代产业学院的“八共同”机制提供了可行路径：校企共同制定人才培养方案，确保目标与岗位能力匹配；共同开发项目化课程，将企业真实案例转化为教学模块；共建双师型团队，企业工程师承担30%的专业课时；共建智慧实践基地，引入企业真实生产线；共管教学质量，企业参与毕业设计评审。黄河科技学院更进一步，组建产教融合课程开发共同体，联合超100家企业开发智能制造业课程包，实现资源共建共享。机制创新上可探索“三权改革”：①产权改革，校企按比例投入设备资源，明确使用权、收益权分配；②治理权改革，企业参与专业建设委员会，拥有课程设置建议权、教学质量评价权；③知识产权改革，明确校企合作研发成果归属，激发企业参与动力。如哈尔滨华德学院与超星集团共建AI智慧教学平台，企业提供技术框架，学校贡献教学内容，双方共享知识产权。

三、强化数字赋能教学，创新质量保障技术支撑

教育数字化是提升质量保障效能的关键杠杆，其精髓在于以数据驱动智慧，建设智慧教学云平台，整合教学全过程数据。AI智慧教学平台可实现四大功能：个性化学习，基于知识图谱规划学习路径，如代码助手实时纠错；智能化评测，定位知识薄弱点并推送靶向资源；视频学习增效，智能切片将长视频提炼为知识点片段；科研能力提升，AI助研模块解析文献、生成摘要。数字赋能的另一维度体现在教学环境的智能化升级。辽宁石油化工大学建成智慧教室集群和教学指挥中心，实现课堂教学全记录、可回溯，为教学督导提供数据支撑，开启了基于实证的教学反思与精准优化新纪元。深化数字赋能的关键在于实现“三化”融会贯通，教学管理智能化，突破经验依赖，建立专业设置预测模型，根据产业人才需求数据动态调整招生计划；教学过程精准化，应用先进学习分析技术构建学业预警雷达网，对学习轨迹进行实时监测与深度挖掘，主动识别潜在的学业困难学生，实施早期、精准的学业帮扶，变被动补救为主动干预；质量评价可视化，打破评价黑箱，创新开发毕业要求达成度雷达图等直观工具，直观呈现培养成效。如滁州学院在审核评估中利用教学大数据平台生成课程目标达成度报告，精准指导教学改进，为后续教学改进提供极具操作性的靶向指引。

四、健全持续改进机制，完善质量保障闭环系统

质量保障的核心在于形成“评价—反馈—改进”闭环。要实现这一目标需建立三级持续改进机制：在课程层面，立足教学一线，基于目标达成度分析优化教学内容，深度解析学情数据，动态优化教学内容与方法，确保教与学精准对接；在专业层面，放眼人才培养全周期，通过毕业生跟踪调查，洞察社会需求与培养成效的契合度，并以此为依据，科学修订人才培养方案，使之更具前瞻性与适应性；在学校层面，主动对标国家审核评估标准等宏观要求，系统审视与完善质量保障体系的核心架构，形成制度性保障，为整体办学水平提升奠定坚实基础。

机制的生命力在于落地生根，其关键在于高效实施。高校在教育教学质量保障的实施过程中可以借鉴滁州学院食品学院的“四查三改”制度，让教师自查确保材料完整，系室互查统一质量标准，学院督查强化重点环节，专家抽查把关整体成效，最终通过汇聚问题清单推动持续改进，实现“查有深度、改有力度、进有尺度”的良性循环。同时，机制上的落地还需强化“三结合”，与工程认证结合，按照 OBE 理念建立课程质量评价量表；与审核评估结合，参照评估指标开展年度自查；与行业认证结合，引入 ISO 9001 质量管理理念。如辽宁石油化工大学将审核评估指标分解为 36 个质量监测点，建立常态化数据采集机制。激发主体动能，实现教师能力的持续提升。

第八章　地方本科院校教育质量保障体系的优化路径

地方本科院校教育质量保障体系的优化，需立足六大核心路径协同推进。理念筑基，注重质量文化内生培育，深化 OBE 理念认同，推动质量保障从被动应对转向主动建构。目标导航，科学凝练特色化培养目标，以可衡量的毕业要求为标尺，构建课程强支撑矩阵，研制校本质量标准。机制赋能，完善“评价—反馈—改进”闭环运行体系，强化课堂教学、实践教学及毕业设计等关键环节质控。资源支撑，优化双师型师资结构，加大实验实训投入，建设智慧教学平台，打造专业化质量保障队伍。数据驱动，打破多源数据壁垒，构建教学质量监测预警系统，提升决策精准度。特色铸魂，鼓励各专业立足区域需求培育差异化优势，并将特色建设深度融入质量保障全流程，通过常态化评估反思实现持续改进，最终厚植质量根基，彰显育人价值。

第一节　理念重塑与文化培育：质量保障的根基

在地方院校本科教育教学质量保障体系的构建与优化进程中，审核评估不仅是外部驱动的重要力量，也是内部质量文化生成与理念革新的关键契机。理念重塑与文化培育构成该体系深层次、可持续优化的核心支柱与灵魂所在。它要求高校超越单纯的技术层面与制度规约，将质量保障内化为组织成员的共同价值追求与自觉行动逻辑。唯有在理念层面达成深刻共识，在文化层面形成浓厚氛围，质量保障才能真正实现从“被动应对”向“主动建构”、从“外塑规范”向“内生自觉”的根本性转变。基于此，本节聚焦“理念重塑与文化培育”专题，从深化理念认同、强化主体责任、培育质量文化、加强宣传培训四个维度，结合实践案例与数据支撑，深入阐述地方院校本科教学质量保障体系优化的核心路径。

一、深化对 OBE 理念的理解认同：理念内化的起点

OBE（成果导向教育）理念强调教育教学设计与实施应紧紧围绕学生最终取得的学

习成果展开，以清晰的毕业要求为起点反向设计课程体系与教学活动。新一轮审核评估的核心精神，正是引导高校建立基于OBE理念的、面向产出的质量保障机制，实现从“教什么”向“学生学到什么并能做什么”的根本转变。理念认同的深度决定了行动转化的效度，是质量保障体系有效运行的逻辑起点。然而，许多地方院校在推进过程中仍存在理解表层化、认同形式化的问题，未能将OBE理念的精髓有效融入教学实践与管理流程。

深化理解认同的关键在于系统化、具象化的认知转化与实践对接。以盐城工学院为例，其在迎接审核评估过程中，并未停留在文件传达与口号宣传层面，而是精心设计并实施了“OBE理念落地工程”。该工程的核心举措包括组织覆盖全体教师与管理人员的“OBE理念与审核评估要求”系列深度工作坊，邀请权威专家解读并结合本校专业实际进行案例剖析；要求每个专业对照OBE原则，系统梳理并重新论证其培养目标、毕业要求与课程体系的支撑映射关系，形成可视化的“课程地图”；遴选试点专业，按照“定义预期学习成果—设计评价方法—优化教学活动—运用评价结果持续改进”的完整闭环进行教学改革示范。经过两年扎实工作，该校超过90%的教师表示对OBE理念的核心内涵与操作要求有了“清晰”或“比较清晰”的理解。更为显著的是，在审核评估专家进校考察阶段，该校教师能清晰地阐述本专业毕业要求、课程目标及其评价方式，展现了理念内化的深度，赢得了专家的高度认可。这一实践表明，理念的深化需要搭建从认知到实践的桥梁，通过深度参与、具身体验和持续反馈，才能真正实现从“知道”到“理解”再到“认同”的跨越。

二、强化主体责任意识：从“要我评”转变为“我要建”

审核评估的终极目标并非仅仅是对高校进行“体检”和“分等”，其更深层的价值在于激发高校的内生动力，引导其建立自觉、常态、有效的内部质量保障体系。实现从被动接受外部评估（要我评）到主动构建质量保障长效机制（我要建）的转变，关键在于明晰并夯实各质量主体的责任意识。地方院校在此方面往往面临挑战，学校管理层可能将评估视为阶段性任务，院系层面可能认为质量保障主要是教务部门或评估办的工作，教师个体则可能感觉与己关联不大，参与度不足，导致评估准备与实际运行“两张皮”。

强化主体责任意识的核心在于制度牵引与文化浸润相结合，构建全员参与的质量共同体。黄河交通学院的做法提供了有益借鉴。该校以审核评估为契机，强力推行教学质量主体责任清单制。该制度首先清晰界定从校长、分管校领导、职能部门（教务处、评估办、学工处等）、二级学院院长/书记、系主任、专业负责人到一线教师等各个层级的教学质量具体责任，明确“谁负责什么、负何种责任”，并将责任履行情况纳入年度考核与绩效分配，与评奖评优、职称晋升紧密挂钩（制度牵引）。例如，明确规定专业负责人是专业建设与人才培养质量的第一责任人，需主导专业培养方案修订、课程体系优化、持续改进机制运行等核心环节。其次，该校大力开展“质量文化主题年”活动，通过举办“我心中的质量”主题征文、教学质量优秀案例评选、设立“教学卓越奖”等措施，广泛宣传在质量保障中表现突出的集体和个人，营造“质量至上、人人有责”的浓厚氛围（文化浸润）。学校领导带头签署“教学质量承诺书”，各二级学院院长在全校教学工作会议上公开陈述本单位质量保障体系建设规划与承诺，形成强大的示范效应（领导垂范）。评估后数据显示，该校教师对教学质量是教师首要责任的认同度从评估前的78%提升至95%，主动参与教学研讨、课程改革、自我评估的比例显著提高。这一转变有力证明了明晰责任边界、强化制度约束、营造文化氛围、发挥领导表率作用，是激发各质量主体从“被动应付”转向“主动作为”的有效路径。

三、培育学生中心、持续改进的质量文化：体系运行的内核

质量文化是高校在长期办学实践中形成的关于质量的价值观念、思维模式、行为规范及物质体现的总和，是质量保障体系得以有效、持久运行的深层土壤和内生动力。以学生发展为中心、持续改进为核心特质的质量文化，是高质量本科教育的灵魂所系。“以学生发展为中心”要求一切教育教学活动及质量评价均指向学生的学习成果、能力提升和全面发展；“持续改进”则要求建立基于常态监测、有效反馈和及时修正的循环提升机制。地方院校质量文化建设常显薄弱，或流于口号，或缺乏系统性，未能有效支撑质量保障体系的良性运转。

培育这种深度质量文化的核心在于机制保障与全员践行。常熟理工学院通过构建并有效运行基于学生发展数据的持续改进闭环系统，生动诠释了这一理念。该校投入建设了集成化的教学质量管理信息平台，常态化收集、分析涵盖生源质量、学习过程（课堂互动、作业测验、在线学习行为）、学业成绩、毕业生去向与发展、用人单位反馈等多维度的学生发展数据。关键举措包括建立“学生学习成果达成度”定期评价机制，每学期末各专业核心课程均须进行课程目标达成情况分析，专业层面则须撰写年度《毕业要求达成度评价报告》和《培养目标达成度评价报告》。这些报告不仅分析现状，更重要的是明确识别存在的短板及其根源（如某课程目标达成度低，分析发现是教学方法不当或评价方式不合理所致）。在此基础上，建立“评价—反馈—改进”的强有力闭环，评价结果及改进建议通过正式渠道（如教学委员会决议、教学副院长/专业负责人反馈函）精准反馈给相关教师、课程组和专业负责人，要求其必须在下一轮教学中制定并落实具体的改进方案（如修订教学大纲、调整教学内容、改革考核方式），并在后续评价中追踪改进效果。该过程被纳入教师教学考核和专业评估。该校机械工程学院依据毕业生反馈和用人单位调查，发现学生工程实践能力与创新思维存在不足，随即系统修订了培养方案，增设了创新项目实践课程，改造了实验教学项目，并建立了校企联合毕业设计机制。跟踪评价显示，相关能力指标达成度在两年内提升了15个百分点。这种基于证据、聚焦学生、闭环运行、追求实效的实践，将“以学生为中心”和“持续改进”的理念具象化、制度化、常态化，逐步渗透到师生的日常教学行为中，成为组织共享的价值观和行为模式，从而构筑起质量文化的坚实根基。

四、加强质量保障理念宣传培训：文化浸润的通道

先进理念的传播、内化与质量文化的孕育、生长，离不开持续、广泛、深入且形式多样的宣传、培训与交流活动。这是理念重塑与文化培育过程中不可或缺的信息通道、学习平台和互动场域。系统化、精准化、常态化的宣传培训交流是破除认知壁垒、凝聚思想共

识、推广最佳实践、激发创新活力的关键载体。地方院校在此方面常存在资源投入不足、内容针对性不强、形式单一、覆盖面不全、持续性不够等问题，导致理念“悬在空中”，文化“浮于表面”。

提升宣传培训交流实效的关键在于构建多层次、立体化、融入日常的传播生态。滁州学院的实践做法提供了全面视角。

1. 制度化全员培训体系

该校建立了“新入职教师—骨干教师—教学管理者”分层分类的培训体系。新教师岗前培训必修“OBE 理念与教学规范”模块，每年组织骨干教师参加“基于 OBE 理念的课程设计与评价”深度研修班，定期举办面向院系领导、专业负责人、系主任的“教学质量保障体系建设与运行实务”专题培训。培训强调案例教学、工作坊实操，确保学以致用。

2. 多元化校内传播矩阵

充分利用线上线下多种渠道，在线上，建设“教学质量保障”专题网站，汇集政策文件、学习资料、优秀案例、工作动态；利用官方微信公众号定期推送“质量微课堂”“优秀教师谈质量”“审核评估知识问答”等栏目；建立教学院长、专业负责人等关键人员的专项工作群，及时交流信息、解答疑问、分享经验。在线下，定期编印《教学质量管理通讯》，发放至各教学单位；在教学楼宇、办公区域设置质量文化宣传栏，展示理念标语、工作流程图解、评建动态；每年举办“教学质量活动月”，集中开展教学沙龙、示范课观摩、教学创新大赛、质量主题报告会等系列活动，营造浓厚氛围。

3. 常态化交流分享机制

建立“教学午餐会”“院系质量工作坊”等非正式交流平台，鼓励教师分享教学心得、困惑及改进尝试；定期组织校内审核评估模拟演练和经验交流会，由已参评或准备充分的院系分享经验教训；设立专项经费支持教师参加国内外高水平教学学术会议和教学质量专题研讨班，开阔视野，引进先进经验。

4. 标杆化典型经验推广

在审核评估准备和日常建设中，及时发现、总结、提炼各院系、各专业在理念落实、质量保障机制创新、持续改进等方面的优秀做法和典型案例（如某专业有效实施课程目标达成度评价的经验、某学院建立特色实践教学质量监控机制的做法）。通过组织现场观摩会、编印案例集、邀请负责人做专题报告等形式进行广泛宣传和推广，发挥示范引领作用。该校的一项调查显示，通过系统化的宣传培训交流活动，教师对学校质量保障核心政策、自身在质量保障中的角色与任务的知晓率均超过 95%，对参与相关活动的满意度达到 85%以上。这种覆盖全员、贯穿全程、线上线下结合、注重实效的宣传培训交流网络，如同毛细血管般将质量理念与文化养分输送到组织的每一个角落，有效促进了共同认知的形成和集体行动的协同。

审核评估作为强大的外部驱动力，其真正价值在于激发高校内在变革的动能，推动质量保障从制度构建走向文化生成的深层次转型。理念重塑与文化培育，正是这一转型得以实现的根基所在与灵魂所系。通过深化对 OBE 理念与审核评估要求的理解与认同，地方院校方能找准质量保障的核心理念与前进方向；通过强化各质量主体的责任意识，实现从“要我评”到“我要建”的动能转换，为体系运行提供不竭动力；通过培育以学生发展为中心、持续改进的质量文化，为质量保障注入持久生命力与价值导向；通过构建多层次、立体化的宣传培训交流网络，确保理念的广泛传播、文化的深度浸润与经验的共享共进。

这四条路径相互依存、相互促进，共同构筑起地方院校本科教学质量保障体系优化升级的坚实基础。唯有理念真正内化于心、责任切实担当于肩、文化深度融会于行、交流广泛通达于众，地方院校方能突破资源与历史条件的限制，构建起具有自身特色、富有生机活力、能够持续改进的高质量本科教育教学保障体系，最终服务于立德树人的根本任务，为培养担当民族复兴大任的时代新人提供坚实的质量支撑。当理念生根，文化铸魂，质量成为深入骨髓的信仰、融入血脉的行动，地方院校的本科教育才能真正焕发出蓬勃而持久的内生力量。

第二节 目标引领与标准重构：质量保障的航标

在地方院校本科教育教学质量保障体系的优化进程中，科学的目标设定与严谨的标准构建是驱动质量持续提升的核心引擎与行动指南。目标引领与标准重构构成该体系方向性、规范性和可操作性的关键支柱，是连接办学定位、社会需求与培养实效的桥梁。它要求高校超越经验式、粗放式的传统管理，以清晰、可衡量、可达成且富有特色的目标体系为导向，以系统化、精细化、校本化的质量标准为尺度，确保教育教学活动始终聚焦于人才培养的核心使命。唯有目标精准锚定发展坐标，标准有效规范实施过程，质量保障才能真正实现从“模糊经验”向“精准导航”、从“随意运行”向“规范操作”的深刻转变。基于此，本节聚焦“目标引领与标准重构”专题，从特色目标凝练、毕业要求制定、课程支撑矩阵构建、质量标准研制四个维度，结合实践案例与数据支撑，系统阐述地方院校本科教学质量保障体系优化的关键路径。

一、凝练特色培养目标：质量保障的逻辑起点

培养目标是人才培养的总纲，是学校办学定位和社会需求在人才规格上的集中体现。对于地方院校而言，其核心竞争力在于服务区域经济社会发展，培养高素质应用型人才。科学凝练具有鲜明地方特色和突出应用型特征的培养目标，是构建有效质量保障体系的逻辑起点和方向性前提。然而，部分地方院校存在培养目标趋同化、表述空泛化、与区域需求脱节等问题，导致人才培养的针对性和适应性不足，质量保障缺乏清晰的靶向。

实现培养目标的科学凝练，关键在于建立需求深度调研、多方协同论证、动态调整优化的长效机制。肇庆学院的实践颇具代表性，该校地处粤港澳大湾区西翼，以服务地方产业转型升级为己任。在迎接新一轮审核评估过程中，该校启动了培养目标精准定位工程，主要做法如下：

1. 深度需求调研

组织各专业深入大湾区相关行业龙头企业、地方政府部门、行业协会及校友群体，开

展为期半年的人才需求与培养质量大调研。通过问卷调查（发放 2000 余份，回收率 85%）、深度访谈（访谈企业高管、技术骨干、政府官员等 150 余人）、岗位能力分析会等多种形式，精准把握区域产业发展趋势、技术技能需求变化及毕业生能力短板。

2. 多方协同论证

基于调研数据，各专业初步拟定培养目标草案。随后，学校建立"四方论证机制"，邀请行业专家（论证应用性、前瞻性）、教育专家（论证科学性、系统性）、用人单位代表（论证适配性、满意度）及校友代表（论证成长性、反馈性），通过线上线下结合的论证会，对目标表述的准确性、特色性、可实现性进行多轮研讨与修订。例如，其电子信息工程专业将原目标中宽泛的"培养电子技术人才"，精准调整为"培养面向智能家居与物联网终端设计、具备嵌入式系统开发与调试能力、服务大湾区电子信息产业集群升级的应用型工程师"。

3. 动态调整优化

建立培养目标达成度评价与反馈机制。每年通过毕业生跟踪调查（就业质量、专业相关度、职业发展）、用人单位满意度调查、第三方评价报告等，评估目标达成情况与社会适应性。学校教学指导委员会依据评价结果和区域产业最新动向，每四年对全校专业的培养目标进行一次系统审视与必要修订。审核评估专家高度认可该校培养目标"接地气、有特色、可衡量"，认为其有效解决了地方院校人才培养"同质化"的痛点。这一过程表明，特色化、应用型培养目标的凝练必须植根于扎实的需求土壤，经过严谨的多方论证，并保持对时代和区域发展的动态响应。

二、制定可衡量的毕业要求：能力达成的具体标尺

毕业要求是学生在毕业时应掌握的知识、能力和素质的具体描述，是培养目标在毕业生能力维度上的分解与支撑。制定清晰、可衡量、可达成（SMART 原则）且能有效支撑培养目标的毕业要求，是将宏观目标转化为微观行动、实现能力导向培养的关键环节，也是质量评价的核心依据。地方院校常面临毕业要求表述笼统、难以观测评价、与培养目标关联不紧、分解不到位等挑战，导致教学过程与评价缺乏聚焦。

提升毕业要求制定质量的核心在于精细分解、能力导向、可评可测。合肥师范学院在审核评估驱动下的改革提供了良好范例，主要成效如下：

1. 支撑关系显性化

该校要求每个专业必须清晰绘制"培养目标—毕业要求"支撑关系图。明确界定每条毕业要求具体支撑了培养目标的哪一部分（例如：毕业要求能设计满足特定需求的解决方案支撑培养目标中的具备工程设计与开发能力）。杜绝模糊对应和"一拖多"现象。

2. 能力描述精细化与可衡量化

摒弃了解、熟悉、掌握等模糊词语，采用能运用 X 原理分析 Y 问题、能独立设计并实施 Z 实验方案、能撰写符合行业规范的 W 类文档等行为化、可观测的表述。借鉴工程教育认证标准，将每条毕业要求细化为 3～5 个更具体、更可评价的指标点（Indicators）。

例如，其计算机科学与技术专业将毕业要求中的具备复杂软件系统的设计与开发能力分解为：

指标点1：能运用面向对象分析与设计方法，对中等规模的软件系统进行需求建模和架构设计。

指标点2：能熟练运用至少两种主流编程语言和开发框架进行模块编码实现。

指标点3：能运用软件测试技术设计测试用例，完成系统测试并撰写测试报告。

指标点4：能使用版本控制工具进行团队协作开发。

3. 达成标准可量化

为每个指标点设定明确的、量化的达成标准（Threshold）。例如，指标点1的达成标准可能是在“软件工程”课程设计项目中，需求规格说明书和系统设计文档评分≥75分的学生比例≥80%。这为后续课程目标设定和达成度评价提供了精确标尺。

4. 校内外专家协同审核

毕业要求及其分解指标点、达成标准草案，必须经过校内学科专家、教学专家审核，并提交给合作企业资深工程师进行实用性和行业认可度评审，确保其既符合教育教学规律，又对接行业实际需求。评估专家在进校考察时，通过查阅文件、访谈师生，确认该校毕业要求分解到位、描述清晰、标准明确、支撑有力，显著提升了培养过程的规范性与目标达成的可靠性。这一实践凸显毕业要求是质量保障的“度量衡”，其制定必须遵循可分解、可观测、可评价、能支撑的原则，方能有效牵引教学与评价。

三、建立强支撑的课程矩阵：教学实施的结构性保障

课程是人才培养的基本单元，课程目标是毕业要求在具体课程教学中的落实点。建立课程目标对毕业要求指标点的清晰、直接、强有力支撑矩阵，是确保课程体系整体合力指向毕业要求达成的结构性保障，是OBE理念落地的核心枢纽。地方院校常见的问题是课程目标与毕业要求关联松散或缺失（“两张皮”）、支撑关系随意、支撑强度不足（如多门课程仅低强度支撑同一要求），导致课程教学与最终能力培养脱节。

构建强支撑矩阵的核心在于精准映射、权责分明、持续优化。常熟理工学院推行的“课程地图（Curriculum Mapping）”系统化工程成效显著。

1. 反向设计，精准映射

要求每门课程（特别是核心课程）必须基于其所承担的毕业要求指标点，反向设计明确、具体的课程目标。课程目标数量不宜过多（通常3～5个），每个目标必须清晰地指向1～2个特定的毕业要求指标点，并在课程教学大纲中明确标注支撑关系及支撑强度（如H—强支撑、M—中等支撑、L—基础支撑）。避免课程目标大而全、空泛无指向。

2. 矩阵可视化与公开化

每个专业必须编制“毕业要求—课程支撑矩阵图”，以毕业要求指标点为行，以课程为列，在交叉单元格中清晰标注支撑关系及强度（H/M/L）。该矩阵图向全体师生公开，嵌入教务管理系统和专业介绍材料，成为师生理解课程价值与定位的“导航图”。例如，

其生物工程专业的“生物反应工程”课程，明确其课程目标 1（能运用反应动力学模型进行反应器选型与设计）强支撑（H）毕业要求指标点，能设计生物制品生产流程与设备；课程目标 2（能进行反应过程的经济性初步分析）中等支撑（M）毕业要求指标点，具备工程经济与管理基础知识应用能力。

3. 责任到课，评价支撑有效性

课程负责人是确保课程目标达成并有效支撑毕业要求的第一责任人。在课程考核结束后，必须进行课程目标达成度评价，分析每个课程目标的实际达成情况，并反思其支撑毕业要求指标点的有效性。评价结果用于指导下一轮课程教学改进。专业层面定期（如每年）审查整个支撑矩阵的合理性：是否存在毕业要求指标点缺乏足够高强度课程支撑（“悬空”），是否存在课程目标支撑点过多或过泛，是否存在多门低强度课程重复支撑同一指标点（效率低下）。根据审查结果优化课程设置或调整课程目标。

4. 信息化平台支撑

该校开发了课程目标与毕业要求管理平台，实现支撑矩阵的在线编制、审核、发布、达成度数据录入与分析功能，大幅提升了管理效率和透明度。审核评估专家认为该校的支撑矩阵构建科学、关系清晰、执行到位，有效解决了课程教学与最终能力培养脱节的问题。这证明强支撑矩阵是贯通毕业要求与课程教学的“神经网络”，其建立与维护是实现课程体系协同育人、保障能力达成的必由之路。

四、研制符合校情的质量标准：规范运行的行动准则

质量标准是衡量教育教学活动及其结果是否达到预期目标的尺度与规范。研制符合地方院校自身办学定位、资源条件、发展特色，且覆盖专业建设、课程教学、实践实训、毕业设计（论文）等主要教学环节的校本质量标准，是确保质量保障体系规范化、精细化、特色化运行的操作性基础。地方院校常存在标准缺失、照搬研究型大学标准脱离实际、标准过于笼统缺乏可操作性、标准体系内部不协调等问题。

提升质量标准有效性的关键在于校本化、可操作、全环节、重特色。滁州学院在标准体系建设上的探索值得借鉴，建设成效如下。

1. 分层分类，校本化制定

① 专业层面。制定《××类专业建设质量标准》。在遵循国标、行标基础上，突出地方应用型特色。例如，其地理信息科学专业标准中，强化了“空间数据获取与处理（结合本地自然资源特点）”“智慧城市（服务地方）应用系统开发能力”等特色要求，降低了对纯理论研究的权重。标准明确专业师资队伍结构（双师型比例要求）、实验实训条件（对接地方产业设备水平）、校企合作深度等关键指标。

② 课程层面。制定《课程教学质量通用标准》及核心课程（如“高等数学”“大学英语”）、实践类课程（如实验、实习、课程设计）的补充标准。标准涵盖教学目标设计（必须明确支撑毕业要求指标点）、教学内容选择（体现应用性、前沿性）、教学方法运用（倡导项目式、案例式）、考核评价方式（强调能力导向、过程性评价占比）、教学资源建

设等维度。例如，实践课程标准明确要求项目选题需有一定比例来源于企业真实问题或模拟真实场景，考核需包含方案设计、动手操作、结果分析、报告撰写等多个环节。

③ 主要教学环节。制定《实验教学质量标准》《实习（实训）工作质量标准》《毕业设计（论文）质量标准》等。如《毕业设计（论文）质量标准》，强调选题“真题真做”比例（该校要求应用型专业≥70%）、强化过程指导与监控（开题、中期、答辩等环节具体要求与评价依据）、明确成果形式多样性（允许以设计作品、研究报告、商业策划书等代替传统论文，需符合相应规范）。

2. 细化要求，增强可操作性

避免使用“应加强”“需提高”等模糊表述。标准条款力求具体、可检查、可评价。例如，在《课堂教学质量标准》中，对“有效互动”的要求细化为每节课至少设计并实施2～3次有效提问或讨论，学生参与面≥30%；对“信息化手段运用”要求合理使用在线平台进行预习、作业、测验或讨论，将平台数据记录作为评价参考依据之一。

3. 突出应用型特色与过程规范

所有标准均强化实践能力培养、应用问题解决、职业素养养成的要求。同时，对关键教学过程（如新开课/开新课试讲、教学大纲审批、试卷命题审核、成绩评定与录入、实践环节安全管理等）的操作流程、责任人、时间节点、文档记录等做出明确规定，确保过程规范可控。

4. 持续修订与宣贯执行

学校设立专门委员会负责标准的制定、修订与解释工作。标准草案广泛征求院系、教师、学生代表的意见，并邀请校外专家（特别是行业专家）参与评审。新标准发布后，组织全员培训与解读，确保师生知晓理解。将标准执行情况纳入教学检查、督导听课、专业评估、课程评价的核心内容。审核评估专家认为该校的质量标准体系层次清晰、特色鲜明、要求具体、执行有据，为应用型人才培养提供了坚实的规范基础。这表明科学、适用、可操作、有特色的校本质量标准，是地方院校规范教学行为、统一质量标尺、彰显办学特色的基石。

地方院校本科教育教学质量保障体系的深度优化，离不开科学目标的精准引领与严谨标准的稳固支撑。目标引领与标准重构，共同构筑了该体系高效运行、持续改进的“导航仪”与“施工图”。简而言之，目标导航，标准筑基。通过科学凝练扎根地方、彰显应用特色的培养目标，地方院校明确了人才培养的使命与方向；通过制定清晰可测、有效支撑目标的毕业要求，将宏观愿景转化为可操作、可评价的能力标尺；通过构建课程目标对毕业要求的强支撑矩阵，确保课程体系与教学实施精准聚焦于能力达成；通过研制符合校情、体现特色的全环节质量标准，为教育教学活动的规范、高效、特色化运行提供了可遵循的行动准则。

这四条路径环环相扣、层层递进，共同指向人才培养的核心目标。培养目标是“魂”，毕业要求是“骨”，课程支撑是“筋”，质量标准是“规”。唯有目标精准锚定特色发展之路，要求清晰勾勒能力成长之径，课程紧密编织协同育人之网，标准严谨规范质量保障之行，地方院校方能突破资源与惯性的桎梏，构建起目标明确、路径清晰、标准严格、运行规范、特色彰显的本科教育教学质量保障体系。当目标成为共识的航标，标准成为行动的准绳，地方院校的本科教育质量提升便拥有了不竭的动力源泉和坚实的保障基石，最终为区域经济社会发展输送源源不断的、契合需求的高素质应用型人才。

第三节　机制优化与效能提升：质量保障的引擎

地方院校本科教育教学质量保障体系的优化升级，不仅需要理念的革新与标准的完善，更依赖于科学运行机制的构建与关键环节效能的切实提升。机制优化与效能提升构成该体系从静态文本走向动态实践、从要素完备走向效能卓越的核心驱动力。它要求高校突破制度空转、闭环断裂、环节薄弱的困境，构建目标清晰、监控有力、评价多元、反馈及时、改进有效的闭环质量保障机制，并聚焦课堂教学、实践教学、毕业设计等关键育人环节精准发力，同时将审核评估精髓内化为常态化运行的内部评估体系。唯有机制运行顺畅高效、关键环节保障有力、评估改进融入日常，质量保障才能真正实现从“有形覆盖”向“有效运行”、从“被动响应”向“主动优化”的深刻转型。基于此，本节聚焦“机制优化与效能提升”专题，从闭环机制构建、关键环节强化、内部评估改革三个维度，结合典型案例与实效数据，系统阐述地方院校本科教学质量保障体系优化的实践路径。

一、构建闭环质量保障机制：效能提升的系统支撑

OBE 理念的精髓在于以学生最终学习成果达成度为核心，驱动教育教学全过程的持续改进。构建贯穿输入、过程、输出、反馈改进全流程的闭环质量保障机制，是确保 OBE 理念落地生根、质量保障效能持续提升的系统性支撑架构。地方院校常面临机制链条断裂（如重输入轻输出、有评价无改进）、数据支撑薄弱、改进动力不足等问题，导致质量保障流于形式。

实现闭环高效运行的关键在于目标引领、过程监控、多维评价、数据驱动、精准改进的有机融合与无缝衔接。盐城工学院构建的“四维驱动、闭环迭代”质量保障机制提供了系统化解决方案，主要做法如下。

1. 输入保障：目标标准先行（明确起点）

机制运行始于清晰的目标与标准设定。该校严格遵循前章所述路径，要求各专业科学凝练特色培养目标、制定可衡量的毕业要求及其指标点、建立课程目标强支撑矩阵、研制校本化质量标准（涵盖专业、课程、主要教学环节）。这些目标与标准不仅是教学的起点，更是后续监控、评价与改进的基准。例如，其机械设计制造及其自动化专业依据区域装备制造业智能化升级需求，明确将具备智能生产线调试与运维能力作为毕业要求之一，并分解为可观测指标点，制定了相应的课程目标与实验、实训质量标准。

2. 过程监控：基于能力达成的动态跟踪（实时纠偏）

强化对教学过程与学生学习效果的形成性评价，实时监控能力达成进度，及时干预

调整。

课程目标达成度常态化分析。要求所有核心课程在学期结束后必须进行课程目标达成度评价。教师基于预设的考核方式（如考试、项目、报告、实验操作等）及其权重，计算每个课程目标的实际达成值，与预设的达成标准阈值进行比对分析。例如，“控制工程基础”课程通过分析发现“系统稳定性分析与校正”目标达成度偏低（仅65%的学生达标），经深入剖析原因在于案例教学不足、实验环节薄弱。

学习效果形成性评价强化。推动教师运用多元化的形成性评价工具（如课堂即时测验、在线平台互动数据、项目阶段性评审、学习档案袋、同伴互评等），持续跟踪学生学习进展，提供及时反馈与指导。该校利用“学习通”等平台，要求核心课程每章设置在线测验或讨论，平台自动生成学习预警报告，帮助教师识别困难学生并实施帮扶。

3. 输出评价：多维印证培养成效（全面检验）

建立完善的毕业生发展跟踪与社会评价体系，全面检验培养目标的达成度与毕业生的社会适应性。

① 毕业生跟踪调查体系化。实施覆盖“短期（毕业半年）、中期（毕业3～5年）、长期（毕业10年左右）”的毕业生跟踪调查。短期侧重就业质量、专业相关度、岗位胜任力初始反馈；中期关注职业发展轨迹、能力提升需求、对母校培养的再评价；长期追踪职业成就、社会贡献及对人才培养的宏观建议。该校委托第三方机构（如麦可思公司）开展年度短期调查，联合地方人社部门、行业协会开展中期调查，利用校友会网络进行长期追踪。

② 用人单位反馈制度化。定期（如每年）向主要用人单位发放满意度调查问卷，并选取代表性单位进行深度访谈，重点收集其对毕业生知识、能力、素质的评价及对人才培养的建议。成立用人单位咨询委员会，吸纳企业专家深度参与培养方案修订、课程建设与评价标准制定。

③ 社会声誉评价常态化。关注专业排名、行业认证、社会美誉度等指标。例如，该校土木工程专业积极对接住建部专业评估，以评促建，提升社会认可度。

4. 反馈改进：基于多维证据的精准施策（闭环核心）

建立“评价—分析—反馈—改进—再评价”的强有力闭环是实现机制效能的关键。该校建立了校院两级、定期（学期/学年）召开的教学质量分析改进联席会议制度。

① 数据汇聚与分析。会议核心输入包括：各课程目标达成度分析报告、学生学习预警分析报告、学生评教结果分析、教学督导反馈报告、毕业生跟踪调查报告摘要、用人单位反馈报告、专业/课程评估报告等多维证据链。

② 问题诊断与归因。针对发现的问题（如某课程目标持续达成度低、毕业生某方面能力被用人单位诟病、实践环节学生满意度不高），进行深入归因分析，区分是目标设定、师资水平、教学资源、教学方法方面的问题还是管理环节的问题。

③ 精准反馈与责任落实。将分析结果和改进建议，通过正式文件、教学副院长/专业负责人反馈函、教务系统提示等方式，精准反馈至相关责任主体（教师个人、课程组、专业负责人、系、学院、职能部门）。

④ 制定并执行改进方案。责任主体必须制定具体的、可操作的、有时限的改进方案（如修订教学大纲、更新教学内容、改革教学方法、增加实验设备投入、优化实习安排、调整师资配置等），并在下一轮教学中实施。改进方案需报备并接受跟踪检查。

⑤ 效果追踪与验证。在下一次教学质量分析会议中，重点追踪上次会议提出问题的改进措施落实情况和改进效果（如再次评价课程目标达成度、对比毕业生反馈数据、查看督导听课记录等），形成闭环验证。例如，针对前述的“控制工程基础”课程中的问题，课程组制定了增加工程案例教学时数、引入虚拟仿真实验补充实体实验不足、增设项目答辩环节等改进措施。下一轮评价显示该目标达成度提升至82%。

盐城工学院的闭环机制运行三年后，数据显示，课程目标达成度评价覆盖率从70%升至100%，基于评价数据实施教学改进的课程比例从45%跃升至90%，毕业生就业专业相关度提升8个百分点，用人单位满意度提升12个百分点。审核评估专家认为其闭环机制设计科学、运行有效、数据支撑扎实、改进效果显著，体现了OBE理念的精髓。这充分证明，一个目标清晰、监控到位、评价多元、反馈精准、改进有力、验证闭环的机制，是提升质量保障体系效能的核心引擎。

二、强化关键环节质量保障：效能提升的着力点

课堂教学、实践教学、毕业论文（设计）是本科人才培养的核心环节，其质量直接决定最终培养成效。聚焦并强化这些关键环节的质量监控与保障措施，是提升整体质量保障体系效能的关键着力点和突破口。地方院校常存在课堂教学模式陈旧、实践教学条件与管理薄弱、毕业论文（设计）过程疏于监管等问题。

提升关键环节质量的核心在于深化改革、细化标准、强化监控、优化资源。滁州学院在关键环节保障上的综合施策提供了范例，主要做法如下：

1. 深化课堂教学改革与评价（筑牢主阵地）

① 改革驱动。强力推进“课堂革命”，要求核心课程必须融入项目式学习（PBL）、案例教学、混合式教学等模式。设立专项经费支持“探究式—小班化”教学改革、智慧教室建设、在线课程资源开发。例如，其经管类专业核心课程普遍引入企业真实案例库，实施模拟经营决策项目。

② 评价转型。改革学生评教体系，从侧重教师教态转向聚焦学生学习成效与体验。评教指标增加“课程目标清晰度”“学习挑战度”“能力提升感”“反馈及时性”等维度。强化教学督导的专业性，组建由教学名师、学科专家、行业专家（部分课程）构成的督导队伍，督导听课评价表紧密对接课程目标与OBE要求，重点观察学生参与度、高阶思维能力培养、目标达成情况，并提供建设性反馈。实行督导“听—评—导—帮”一体化，对评价靠后的教师进行针对性帮扶。

③ 数据应用。利用智慧教学平台收集的课堂互动、作业、测验等数据，辅助评价教学效果和学生学习状态。定期发布《课堂教学质量白皮书》，分析共性问题，推广优秀案例。

2. 加强实践教学环节的质量监控与保障（突出应用型特色）

① 标准细化与过程规范。制定并严格执行《实验教学规程》《实习（实训）管理办

法》《学科竞赛管理办法》等，对实验准备、指导过程、安全规范、实习单位落实与指导、竞赛组织与评审等环节提出明确、可操作的要求。例如，规定实验报告必须包含原始数据记录、结果分析、问题讨论；实习必须签订三方协议、配备双导师（校内＋企业）、提交过程周志与总结报告。

② 强化条件保障。持续投入，建设贴近产业实际的实验室和实习实训基地。与地方龙头企业共建产业学院、协同育人平台，引入企业真实项目作为实践教学内容。建立实践教学资源动态更新机制。

③ 多元评价与反馈。实践教学质量评价主体多元化，有学生评价（侧重体验与收获）、教师/企业导师互评、督导/同行评价（侧重规范性、创新性）、成果评价（作品质量、报告水平、竞赛成绩）。建立实习单位反馈机制，定期收集实习单位对实习生表现及实践安排的意见。例如，其软件工程专业根据企业反馈，将原分散的实习改为集中式项目实训，由企业工程师带队完成真实项目开发，显著提升了学生工程实践能力，企业满意度大幅提升。

3. 完善毕业论文（设计）全过程管理（把好出口关）

① 强化选题管理。严把选题关，突出应用性、实践性、创新性。应用型专业要求“真题真做”比例不低于70%（如工程设计、产品开发、社会调研、商业策划等），选题需经专业负责人和行业专家（部分题目）审核。建立选题库并更新动态。

② 规范过程监控。实施全过程节点化管理，开题报告（重点审查选题意义、方案可行性、工作量）、中期检查（进度、关键问题解决情况）、论文（设计）评阅（双盲或交叉评阅）、答辩（严格程序、公开透明）。要求指导教师与学生定期见面指导并记录，系统平台监控指导频次与内容。校级/院级督导对关键环节进行抽查。

③ 严格成果评价。制定体现专业特色的多元化成果评价标准。设计类作品须进行功能演示和设计说明答辩，研究报告须体现分析深度和实践价值，商业策划须进行可行性论证。引入行业专家参与评阅和答辩。建立优秀毕业论文（设计）评选与展示机制。

④ 抽检与后评价。实施校级毕业论文（设计）抽检评议制度，覆盖不同成绩等级、不同指导教师的论文（设计）。开展毕业论文（设计）质量年度分析，结合毕业生和用人单位反馈，持续改进管理要求与评价标准。

该校通过强化关键环节保障，实践教学经费投入年均增长15%，建有稳定合作关系的实习基地数量翻番，“真题真做”类毕业论文（设计）比例从55%提升至85%，学生在省级以上学科竞赛获奖数量显著增加，毕业生实践动手能力受到用人单位普遍好评。这表明只有紧盯关键育人环节，深化改革、细化标准、强化过程、优化资源、严格评价，才能将质量保障的要求真正落到实处，显著提升人才培养的针对性和实效性。

三、改革内部评估体系：效能提升的内生动力

将外部审核评估的理念、要素与方法深度融入并转化为常态化、制度化的内部评估体系，是激发高校内生动力、实现质量保障持续优化的长效机制。改革内部评估体系，使其成为驱动质量保障常态化运行与持续改进的内生动力源，是提升体系整体效能的战略支

点。地方院校内部评估常存在与审核评估脱节、评估项目碎片化、评估结果运用不足、未能有效促进改进等问题。

实现内部评估体系有效改革的核心在于对标融合、常态运行、聚焦改进、减负增效。肇庆学院推行的“内评筑基工程”提供了系统思路。

1. 深度对标融合：将审核评估要素融入专业、课程等核心评估

① 重构专业评估指标体系。学校依据审核评估范围和新一轮审核评估重点（如培养目标达成度、OBE 理念落实、质量保障运行有效性、持续改进机制等），全面修订《本科专业建设与评估标准》。新标准大幅强化了“培养目标与社会需求适应度”“毕业要求对培养目标的支撑度”“课程体系对毕业要求的支撑度”“课程目标达成度评价与改进”“毕业生跟踪反馈与社会评价”“质量保障闭环运行”等 OBE 导向的核心观测点。例如，专业评估中，要求专业必须提供近三年的课程目标达成度分析报告、毕业要求达成度评价报告、基于毕业生和用人单位反馈的改进案例等实证材料。

② 优化课程评估方案。将课程评估重点从教师教学表现转向学生学习成效与课程目标达成度。评估指标突出课程目标与毕业要求指标点支撑关系的明确性、考核评价方式与课程目标的匹配度、课程目标达成度分析的科学性与改进措施的有效性、学生高阶能力培养成效等。将教学大纲质量、课程目标达成度评价报告作为课程评估的核心材料。

③ 建立常态化的教学基本状态数据监测制度。参照审核评估数据要求，建立校级教学基本状态数据库，涵盖师资、生源、条件、培养过程、学生发展、质量保障等全方位数据。按年度采集、分析、发布数据，为各类内部评估提供客观依据。

2. 构建常态化、周期性运行机制（避免突击迎评）

① 建立“五年一轮”的专业全面评估制度。所有本科专业每五年必须接受一次全面评估，评估流程参照审核评估（包括专业自评、专家进校考察、反馈整改等环节），但更聚焦专业层面。评估专家由校内外学科专家、行业专家、教学管理专家组成。

② 实施年度专业状态监测与预警。在五年一轮评估期间，基于教学基本状态数据、核心课程目标达成情况、毕业生短期就业数据、学生满意度调查等，对专业进行年度状态监测。对核心指标（如生源质量下滑、课程目标达成度持续偏低、就业率/专业相关度显著低于平均水平）出现异常的专业发布预警，要求其提交分析报告和改进计划，并重点跟踪。

③ 推行课程评估与认证。制定课程评估周期（如每 3～5 年一轮），重点评估核心课程、新开课程、问题集中课程。鼓励优势课程申请校级/省级“一流课程”或“课程质量认证”。

④ 将关键环节专项检查制度化。将实践教学基地建设与运行、毕业论文（设计）质量、课堂教学改革成效等关键环节的专项检查纳入年度工作计划，常态化开展。

3. 强化评估结果运用，驱动持续改进（评估生命力所在）

① 评估结果与资源配置挂钩。建立评估结果（专业评估等级、课程评估等级、预警状态）与招生计划、专业经费投入、实验室建设、师资引进与培训等资源配置的强关联机制。对被评估为优秀的专业给予重点支持，对预警专业减少招生或限期整改。

② 评估报告深度反馈与整改督办。每一项重要评估（专业、课程、专项检查）结束后，形成详实的评估报告，明确指出优势、问题与改进建议。报告正式反馈至相关学院、专业、课程组及职能部门。学校建立整改台账，明确整改责任人和时限，实行销号管理。将整改情况作为下一轮评估的重要内容。

③ 推广最佳实践。及时总结评估中发现的专业建设、课程改革、质量保障等方面的优秀案例和典型经验，通过经验交流会、案例汇编、专题培训等形式在全校推广，促进共同提升。

④ 评估过程减负增效。优化评估流程，精简评估材料（充分利用已有数据和常态化文档，避免重复填报），利用信息化手段提高效率，减轻基层负担，让师生将精力集中于实质性的建设与改进。

该校实施内评改革后，专业评估覆盖率达到100%，近三年有8个专业因评估结果优秀获得重点建设支持，3个专业被预警并完成有效整改；基于内部评估数据形成的改进措施年均超过300项；教师普遍反映内部评估指向清晰、重在建设、推动改进，不再是额外负担。审核评估专家认为其内部评估体系有效承接了审核评估要求，运行规范、常态化程度高、结果运用充分，形成了内生驱动的质量持续改进机制。这深刻揭示，将外部评估压力转化为内部评估动力，构建常态化、制度化、聚焦改进、减负增效的内部评估体系，是地方院校实现质量保障自主运行、效能持续提升的长久之策。

地方院校本科教育教学质量保障体系的优化升级，最终要落脚到机制的顺畅运行与效能的显著提升。机制优化与效能提升，共同构筑了该体系从蓝图走向现实、从规范走向卓越的动力系统与效能根基。通过构建OBE导向、数据驱动、精准改进的闭环质量保障机制，地方院校为质量保障注入了不竭的系统动力；通过聚焦课堂教学、实践教学、毕业论文（设计）等关键环节深化改革、强化监控、优化保障，精准提升了人才培养核心过程的质量；通过改革内部评估体系，深度对标审核评估要求、实现常态化运行、强化结果运用，成功激发了质量保障的内生动力和自主发展能力。

这三条路径相互交织、相互强化。闭环机制为关键环节保障和内部评估提供运行框架和数据基础，关键环节保障的成效是闭环机制和内部评估有效性的直接体现，内部评估改革则为闭环机制的持续优化和关键环节的精准发力提供制度保障与改进导向。唯有机制运行如精密齿轮般环环相扣、高效协同，关键环节如磐石般稳固坚实、保障有力，内部评估如明镜般常态审视、驱动改进，地方院校方能突破资源与管理的瓶颈，构建起反应敏捷、运行高效、保障有力、持续优化的本科教育教学质量保障体系。当机制成为习惯，效能成为追求，地方院校的本科教育质量必将迎来质的飞跃，为培养更多适应区域发展需求的高素质应用型人才奠定坚实的机制与效能基础，在服务地方中彰显独特价值与蓬勃生命力。

第四节　资源整合与条件保障：质量保障的坚实底座

地方院校本科教育教学质量保障体系的深化与效能释放，离不开优质资源的有效整合与支撑条件的坚实保障。强化资源整合与条件保障构成该体系从蓝图走向现实、从机制设计走向高效运行的物质基础和核心支撑。它要求高校直面师资结构性短板、实践条件相对薄弱、信息化水平参差不齐、专业队伍能力不足等现实困境，通过系统性优化师资结构与能力、持续投入并升级实践教学平台、深度推进教学信息化融合、锻造专业化质量保障队伍，为质量保障体系的顺畅运行与持续改进提供不可或缺的人力、物力、技术与管理支撑。唯有资源充沛、配置合理、技术赋能、队伍精良，质量保障才能真正实现从"有心无力"向"有力有为"、从"目标牵引"向"条件支撑"的实质性跃升。基于此，以下聚焦"强化资源整合与条件保障"专题，从师资优化、实践投入、信息化建设、队伍专业化四个维度，结合审核评估典型案例与实效数据，系统阐述地方院校本科教学质量保障体系优化的基础性路径。

一、优化师资队伍结构：质量保障的人力根基

教师是教育教学活动的直接实施者和质量保障的关键主体。优化师资队伍结构，特别是大力引进与培养兼具深厚理论素养和突出实践能力的双师型教师，并持续提升全体教师的教学能力，是夯实教学质量保障体系的人力根基和核心动能。地方院校常面临高层次人才引进难、教师队伍工程实践背景薄弱、双师型比例偏低、教学能力发展体系不完善等问题，制约了应用型人才培养目标的实现和教学质量保障的有效性。

破解师资瓶颈的关键在于精准引育、分类施策、强化实践、赋能发展。常熟理工学院的"师资强基工程"提供了综合性解决方案：

1. 精准引进与结构优化

① 聚焦应用型需求引才。制定倾斜政策，重点引进具有博士学位且拥有 3 年以上知名企业核心技术岗位工作经历的高层次人才，或在行业内有突出影响力的技术专家、技能大师。例如，其智能制造学院近三年成功引进 5 名具有德国博世、西门子等企业研发背景的博士，显著增强了专业核心课程的教学实力和产教融合深度。

② 柔性引智与专兼结合。建立"产业教授""兼职专业带头人"制度，聘请行业企业技术骨干、管理精英担任兼职教师，承担实践课程教学、毕业设计指导、产业前沿讲座等任务。该校规定每个应用型专业兼职教师承担的实践教学学时比例不低于 15%，并将其纳入专业评估指标。

③ 优化存量师资结构。通过转岗培训、学历提升、访学交流等途径，引导部分基础学科教师向应用型专业转型。严格控制新进教师中无工程背景人员的比例。

2. 系统化双师型教师培养

① 制度化企业实践。实施教师企业实践锻炼计划，要求新入职青年教师 5 年内必须累计完成不少于 6 个月的企业全职实践（可分段进行），中青年教师每 5 年至少参加一次为期不少于 2 个月的深度实践或技术研修。学校与地方龙头企业共建稳定的"教师企业工作站"，提供岗位和导师保障。实践经历与职称晋升、评奖评优直接挂钩。

② 共建双师能力发展平台。与头部企业、行业协会共建双师型教师培养培训基地，联合开发培训课程和认证标准。定期举办"新技术、新工艺、新标准"工作坊和技能竞赛，提升教师的产业前沿技术掌握能力。

③ 认证与激励并行。建立校级双师型教师认证体系，明确认定标准（如企业经历、

工程实践项目、职业资格证书、教学效果等）。对获得认证的教师在绩效分配、项目申报、评优评先等方面给予倾斜，设立双师教学卓越奖。

3. 全方位提升教学能力

① 构建分层分类培训体系。新教师岗前培训强化 OBE 理念、教学规范、教育技术应用，骨干教师研修聚焦课程思政、混合式教学、项目式学习、学习评价改革，教学管理者培训侧重质量保障体系建设、专业与课程评估、教学领导力。

② 强化教学咨询与帮扶。成立校级教师教学发展中心，配备专职教学咨询师和资深教学导师，提供“一对一”诊断咨询、课堂观摩指导、教学竞赛辅导、教学研究支持等服务。对教学评价靠后的教师实施帮扶计划。

③ 以赛促教，示范引领。常态化开展校级教学创新大赛、课程思政教学竞赛、教学设计大赛等，选拔优秀教师，推广先进教学方法和模式。建立教学名师工作室，发挥传帮带作用。

该校实施师资工程三年后，数据显示，双师型教师比例从 35%提升至 62%，教师年均企业实践参与率超过 85%，学生对教师实践教学能力的满意度提升 22 个百分点，教师在省级以上教学竞赛获奖数量增长 50%。审核评估专家高度评价其师资队伍建设目标清晰、措施有力、成效显著，特别是双师型教师培养机制完善，有力支撑了应用型人才培养特色。这充分证明，一支结构合理、双师突出、教学精湛的师资队伍，是地方院校提升教学质量、保障培养目标达成的核心力量。

二、加大实践教学投入，提升实验实训条件建设与管理水平：能力培养的物质载体

实践教学是应用型人才培养的核心环节，是学生将理论知识转化为实践能力的关键桥梁。加大实践教学投入，持续提升实验实训场所、设备、项目的建设水平与管理效能，是保障实践教学质量、培养学生核心应用能力和创新能力的物质载体和必要条件。地方院校常面临实践教学经费不足、设备陈旧老化、场地紧张、管理粗放、利用率不高、与企业真实环境脱节等问题，制约了学生实践能力的有效培养。

提升实践教学保障水平的核心在于加大投入、优化配置、贴近产业、精细管理。枣庄学院的“实践教学条件升级计划”成效显著。

1. 持续加大投入，改善基础条件

① 设立专项增长机制。学校确保实践教学经费在年度预算中的比例逐年增长（该校年均增长 15%以上），并设立应用型专业建设专项、实验教学示范中心建设专项等，重点支持设备更新、场地扩建、虚拟仿真项目建设。

② 集中资源建设高水平平台。打破院系壁垒，整合资源建设面向全校或学科群的公共实验实训中心、工程训练中心、创新创业实践基地。例如，投入巨资建成集智能制造、新能源技术、大数据应用于一体的现代产业技术综合实训中心，配备先进数控机床、工业机器人、新能源测试平台、大数据处理集群等，服务多个工科专业。

③ 共建共享校外实践基地。深化校企合作，与地方龙头企业、产业园区共建高水平、

示范性校外实习实训基地。签订长期合作协议，明确双方投入、管理责任和学生安全保障。该校与鲁南制药集团共建的生物医药工程实践教育基地获评国家级基地。

2. 贴近产业需求，优化内容与设备

① 设备配置对标产业前沿。新购实验实训设备应尽可能贴近行业企业主流技术水平和生产实际，避免低水平重复建设。建立设备选型论证制度，邀请企业专家参与论证。

② 开发基于真实项目的实训模块。与企业合作，将企业真实生产项目、工艺流程、技术难题转化为教学案例和实训项目。例如，其机械专业将合作企业某型号零件的加工工艺引入数控加工实训，学生完成从图纸识读、工艺设计、程序编制到零件加工、质量检测的全流程。

③ 强化虚拟仿真资源建设。针对高危、高成本、难以实体操作的实践内容（如化工流程、大型设备拆装、复杂系统故障诊断），大力开发或引进高质量的虚拟仿真实验教学项目（国家级、省级项目优先）。该校建有省级以上虚拟仿真实验教学项目 12 项，有效弥补了实体条件的不足。

3. 提升管理水平与使用效益

① 推行精细化、信息化管理。建立全校统一的实验室信息管理系统（LIMS），实现设备台账、预约使用、状态监控、耗材管理、安全巡检、开放共享等全过程信息化管理。推行实验室“6S”管理（整理、整顿、清扫、清洁、素养、安全），营造安全、规范、高效的实践环境。

② 提高开放共享程度。制定实验室开放管理办法，鼓励实验室在课余时间、周末、假期面向学生开放，支持学生开展创新实验、学科竞赛、毕业设计等。建立预约平台，提高设备利用率。

③ 强化安全管理与责任落实。健全安全管理制度和应急预案，配备必要的安全防护设施。严格落实安全准入制度（师生必须通过安全培训考核），明确各实验室安全责任人，定期开展安全检查和隐患排查。

④ 建立绩效评价机制。对实验实训中心的运行状况、设备利用率、开放共享效果、教学科研成果产出、服务社会成效等进行定期评价，评价结果与后续投入挂钩。

该校实践教学条件升级后，生均教学科研仪器设备值达到教育部合格标准上限的 1.5 倍，高水平校外实习基地数量翻番，虚拟仿真实验项目年均使用量超 10 万人次，学生参与学科竞赛获奖数量和质量大幅提升，毕业生实践动手能力受到用人单位高度认可。审核评估专家实地考察后认为其实践教学投入力度大、条件改善显著、管理规范有序、内容贴近产业，有效支撑了应用型人才培养目标。这表明，持续、精准的投入与高水平、精细化的管理，是打造满足应用型人才培养需求的实践教学平台的必由之路。

三、推进教学信息化建设，利用技术赋能教学管理与质量监控：质量保障的智慧引擎

信息技术的发展为教育教学改革和质量保障提供了强大的工具和可能性。大力推进教学信息化建设，深度利用大数据、人工智能、云计算等技术赋能教学全过程管理与质量监

控，是提升地方院校教学质量保障体系运行效率、精准度和智能化水平的智慧引擎和关键支撑。地方院校常存在信息化基础设施薄弱、系统孤岛林立、数据沉睡、技术与教学管理融合不深、师生信息素养有待提升等问题。

释放信息化潜能的关键在于平台整合、数据驱动、流程重塑、素养提升。滨州学院的“智慧教学新基建工程”提供了系统路径。

1. 建设一体化智慧教学平台

① 整合资源，消除孤岛。打破原有教务系统、网络教学平台、实验管理系统、学工系统、人事系统等各自为政的局面，建设或升级集“教、学、管、评、测”功能于一体的校级智慧教学综合服务平台（如基于微服务架构的“教学大脑”）。实现用户统一认证、数据互联互通、业务协同办理。

② 核心功能模块。平台需涵盖课程资源建设与管理（在线课程、SPOC、微课、虚拟仿真）、教学过程管理（排课选课、教学大纲、课表、考勤）、在线教学与互动（直播、录播、讨论、作业、测验）、学习分析与预警（基于学习行为数据的学情画像、学业预警）、教学评价与反馈（学生评教、督导评价、同行评议、课程目标达成度计算）、质量监控仪表盘（关键质量指标实时可视化展示）等。

2. 深化技术赋能教学管理

① 流程线上化与智能化。实现培养方案制定与审批、教学任务下达、排课调课、考试安排、成绩录入与发布、毕业资格审核等核心教学管理业务流程全线上运行，提升效率，减少差错。探索利用 AI 辅助排课、智能推荐课程、自动识别异常考勤等。

② 数据驱动的精准决策。基于平台汇聚的各类教学运行数据（课堂互动、作业提交、在线测验、考试、评教、督导反馈、资源使用、设备使用等），构建教学质量监测大数据仓库。利用数据挖掘和分析技术，实时生成各类教学状态报告（如课堂活跃度报告、学生学习投入度报告、教师教学投入与效果报告、课程目标达成度趋势报告、专业预警报告），为院系、专业负责人、教师、教学管理者提供精准的决策支持和改进依据。

3. 强化技术赋能质量监控与评价

① 全过程、伴随式数据采集。利用智慧教室的物联网设备（如摄像头、拾音器、互动终端）和在线学习平台的日志记录，在不干扰正常教学的前提下，自动化、伴随式采集教学过程中的多模态数据（如师生互动频次与类型、学生参与度、资源点击率、测验及时性等）。

② 智能化评价与分析。应用 AI 技术辅助分析课堂教学视频（识别教学模式、师生互动模式）、学生作业文本（查重、初步评分、模式识别）、在线讨论内容（情感分析、主题聚焦度）等，为教师提供更客观、更细致的教学反馈和学生学情分析。自动化计算课程目标达成度，减轻教师负担。

③ 实时预警与精准干预。建立基于学习行为数据的学业预警模型（如学习进度滞后、互动参与度低、作业质量差），自动识别潜在困难学生，及时向学生本人、辅导员、任课教师推送预警信息，触发精准帮扶机制（如推送学习资源、安排辅导、调整教学策略）。

4. 提升师生信息素养

① 开展常态化培训。针对教师开展智慧教学工具使用、在线课程建设、混合式教学

设计、数据解读与应用等方面的系统培训。针对学生开展信息检索、在线学习工具使用、学术规范、数据安全意识等方面的培训。

② 建立支持服务体系。设立校级信息化教学支持中心，提供热线咨询、在线答疑、现场指导、典型应用案例分享等服务，及时解决师生在信息化教学中遇到的问题。

该校智慧教学平台上线两年后，数据显示，核心教学管理业务线上化率100%，效率提升40%；教师利用平台开展混合式教学的课程比例达70%；基于平台数据的学业预警准确率达85%，干预成功率显著提升；管理者可实时查看全校教学质量关键指标仪表盘。审核评估专家认为其教学信息化建设理念先进、平台功能完善、数据应用深入，有效赋能了教学管理和质量监控的精准化、智能化。这深刻揭示了以平台为基、以数据为核、以智能为翼的信息化建设，是地方院校突破时空限制、提升管理效能、实现质量保障精细化和智能化的必然选择。

四、加强质量保障队伍的专业化建设：体系运行的守护者与驱动者

一支专业化、高素质的质量保障队伍是确保质量保障体系有效设计、顺畅运行、持续改进的核心力量。加强质量保障队伍的专业化建设，提升其政策理解力、评估诊断力、数据分析力、沟通协调力和改革推动力，是地方院校本科教学质量保障体系得以高效运行、持续优化的组织保障和智力支持。地方院校常存在质量保障队伍规模不足、专业性不强（多为行政人员兼职）、地位不高、培训缺乏、流动性大等问题，制约了质量保障工作的深度和效度。

提升质量保障队伍效能的关键在于明确定位、优化结构、强化培训、赋权增能。肇庆学院的“质保队伍专业化提升计划”具有示范意义。

1. 明确角色定位与职责分工

① 校级层面（评估中心/质管办）。定位为质量保障体系的设计者、协调者、监控者和评价者。其核心职责包括：研究制定学校质量保障政策与标准；统筹协调审核评估、专业评估、课程评估等各类评估工作；建设并维护教学基本状态数据库；监控质量保障体系运行状况，发布质量报告；组织质量保障研究与培训。

② 院级层面（教学副院长/教学秘书/专业负责人）。定位为质量保障的执行者和改进者。其核心职责包括：具体组织落实学校各项质量保障制度与要求，组织专业自评、课程评价、教学检查，收集并分析本院教学运行与质量数据，推动基于问题的教学改进，联络校级质量保障部门。

③ 系/课程组层面（系主任/课程负责人/骨干教师）。定位为质量保障的实践者和反馈者。其核心职责包括：具体实施课程目标达成度评价、学习效果形成性评价，落实教学大纲、试卷、实践等环节的质量标准，收集并反馈教学一线问题与建议，参与改进方案的制定与实施。

2. 优化队伍结构与准入机制

① 配备专职化核心骨干。在校级评估中心和重点院系配备具有教育学、管理学、统计学或相关学科背景的专职质量保障人员，确保核心工作的专业性和稳定性。

② 建立专家库与兼职队伍。吸纳教学经验丰富的退休教授、教学名师、教学督导、行业专家加入校院两级质量保障专家库，参与评估、评审、咨询工作。选拔培养一批热心教学、熟悉业务的教师担任兼职教学督导或质量专员。

③ 提升专业负责人质量保障能力。将质量保障能力作为选拔和考核专业负责人的重要指标，加强其在 OBE 理念、评估方法、持续改进等方面的培训。

3. 强化专业化培训与能力提升

① 建立系统培训体系。定期组织质量保障人员参加 OBE 理念、审核评估标准、教育评价理论、教育测量与统计、数据挖掘与分析、质量保障工具与方法（如课程地图、达成度评价、调查问卷设计）、沟通技巧等专题培训。鼓励参加国内外高水平质量保障会议和研修班。

② 开展实践研究与案例研讨。鼓励质量保障人员结合学校实际开展质量保障研究。定期组织校内优秀评估案例、改进案例分享会，促进经验交流与能力提升。

③ 建立校际交流机制。与同类高水平院校建立质量保障队伍交流互访机制，学习先进经验。

4. 赋权增能与激励保障

① 赋予独立性与权威性。明确校级质量保障部门在质量监控与评价中的独立地位和权威性，其报告和结论应受到重视并作为资源配置和决策的重要依据。

② 提供必要资源与工具。为质量保障工作提供充足经费、先进的数据分析工具、高效的办公条件等支持。

③ 建立职业发展通道。探索建立质量保障人员的专业职称序列或晋升通道，认可其专业价值。设立“优秀质量保障工作者”等荣誉称号，进行表彰奖励。

④ 纳入学校治理体系。质量保障部门负责人应参与学校重大教学决策会议，确保质量因素融入决策过程。

该校实施队伍提升计划后，校级专职质量保障人员增加 50%且全部具有硕士以上学位或中级以上教育评估师资格，年均组织专业化培训 10 场以上，基于质量保障队伍分析提出的改进建议采纳率超过 90%，专业负责人对质量保障工作的胜任力显著增强。审核评估专家认为其质量保障队伍结构合理、专业化程度高、职责清晰、运行有效，为学校质量保障体系的持续优化提供了坚实的组织保障。这说明，一支定位清晰、结构合理、专业精湛、赋权充分的质量保障队伍，是地方院校教学质量保障体系高效运行和持续改进的“压舱石”与“推进器”。

地方院校本科教育教学质量保障体系的稳固与高效，最终依赖于资源条件的充分整合与坚实保障。强化资源整合与条件保障，共同构筑了该体系行稳致远的物质基础、技术支撑和组织保证。通过优化师资结构、强化双师培养、提升教学能力，地方院校为质量保障注入了最核心的人力资本；通过加大实践投入、升级实验实训条件、实现精细管理，为应用能力培养构筑了坚实的物质载体；通过推进教学信息化、深化技术赋能，为质量保障的精准化、智能化插上了智慧之翼；通过加强质量保障队伍的专业化建设，为整个体系的科学设计、高效运行和持续改进提供了不可或缺的组织保障和智力支持。

这四条路径相互依存、相互促进。优质的师资是实践教学和信息化的主导者，先进的实践条件是双师能力展现和信息化应用的舞台，强大的信息化平台是汇聚数据、支撑决策、赋能队伍的工具，专业的质量保障队伍则是整合资源、协调各方、驱动改进的中枢。唯有师资精良、条件优越、技术先进、队伍专业，地方院校方能突破资源禀赋的限制，将质量保障的理念、目标、机制真正落到实处，转化为人才培养质量持续提升的强劲动力。当资源充分涌流，保障坚实有力，地方院校的本科教育教学必将焕发出蓬勃的生机与活力，在服务区域发展中彰显不可替代的价值与贡献，为培养更多堪当大任的高素质应用型人才奠定不可动摇的资源与条件基石。

第五节　数据驱动与智慧治理：质量保障的神经中枢

在数字化浪潮席卷全球教育领域的时代背景下，地方院校本科教育教学质量保障体系的现代化转型，亟须从经验驱动迈向数据驱动，从粗放管理走向智慧治理。强化数据驱动与智慧治理，构成该体系实现精准洞察、科学决策、动态预警和持续优化的神经中枢与智慧引擎。它要求高校突破数据孤岛林立、信息沉睡浪费、分析能力薄弱、决策依赖直觉的传统困境，通过构建统一规范的数据底座、打通全维数据链路、打造智能分析平台、提升数据决策能力，为质量保障注入用数据说话、用数据决策、用数据管理、用数据创新的现代治理基因。唯有数据要素充分涌流、智能技术深度赋能、治理模式根本变革，质量保障才能真正实现从“模糊感知”向“精准刻画”、从“事后补救”向“事前预警”、从“经验判断”向“循证决策”的深刻跃迁。基于此，本节聚焦“强化数据驱动与智慧治理”专题，从数据底座构建、壁垒打通、平台建设、能力提升四个维度，结合前沿实践案例与实效数据，系统阐述地方院校本科教学质量保障体系优化的数智化路径。

一、建立统一、规范的教学基本状态数据库：智慧治理的基石工程

高质量的数据是数据驱动与智慧治理的源头活水。建立覆盖全面、标准统一、更新及时、质量可靠的教学基本状态数据库，是构建地方院校教学质量智慧治理体系的基石性工程和先决条件。地方院校常存在数据分散于多部门、统计口径不一致、数据质量参差不齐（如缺失、错误、滞后）、更新维护机制不健全等问题，导致数据价值难以释放，制约了精准治理的实现。

破解数据基础薄弱的关键在于统一标准、全域覆盖、动态更新、质量管控。盐城工学院构建的“全域教学数据仓”实践提供了系统性范例。

1. 制定统一数据标准与规范

学校依据《普通高等学校本科教育教学审核评估指标体系（试行）》及高等教育质量监测国家数据平台的数据项要求，结合自身管理需求，制定教学基本状态数据标准规范。该规范明确定义了 7 大核心数据域（师资队伍、生源与招生、教学条件、教学建设与改革、教学运行、学生发展、质量保障）下的数百个关键数据项，对每个数据项的名称、定义、编码规则、计量单位、采集频率、责任部门、存储格式等做出统一、精确的规定，确保全

校数据“同源同构”。例如，双师型教师明确定义为具有讲师及以上职称，同时具备下列条件之一：具有本专业非教师系列中级及以上技术职称或职业资格，近五年有累计6个月以上企业实践经历，主持或主要参与（前3位）企业技术研发项目并取得成果。

2. 构建全域覆盖的数据采集体系

① 源头采集，责任到人。明确教务处、学工处、人事处、设备处、科研处、招就处、评估中心、各二级学院等为数据责任主体，指定专人（数据专员）负责本部门数据的采集、录入、审核与更新。建立数据采集责任制，并将其纳入部门考核。

② 多源汇聚，自动抓取。充分利用现有业务系统（教务系统、学工系统、人事系统、科研系统、资产管理系统等）的数据库，通过ETL（抽取、转换、加载）工具，自动化抽取核心业务数据。同时，对无法自动获取的数据（如部分毕业生跟踪数据、用人单位评价、督导听课记录等），设计标准化电子表单，通过线上填报平台进行结构化采集。

③ 建立核心数据“一数一源”机制。明确关键数据（如教师基本信息、学生学籍信息、课程信息、教室信息等）的唯一权威来源部门，避免多头采集和重复统计。

3. 实施动态更新与质量管控闭环

① 建立定期更新机制。设定不同数据项的更新频率（日、周、月、学期、学年），系统自动提醒责任专员更新。例如，学生成绩、课堂考勤等须按教学周或课程结束及时更新，师资队伍结构、教学设备总值等按学期更新，毕业生就业质量数据逐年更新。

② 强化数据清洗与校验。数据入库前，设置多重校验规则（如逻辑校验，教师年龄须在合理范围，关联校验，选课学生必须在学籍库中存在；完整性校验，关键字段不可为空）。利用数据清洗工具识别并修正异常值、重复值、格式错误。建立校、院两级数据审核流程。

③ 开展数据质量评估与通报。定期（如每学期）对数据库的完整性、准确性、一致性、及时性进行评估，发布《数据质量白皮书》，通报问题并督促整改。将数据质量纳入部门绩效考核。

该校“全域教学数据仓”运行两年后，核心数据项完整率从75%提升至98%，数据错误率降至1%以下，数据更新及时性显著提高，为各类分析应用奠定了坚实基础。审核评估专家在数据核查环节，高度认可其数据来源清晰、标准统一、质量可靠、调用便捷，显著优于同类院校。这充分证明，一个标准统一、全域覆盖、动态鲜活、质量可控的教学基本状态数据库，是数据驱动智慧治理不可或缺的“源头活水”。

二、打破数据壁垒，实现教学、学工、人事、设备等多系统数据互通共享：释放数据价值的枢纽

数据孤岛是阻碍数据价值释放的最大障碍。打破教学、学生工作、人事管理、设备资产、科研管理等业务系统之间的数据壁垒，实现跨部门、跨业务、跨层级的数据互联互通与共享融合，是释放数据要素潜能、支撑全景式教学质量分析的枢纽性环节。地方院校普遍存在系统建设分散、数据标准不一、接口封闭、共享机制缺失等问题，导致数据割裂，难以形成育人全貌。

实现数据融通共享的核心在于平台整合、标准对接、接口开放、机制保障。滁州学院推行的“数据融通工程”提供了有效路径。

1. 建设校级数据中台，构建共享枢纽

① 构建统一数据中台。建设校级数据中台（Data Middle Platform），作为全校数据的集成、治理、服务与共享的核心枢纽。中台采用分布式架构，具备强大的数据集成、存储、计算和 API 服务能力。

② 统一数据模型与服务接口。在中台层面对来自各业务系统的异构数据进行清洗、转换、关联，映射到统一的主题域模型（如学生全息视图、教师发展画像、课程教学全景、资源使用效能等）。基于统一模型，开发标准化的数据服务接口（API），供上层应用按需调用。

2. 推动业务系统对接与标准化改造

① 强制接口开放与标准对接。要求所有新建或改造的业务系统（教务、学工、人事、科研、设备、财务、图书馆等）必须按照校级数据标准和接口规范进行设计和开发，确保数据“出生即合规”，并能通过标准 API 与数据中台对接。

② 存量系统适配改造。对无法直接对接的存量系统，开发适配器或利用 ETL 工具，按照统一标准抽取、转换数据，汇入数据中台。例如，将学工系统中的学生奖惩、资助、心理辅导数据，人事系统中的教师教学工作量、培训进修、职称信息，设备系统中的实验室使用记录、大型设备共享数据等，统一整合到中台。

3. 建立数据共享机制与权限体系

① 制定数据资源共享管理办法。明确数据的所有权、管理权、使用权，规定数据共享的范围、条件、流程和责任。建立按需申请、授权使用、安全可控的共享原则。

② 构建细粒度数据权限控制。基于角色（如校领导、院长、系主任、专业负责人、教师、辅导员）和业务场景，在数据中台设置精细化的数据访问权限控制策略，确保敏感数据（如学生隐私、教师个人信息）安全，同时满足不同层级管理者和教师的数据需求。例如，专业负责人可查看本专业所有课程的目标达成度、学生学习预警、毕业生反馈等聚合数据，任课教师可查看本人授课班级的详细学情数据。

③ 建立数据共享目录与服务门户。发布全校数据资源目录，清晰列出可共享的数据项、来源、更新频率、获取方式等。建设数据服务门户，提供便捷的数据查询、申请、获取和基础可视化功能。

该校数据中台上线后，成功对接了 12 个核心业务系统，消除了 85%的主要数据孤岛；构建了学生从入学到毕业发展、教师教学科研发展、课程全生命周期、实验室资源效能等多个跨域数据主题；日均数据服务调用量超过 10 万次。审核评估专家在访谈中深切感受到数据壁垒的破除使得分析视角更全面，例如将学业困难与心理辅导记录、经济资助情况关联分析，能更精准地识别问题根源。这表明，只有打破数据藩篱，实现全域数据的自由流动与按需组合，才能绘制出人才培养的“全息图谱”，支撑深度分析与智慧决策。

三、建设教学质量监测分析与预警平台：智慧治理的神经中枢

数据价值释放的关键在于深度分析与智能应用。建设集数据汇聚、智能分析、动态监测、精准预警、可视化呈现于一体的教学质量监测分析与预警平台，是将海量数据转化为教学质量洞察力、预警力和决策支持力的核心载体与神经中枢。地方院校常面临数据分析工具匮乏、分析维度单一、预警滞后、可视化程度低、结果难应用等问题。

打造智能化平台的核心在于场景驱动、模型构建、智能预警、直观呈现。滨州学院打造的“教学质量智瞰平台”极具代表性：

1. 多维度、场景化的监测指标体系构建

① 对接审核评估与OBE要求。平台指标体系紧密围绕审核评估核心关切（培养目标达成度、学生发展、教学资源与利用、质量保障运行有效性等）和OBE理念（输入—过程—输出—反馈），设计涵盖输入保障（师资、条件、生源）、过程运行（教学规范、课堂互动、学习投入、课程目标达成）、输出效果（学业成绩、毕业率、学位授予率、就业质量、毕业生满意度、用人单位评价）、反馈改进（评教结果应用、督导反馈整改、持续改进闭环）四大维度的数百个监测指标。

② 支持灵活配置与自定义。平台支持用户（校领导、管理者、院系负责人）根据不同管理场景（如专业评估、课程评价、学风建设、资源配置决策）灵活选择和组合指标，构建个性化的监测仪表盘。

2. 集成智能分析模型与算法

① 学习分析模型。构建基于学生多源数据（在线学习行为、课堂互动、作业测验、考勤、成绩、参与活动等）的学习投入度分析模型、学业成绩预测模型、学习困难早期预警模型。利用机器学习算法（如逻辑回归、随机森林）识别影响学业成败的关键因素，精准定位潜在风险学生。

② 教学效能分析模型。建立结合学生评教、督导评价、同行评议、课程目标达成度、学生学习成效等多维数据的教师教学效能综合评价模型，提供更全面、客观的教学质量画像，超越单一分数评价。

③ 专业/课程健康度诊断模型。整合生源质量、师资配置、资源投入、过程数据（课程目标达成度）、输出数据（就业率、专业相关度、毕业生反馈）等，构建专业发展态势评估模型和课程质量综合评价模型，为专业优化、课程改革提供数据支撑。

3. 实现动态监测与精准预警

① 实时/准实时数据驱动。平台与数据中台深度对接，关键指标（如课堂活跃度、在线学习进度、设备使用率）可实现准实时更新与展示。

② 智能阈值预警。为关键指标（如课程目标达成度低于阈值、学生预警名单比例过高、设备利用率过低、毕业生核心能力评价持续偏低）设定科学阈值（可基于历史数据、目标值或同类标杆）。当指标触及或偏离阈值时，平台自动触发多级预警（黄灯提示、红灯警报），并通过消息推送（短信、邮件、平台消息）及时通知相关责任主体（如任课教师、辅导员、系主任、教学副院长）。

③ 根因定位辅助。预警信息不仅提示问题，还关联展示相关数据维度，辅助用户快速定位潜在原因（如预警学生关联其考勤、作业、在线学习行为数据，课程目标达成度低关联其考核方式、学生评教反馈、督导听课记录）。

4. 提供直观可视化的决策支持

① 多层级可视化仪表盘。为不同层级用户（校领导—宏观全景、职能部门—业务视图、学院/专业—微观详情）定制专属可视化仪表盘。综合运用统计图表（柱状图、折线图、饼图）、热力图、地理信息图、关系网络图等，直观呈现复杂数据关系与趋势。

② 一键生成分析报告。平台支持按需（如按学期、学年、专业、课程）一键生成图文并茂的教学质量分析报告、专业发展诊断报告、学生学习状态报告等，大幅提升管理效率。

③ 支持下钻分析。用户可从宏观仪表盘层层下钻，查看具体专业、课程、班级甚至学生个体的详细数据，实现从宏观到微观的穿透式分析。

该平台运行一年后，数据显示，学业困难学生的早期预警准确率从65%提升至92%，干预及时性大幅提高；基于平台数据的专业动态调整建议被采纳率100%；管理者用于数据整理分析的时间平均减少50%，决策效率显著提升。审核评估专家现场演示后评价其监测维度全面、预警模型精准、可视化程度高、决策支持有力，是地方院校教学质量智慧治理的标杆实践。这有力证明，一个集智能分析、动态预警、直观呈现于一体的监测平台，是将数据优势转化为治理效能的“超级大脑”。

四、提升基于数据的决策和问题诊断精准度：智慧治理的价值归宿

数据驱动与智慧治理的最终价值在于赋能科学决策和精准改进。全面提升管理者和教师基于数据进行问题诊断、归因分析、科学决策和精准施策的能力，是数据驱动智慧治理的价值归宿和效能保障。地方院校常存在数据意识不强、解读能力薄弱、决策惯性依赖经验、改进措施针对性不强等问题，导致数据价值未能充分转化为治理效能。

实现数据赋能决策的核心在于意识培育、能力提升、文化浸润、制度牵引。肇庆学院实施的“数据素养提升计划”提供了全方位方案。

1. 强化数据意识与文化培育

① 领导垂范，倡导数据文化。学校领导在重要会议、文件中带头引用数据、分析数据、依据数据决策，明确传递“用数据说话、依数据决策”的治理理念。将数据应用能力纳入干部选拔和考核要求。

② 广泛宣传数据价值与案例。通过校园网、宣传栏、工作简报、专题报告会等多种形式，宣传数据驱动决策的成功案例（如基于预警数据精准帮扶学业困难学生显著提升毕业率、依据资源使用数据优化实验室配置节约成本），展示数据价值，营造重视数据、善用数据的文化氛围。

2. 系统开展数据素养培训

（1）构建分层分类培训体系

① 决策层（校领导、职能部门负责人、院领导）。培训重点在于理解关键指标含义、看懂仪表盘和报告、掌握基于数据设定目标、评估绩效、配置资源的决策方法（如数据驱

动资源配置模型)。

② 执行层(教学管理人员、专业负责人、系主任)。培训重点在于熟练使用监测平台,掌握常用分析方法(如对比分析、趋势分析、结构分析、关联分析),能够解读分析报告、诊断问题根源、制定数据支撑的改进计划。

③ 教师层。培训重点在于理解本课程相关数据(如学情数据、课程目标达成度报告)、利用数据改进教学(如识别教学难点、调整教学策略、实施个性化辅导)、参与数据收集(如规范记录教学数据)。

(2)培训形式多样化

采用工作坊、案例教学、实操演练、在线课程、专家讲座等多种形式。开发校本数据素养培训资源包和典型案例库。

3. 建立数据驱动的决策流程与制度

① 将数据分析嵌入管理流程。明确规定在专业设置与调整、招生计划制定、培养方案修订、课程建设立项、教学改革项目评审、资源配置、教师考核评价、院系绩效考核等关键决策环节,必须提供相关数据分析报告作为重要依据。例如,专业招生计划调整须参考该专业近年的生源质量、第一志愿率、课程目标达成度、就业率、毕业生满意度等数据。

② 推行基于证据的持续改进。要求各教学单位在制定年度工作计划、接受专业评估/课程评估、进行教学质量分析会后,必须基于数据分析报告指出的问题和建议,制定具体的、可测量的、有时限的改进方案,并在后续工作中追踪改进效果。将“基于数据的决策和改进”纳入院系、专业、课程评估的核心指标。

4. 提供数据解读支持服务

① 设立数据分析支持团队。校级评估中心或信息部门配备专职数据分析师,为管理者和教师提供数据解读咨询、深度分析报告定制、问题诊断辅助等服务。

② 推广数据叙事(Data Storytelling)方法。培训管理人员如何将复杂数据转化为清晰、易懂、有说服力的“故事”,用于工作汇报、争取资源、推动改革。

该校实施数据素养计划两年后,校级重大教学决策中数据支撑材料完备率从60%提升至100%;院系基于数据制定改进方案的比例达到95%;教师主动利用学情数据调整教学的比例显著增加;学校整体资源配置效率提升,低效投入减少。审核评估专家在深度访谈中,普遍感受到管理者数据意识强、分析报告引用普遍、改进措施针对性强,数据真正融入了治理血脉。这揭示了只有当数据素养内化为组织能力,数据驱动固化为决策习惯,智慧治理的蓝图才能真正落地生根、开花结果。

地方院校本科教育教学质量保障体系的现代化征程,已步入数据驱动与智慧治理的新阶段。强化数据驱动与智慧治理,共同构筑了该体系洞悉全局、精准施策、敏捷响应、持续进化的智慧神经系统。通过建立统一规范、全域覆盖的教学基本状态数据库,地方院校夯实了智慧治理的数据基石;通过打破部门壁垒、实现多源数据互联互通,释放了数据融合的巨大潜能;通过建设集智能分析、动态监测、精准预警于一体的监测平台,打造了洞察教学质量态势的神经中枢;通过全面提升基于数据的决策能力和问题诊断精准度,最终将数据价值转化为治理效能,驱动人才培养质量的持续提升。

这四条路径层层递进、环环相扣。数据底座是基础，数据融通是桥梁，智能平台是引擎，决策能力是归宿。唯有数据基石坚实稳固，信息血脉畅通无阻，智慧引擎强劲有力，决策行动精准高效，地方院校方能突破传统管理的桎梏，构建起用数据说话、用数据决策、用数据管理、用数据创新的现代化教学质量治理体系。当数据成为洞察质量的新视角，智能成为驱动改进的新动能，地方院校的本科教育必将迎来治理模式的历史性变革，在精准化、智能化、科学化的道路上阔步前行，为培养适应数字时代的高素质应用型人才奠定坚实的智慧治理基石，在高等教育高质量发展的浪潮中赢得未来。

第六节　特色凝练与持续改进：质量保障的灵魂与生命线

在高等教育内涵式发展与分类评价的深刻变革中，地方院校本科教育教学质量保障体系的优化，必须超越同质化竞争的窠臼，转向以特色求生存、以改进谋发展的差异化道路。强化特色凝练与持续改进，是该体系彰显独特价值、激发内生动力、实现可持续发展的灵魂所系与生命线所在。它要求高校深刻认识到，质量保障绝非追求千校一面的“标准答案”，而是立足地方沃土、依托自身禀赋，在保障基本质量的基础上，培育不可替代的特色优势，并通过常态化的反思与革新，使特色优势不断迭代升级、历久弥新。唯有特色鲜明、持续精进，质量保障才能真正实现从被动达标向主动卓越、从静态合格向动态优秀的战略性跃升。基于此，本节聚焦“强化特色凝练与持续改进”专题，从特色驱动、特色融入、改进常态三个维度，结合审核评估典型案例与实效数据，系统阐述地方院校本科教学质量保障体系优化的升华路径。

一、鼓励各专业在质量保障中形成特色：差异化发展的战略支点

地方院校的核心竞争力根植于服务区域发展的独特贡献。鼓励并引导各专业深度对接地方支柱产业、战略性新兴产业及社会文化发展需求，充分挖掘自身历史积淀、师资专长、资源条件等优势，在人才培养模式、课程体系、实践教学、质量评价等质量保障核心环节中凝练并形成鲜明特色，是地方院校实现错位发展、提升不可替代性的战略支点。然而，部分院校或专业在质量保障中仍存在“随大流”“追热点”现象，特色模糊、辨识度低，未能有效转化为育人优势和发展动能。

实现特色凝练的关键在于需求导向、优势聚焦、系统设计、机制激励。盐城工学院推行的“一专一品”特色建设工程提供了生动的实践经验。

1. 深化需求调研与优势诊断

① 扎根地方“把准脉”。要求各专业建立常态化区域产业行业需求调研机制。例如，其环保设备工程专业与盐城国家级环保科技城建立联合调研团队，每年深入园区企业，通过问卷、访谈、技术研讨会等形式，精准把握环保装备智能化、运维服务化转型下的人才能力新需求（如智能监控系统应用、远程诊断能力）。

② 审视自身“明家底”。组织专业人员开展 SWOT 分析，系统梳理自身优势资源。该专业认识到自身拥有省级重点实验室（专注工业烟气治理装备研发）、一支具有丰富工

程经验的双师型教师团队（多数教师参与过重大环保工程项目）以及长期积累的企业合作网络等独特优势。

2. 基于需求与优势进行特色化系统设计

① 特色化人才培养方案重构。基于调研与诊断，环保设备工程专业将特色定位为培养精通智能环保装备运行监控与远程诊断服务的应用型工程师。围绕此特色重构培养方案，增设“环保物联网技术与应用”“环保装备智能运维与远程诊断”“大数据在环保中的应用”等特色课程模块，显著增加智能装备拆装、远程故障诊断模拟等特色实践环节比重（占总实践学时的40%）。

② 特色化实践教学体系构建。依托省级重点实验室和合作企业（如江苏科行环保），共建智能环保装备运维诊断实训中心，引入企业真实远程监控平台和典型故障案例库，打造真设备、真数据、真问题的特色实践环境。开发远程诊断服务工单处理等特色实训项目。

③ 特色化质量评价标准制定。在毕业要求中新增能运用物联网技术对环保装备运行状态进行实时监控与数据分析、能诊断常见远程故障并提出解决方案等特色能力指标点，并制定可衡量的达成标准。在课程评价、实习评价、毕业设计评价中强化对特色能力达成的考核。

3. 建立特色培育的激励机制

① 设立专业特色发展基金。学校设立专项经费，重点支持基于地方需求和自身优势、凝练特色且制定系统实施方案的专业。环保设备工程专业凭借其清晰的特色定位和实施方案，获得持续经费支持用于实训中心建设和虚拟仿真项目开发。

② 将特色凝练与成效纳入评价核心。在学校专业评估、课程评估、教学成果奖评审中，将特色鲜明度、服务地方契合度、特色建设成效（如特色课程建设、特色实践平台、特色能力达成、毕业生在特色领域就业比例）作为重要评价指标，权重不低于30%。该专业因其特色建设成效显著，在评估中获得“优秀”等级并获专项奖励。

该特色建设实施三年后，该专业毕业生在智能环保运维领域就业比例从25%跃升至65%，毕业生起薪高于同类专业平均水平15%；专业与地方企业合作承担的技术服务项目数量和经费显著增长；该特色模式被教育部评估中心作为典型案例收录（2024年）。审核评估专家高度评价其将地方需求、自身优势与质量保障深度融合，特色凝练精准、建设路径清晰、育人成效显著，为地方院校专业特色发展提供了样板。这深刻启示我们，特色是地方院校的生命线，其凝练必须始于精准的需求洞察和优势挖掘，成于系统的质量保障环节设计，并辅以有力的机制保障，方能结出硕果。

二、将特色建设融入质量保障体系各环节

特色并非质量保障体系之外的“点缀”，而是其内在要求和价值彰显的核心。将各专业在服务地方中形成的特色定位、特色举措、特色资源、特色成效，全面融入质量保障的目标设定、标准制定、过程监控、结果评价与持续改进等各个环节，并作为质量保障的核心成果予以展现和评价，是地方院校质量保障体系区别于研究型大学、彰显自身独特价值

的核心载体。地方院校常存在特色建设与质量保障“两张皮”现象，特色未能有效转化为可衡量、可评价的质量保障要素。

实现特色有效融入质量保障体系的关键在于目标引领、标准承载、过程体现、成果彰显。常熟理工学院在审核评估中的实践提供了示范。

1. 特色目标融入质量保障顶层设计

① 学校层面。在学校《本科教学质量保障体系纲要》中，明确将服务地方特色鲜明、应用型人才培养优势突出作为质量保障的核心目标之一，统领全校质量保障工作方向。

② 专业层面。要求各专业的《专业质量保障实施细则》必须包含“特色建设目标与保障措施”专章，清晰阐述本专业的特色定位、特色建设计划、特色质量监控点及预期特色成效。

2. 特色要素融入质量标准与监控点

① 特色化质量标准制定。在专业建设标准、课程质量标准、实践教学标准、毕业设计（论文）标准等文件中，设置体现专业特色的专项指标或提高与特色相关的指标权重。例如，其纺织工程（现代针织技术）专业，在实践教学标准中专门设定针织 CAD/CAM 软件应用熟练度、针织新产品开发创新能力等特色评价指标及高标准要求。

② 设置特色质量监控关键点（KPI）。在质量保障的过程监控中，识别并设定反映特色建设进度的关键监控点。如该专业将学生参与企业新品开发项目比例、获得针织设计类专利或竞赛奖项数量、特色核心课程目标达成度等作为特色 KPI，纳入常态监测范围。

3. 特色过程与成效纳入评价与反馈

① 评价指标特色化。在学生评教、督导评价、同行评议等评价工具中，增加或强化对教师结合地方案例教学、引入行业新技术新标准、指导特色实践项目等方面的评价内容。在专业评估、课程评估指标体系中，显著增加特色目标达成度、特色资源建设与利用、特色育人成效等维度的权重。

② 特色成效作为核心成果展现。在《本科教学质量年度报告》《专业人才培养状况报告》以及迎接审核评估的自评报告中，设立“特色建设与成效”专门章节，用详实的数据和案例（如特色课程开设情况、特色实践平台利用率、学生在特色领域就业创业及获奖情况、服务地方特色项目成果）来展现质量保障在促进特色发展方面的成果。常熟理工学院在 2024 年审核评估自评报告中，用近 1/4 的篇幅系统展示了各优势专业对接苏州纺织、装备制造、生物医药等产业集群形成的特色育人模式和显著成效，成为报告的最大亮点。

③ 反馈改进聚焦特色优化。在基于评价结果进行反馈和改进时，特别关注特色建设方面存在的问题和不足。例如，针对督导反馈中部分特色课程企业案例更新不及时的问题，该校的纺织工程专业建立了企业案例库动态更新机制，要求课程组每年至少更新 30％的案例。

审核评估专家组在反馈意见中特别指出：“该校将特色建设深度融入质量保障全过程，特色目标明确、标准清晰、监控到位、成效显著，充分体现了地方应用型大学的办学定位和质量追求。”这有力证明，只有当特色成为质量保障体系的内在基因和核心成果，地方院校的质量保障才能真正体现其独特的价值与魅力。

三、建立常态化的自我评估、反思与改进机制：持续精进的内生动力

特色优势的保持与提升，绝非一劳永逸，而是依赖于永无止境的自我革新。建立常态化、制度化、全员参与的自我评估、反思与改进机制，是地方院校本科教学质量保障体系保持活力、实现特色持续精进和整体质量螺旋上升的内生动力源泉。地方院校常存在评估改进“运动式”、反思表面化、改进措施落地难、持续性不足等问题，导致特色可能僵化，优势可能消退。

实现持续精进的关键在于机制常态、反思深入、改进闭环、文化浸润。肇庆学院构建的“评估—反思—改进”（ARI）常态化运行机制卓有成效。

1. 构建多层次、常态化的自我评估体系

（1）专业层面“年度体检”与“深度评估”结合

① 年度专业状态自评。每个专业每年末须基于教学基本状态数据、核心课程目标达成度、学生学习成效、毕业生短期反馈、用人单位意见等，对照专业建设规划和特色目标，进行年度状态自评，形成《专业年度质量分析报告》，重点审视特色建设进展与问题。

② 五年一轮专业深度自评。每五年开展一次全面对标审核评估要求的深度专业自评，形成详实的《专业自评报告》，系统总结五年成效、深入剖析存在问题（特别是特色发展中的瓶颈）、制定未来五年发展规划（含特色深化路径）。

（2）课程层面周期性评估与及时反馈结合

核心课程每轮授课结束后必须进行课程目标达成度评价与教学反思；每3～5年进行一次全面课程评估，重点评估课程内容对特色能力培养的支撑度、教学方法的有效性、资源更新的及时性。利用学生的及时反馈（如随堂反馈、期中座谈）进行动态调整。

（3）关键环节专项评估常态化

定期（如每学期/学年）开展实践教学专项检查、毕业论文（设计）质量抽检、课堂教学效果专项评估等，评估结果直接反馈改进。

（4）学校层面年度质量报告与周期性全面自评

每年发布《本科教学质量年度报告》，公开办学状态、质量保障运行、特色成效与改进方向。按审核评估周期开展全校性综合自评。

2. 推动深度反思与归因分析

① 建立结构化反思工具与流程。为不同层级的评估（专业、课程、专项）设计结构化反思模板，引导责任主体不仅描述现象，更要深入分析问题根源（如是目标设定问题、资源条件问题、师资能力问题、管理机制问题，还是学生因素），特别是对特色发展中的挑战进行深度归因。例如，某专业在反思中发现其特色实践项目吸引力下降，根源在于企业设备更新快而教学设备未能及时同步。

② 组织专题反思研讨会。评估后，组织由专业教师、管理者、行业专家（必要时）、学生代表参加的专题反思研讨会，运用“鱼骨图”“五个为什么”等工具进行集体归因分析，凝聚共识，避免个人主观臆断。

3. 确保改进措施落地形成闭环

① 制定精准、可操作的改进计划。基于评估和反思结果，要求责任主体（专业、课程组、教师个人、管理部门）制定具体的持续改进计划表。计划必须明确改进目标、具体措施、责任人与时间节点、所需资源、预期成效及验证方式。例如，针对前述设备滞后问题，改进计划包括：申请专项经费更新关键设备（3 个月内）、与合作企业签订设备同步更新备忘录（2 个月内）、开发补充性虚拟仿真模块（本学期内）。

② 建立改进台账与督办机制。校级评估中心建立全校改进总台账，各院系建立分台账。实行销号管理，对改进措施进行跟踪督办。将改进计划完成情况纳入相关责任主体的绩效考核。

③ 强化改进效果验证与再评估。在设定的时间节点，对改进措施的实施效果进行验证（如再次进行课程目标达成度评价、对比毕业生反馈数据、检查设备更新记录等）。将验证结果作为下一轮评估的输入，形成“评估—反思—改进—验证—再评估”的完整闭环（PDCA 循环）。该校数据显示，改进计划完成率从实施初期的 70％提升至 95％，有效闭环率（即改进后验证有效）达到 85％。

4. 培育反思改进的质量文化

① 领导示范与制度保障。学校领导带头在重要会议中公开进行工作反思，展示基于数据的决策和改进过程。将“主动反思、积极改进”纳入教师师德规范、干部考核要求和学院绩效考核指标。

② 推广最佳改进实践。定期评选优秀持续改进案例，组织经验交流与分享，将成功的改进经验制度化、流程化。营造勇于反思、乐于改进、追求卓越的质量文化氛围。

该校 ARI 机制运行四年后成效显著，基于自我评估发现并完成有效改进项目年均超过 400 项；专业特色持续深化，服务地方项目经费年均增长 20％；学生在体现学校特色的学科竞赛中获奖等级和数量持续提升；在最近一轮审核评估中，专家组评价其常态化自我评估机制健全、反思深入、改进闭环有效、质量文化浓厚。以上可见，持续改进是永恒的主题，唯有建立常态化的自我审视、深度反思和有效行动机制，地方院校的特色之路才能越走越宽，质量之基才能越筑越牢。

地方院校本科教育教学质量保障体系的卓越之路，必然是一条特色化发展与持续性改进交相辉映的征程。强化特色凝练与持续改进，共同铸就了该体系的独特灵魂与永恒生命力。通过鼓励各专业扎根地方、依托优势，在质量保障中培育不可替代的特色，地方院校找到了安身立命之本和差异化竞争之钥；通过将特色建设深度融入质量保障的目标、标准、过程与成果，特色成为体系的内在基因和价值彰显的核心载体，确保了质量保障的方向性与辨识度；建立常态化的自我评估、深度反思与有效改进机制，为特色的历久弥新和质量的螺旋式上升提供了不竭的内生动力。

这三条路径相互依存、相互强化。特色是持续改进的方向指引和价值追求，持续改进是特色保持活力和优势的根本保障，而将特色融入质量保障体系则为两者的落地提供了制度框架和实践路径。唯有特色鲜明、历久弥新，改进自觉、永不停歇，地方院校方能突破资源与视野的局限，构建起既符合高等教育普遍规律，又彰显自身独特价值且充满生机与活力的本科教育教学质量保障体系。当特色成为深入骨髓的自觉追求，改进化为融入血脉的行动习惯，地方院校的本科教育必将在服务区域发展的壮阔舞台上绽放独特光彩，为培养更多兼具扎实学识与鲜明特质的高素质应用型人才奠定不可撼动的特色与改进基石，在高等教育百花齐放的生态中书写属于自己的辉煌篇章。

第九章　结论与展望

审核评估深刻揭示了地方本科院校教育质量保障的五大核心困境，即目标定位与区域需求脱节引发结构性失衡、OBE 机制空转导致质量保障形式化、资源错配加剧硬件冗余而软件缺失的矛盾，以及质量文化缺失催生运动式治理和数据孤岛割裂决策证据链。其破解之道在于构建“理念—机制—资源—数据”四维协同路径，即重塑需求导向质量观，确立服务区域的逻辑起点；重构闭环贯通的运行机制，强化“目标—监控—改进”证据链；重置精准适配的资源供给，推动校企协同的供给侧结构性改革；构建智能预警数据中枢，破除决策迷雾。由此出发，地方本科院校需分阶段夯实机制闭环、深化数据治理、培育质量文化，教育行政部门则须强化分类指导与政策协同，共同构筑可持续的高品质教育质量保障生态。

第一节　主要研究结论

一、审核评估视域下地方院校质量保障的核心困境

审核评估如同一面高分辨率的棱镜，清晰折射出地方院校本科教育教学质量保障体系的多维断裂。其核心矛盾集中表现为五大系统性症结，这些症结深层制约着应用型人才培养效能的释放。

1. 目标定位模糊与区域需求脱节引发结构性失衡

地方院校培养目标普遍陷入“同质化迷思”，与区域产业需求形成显著断裂。数据揭示，西部某省 86.7%的应用型本科院校工科专业目标表述泛化，仅 4 所院校明确对接能源装备、生态农业等地方支柱产业。这种定位偏差触发连锁反应，某省装备制造业年缺口技术人才 2.3 万人，但本地相关专业毕业生留省就业率仅 38%；更甚者，某学院投入 1.2 亿元建设的智能制造实验室因专业方向与区域新能源汽车产业错位，设备使用率不足 40%。其根源在于目标生成机制缺乏产业参与，导致人才培养供给侧与区域需求侧结构性错配。当药学专业区域特色课程占比仅 12%（远低于同类院校均值 35%）时，所谓“服

务地方”的办学承诺必然悬置。

2. OBE机制空转导致质量保障形式化

尽管多数院校引入成果导向教育（OBE）理念，但其运行普遍停留于文件层面。典型案例显示，哈尔滨金融学院教学质量保障体系中，“毕业生核心能力达成度”等产出指标占比不足15%；西部某理工院校仅21.4%的专业将毕业要求达成度作为课程设计起点。这种机制虚化引发“反向设计缺失”与“持续改进断裂”的双重痼疾。某商学院检测到“商业数据分析能力”达成度持续低于60%，却无相应课程改革。其后果在审核评估中具象化为触目的数据，参评院校“产出导向机制有效性”平均得分仅54.3（满分100），直接导致9所院校被责令重构质量体系。

3. 资源错配加剧质量塌陷风险

资源投入的结构性矛盾集中体现为“硬件冗余”与“软件缺失”的悖论。师资队伍面临双师型教师占比仅31.7%（低于50%合格线）的严峻缺口，某新建工科院校28名专业教师中仅5人具备企业经验，致使课程内容滞后于产业技术3～5年。实践教学条件更陷入“投入—效能”断裂，地方院校工科生均实验设备值不足“双一流”高校的1/3，而新建实验室因预约流程复杂、开放受限，设备空置率高达67%。当价值4000万元的工业机器人实验室因无合格师资指导而闲置时，资源消耗便沦为“数字幻象”。

4. 质量文化缺失催生运动式治理

质量责任意识薄弱使保障工作异化为“评估驱动”的突击行为。2025年调查显示，73%的教师视评估为“额外负担”，52%的管理者将质量保障等同于“材料整理”。这种文化堕距诱发恶性循环，某师范学院在评估前抽调200名学生“补填”三年实验报告，导致作业与大纲匹配度不足40%。更深层危机在于OBE认知虚化。仅31%的教师能准确描述其核心要素，69%的教师将“产出导向”简化为“增加实践课时”。当持续改进沦为年度整改报告模板化，质量保障便失去生命根基。

5. 数据孤岛割裂决策证据链

数据治理困境表现为采集失真、整合失效与应用浅表化的三重梗阻。关键质量维度缺失惊人，仅25%的地方院校系统采集“毕业生核心能力达成度”数据，而学习行为数据缺失率达68%。系统割裂更导致“数据王国割据”，某校教务、学工、质评系统互通率仅为12%，“挂科预警”与“课堂参与度”数据矛盾率达53%。其恶果是决策失能，某省34所院校中仅5所将毕业生跟踪数据用于专业调整，余者数据“静置归档”。

二、地方院校质量保障体系的优化路径

破解上述困境须构建“理念—机制—资源—数据”四维协同的变革框架，推动质量保障从被动合规走向主动赋能。

1. 理念重塑：确立需求导向的质量观

重构质量保障逻辑起点，须将服务区域发展作为核心价值坐标。长春科技学院“三看

两做”（看行业需求、看前沿趋势、看同类空间，做行业所需、做同行未做）策略，使其汽车服务工程专业的本地就业率达 91%。具体路径包括：建立“专业—产业”动态匹配机制，依据区域产业图谱压缩同质化专业；推行培养目标校政协同论证制度，邀请地方政府、行业协会参与目标设定；实施毕业生质量“三维评价”（就业质量、产业贡献、区域满意度），倒逼人才培养精准适配。当专业定位从高水平应用型泛化标签转向深耕区域特色产业（如服务区域汽车产业）等具象承诺时，特色发展方有根基。

2. 机制重构：打造闭环贯通的运行链

打破有评价无改进的僵局，需构建“目标—监控—改进”证据闭环。盐城工学院的“四维驱动”模型提供范本，输入层明确 OBE 目标标准，过程层依托课程目标达成度分析实时纠偏（如“控制工程基础”识别案例教学不足后达成度提升至 82%），输出层建立毕业生能力追踪雷达图，改进层通过校院联席会议推动 300 余项措施落地。关键突破点在于将持续改进效力纳入部门绩效考核，占比不低于 30%；建立整改“销号管理”三阶模型（问题编码—措施证据链—效果验证）；推行质量年报的短板归因制度，强制公开能力缺陷溯源分析（如针对“跨文化沟通达标率仅 29%”的深入剖析显示，其根源在于：师资缺乏跨文化实践经验、考核偏重纸笔测试而非实际情景应用、课程缺乏足够的多元文化浸润环节）。

3. 资源重置：推动精准适配的供给侧结构性改革

破解资源错配问题需建立“需求—投入—效能”联动机制。师资建设实施编制双轨制，教师在保留高校身份的同时，年均需完成 2 个月企业服务（纳入职称评审）；设备投入推行实验室共建共享区域联盟，如长三角六校共建智造实训中心使设备利用率达 85%。更需创新激励机制，设立教学型教授岗位，免除科研论文要求，依据技术教学化案例等业绩晋升；课酬标准市场化，教授课时费提升至 200 元/课时（参照地方培训均价）。当企业捐赠设备可按其价值的 30%抵扣所得税时（安徽财税政策，2025 年），价值 8000 万元的新能源生产线方能向学生开放。

4. 数据治理：构建智能预警的神经中枢

打通数据壁垒需建设校级“教学数据大脑”。技术层面参照渭南师范学院方案构建统一数据中台，通过 ETL 工具整合 12 套业务系统；建立元数据模型，实现学生挂科预警与课堂考勤数据逻辑自洽。效能突破关键在于开发能力达成度监测仪表盘，实时推送课程目标偏离预警；引入 AI 辅助分析，如天津财经大学珠江学院的“PowerBI＋智能体”系统使案例更新时效从数月压缩至分钟级；建立数据驱动的专业预警熔断机制，对区域就业率连续两年低于 50%的专业停止招生。唯有数据从“负担”转为“资产”，质量决策方能走出经验迷雾。

三、理念、机制、文化与数据：质量保障的四维支柱

地方院校质量保障体系的深层变革，仰赖理念引领、机制支撑、文化滋养与数据赋能的协同共构。四者如鼎之四足，缺一不可。

1. OBE 理念：质量保障的价值灵魂

成果导向教育（OBE）是破除“输入偏向”痼疾的利器。其精髓在于以学生的最终学习成果为逻辑起点，反向设计课程体系与评价标准。盐城工学院的实践印证其效能，通过“培养目标—毕业要求—课程目标”三级映射，使机械专业的“智能生产线调试能力”指标达成度两年提升 15%。理念落地的核心在于“两个转化”，将抽象理念具象为可操作工具（如课程地图、达成度计算模板），将文件表述转化为教师行动自觉（如工作坊演练“市场营销学”课程中的真实市场诊断任务设计）。当教师从讲授二叉树遍历转向训练利用数据结构优化算法效率，其理念方完成从认知到实践的惊险一跃。

2. 闭环机制：质量保障的动力筋骨

持续改进的生命力源于严密的“评价—反馈—改进”循环。肇庆学院的“内评筑基工程”将审核评估要素转化为常态化专业评估：五年一轮全面评估衔接年度状态监测，依据企业问卷、课程达成度数据发布预警；评估结果直通资源配置，优秀专业获重点支持，落后专业被限招整改。机制有效的密钥是“三挂钩”，评价结果与招生计划、经费分配挂钩，整改成效与干部考核挂钩，督导报告与教师帮扶挂钩。当 127 项评估整改任务从“材料打钩”转向“措施—证据—效果”追踪闭环，机制方显刚性力量。

3. 质量文化：质量保障的精神血脉

文化是制度运行的润滑剂和黏合剂。河北某院校的“五自”质量文化（自觉、自省、自律、自查、自纠）通过制度赋能将评教数据与课程迭代绑定，主体激活设立“教学卓越奖”使奖金等同于科研项目，文化浸润每月举办质量反思沙龙。文化培育需突破三重壁垒，打破控制型管理传统，转向全员共治范式；建立学生质量听证会制度，提升参与度；推动质量责任嵌入职称评审核心指标，使教学贴钱逆转为育人创值。当质量从行政任务转化为价值追求，文化自觉便蔚然成风。

4. 数据智能：质量保障的决策神经

数据驱动是智慧治理的基石。滨州学院“智慧教学新基建”的启示在于建设一体化平台消除 12 套系统孤岛，利用学习行为数据构建学业预警模型（准确率达 85%），基于课堂物联网设备采集多模态数据生成教学效果热力图。数据价值的释放需聚焦“三化”，分析智能化（AI 诊断作业文本、视频语义分析），服务场景化（向教师推送个性化教学改进建议），决策可视化（校级领导驾驶舱动态显示“课程目标偏离度”）。当某校《学生学习成效报告》从平均分统计升级为能力短板归因图，数据方能成为质量提升的战略资产。

审核评估的深层价值，在于推动地方院校质量保障实现三重跨越，从材料运动走向能力生成，将 983 盒过程文档转化为“复杂问题解决能力”的证据链；从评估驱动转向文化自觉，使质量责任从迎评办公室下沉至每位教师的日常教案；从经验判断跃入智慧治理，让大数据预警取代学生基础弱的粗放归因。

未来的质量革命，锚定四个支点：以 OBE 理念重塑质量价值坐标，使培养目标扎根区域经济土壤；以闭环机制锻造质量提升引擎，用销号管理拧紧持续改进的发条；以质量文化滋养全员治理生态，用“五自”精神取代运动式应付；以数据智能构筑决策神经中枢，让沉睡档案转化为预警雷达。当数控机床的轰鸣声应和着区域产业的脉动，当课堂代码同步于企业开发平台，当质量报告从优秀率展示变为短板归因书，地方院校方能在服务区域发展中铸就不可替代的质量丰碑。

第二节 主要对策建议

前文对审核评估理念与要义、地方院校质量保障体系的建设成效、核心问题、影响因素及优化路径等做了深入剖析。据此，本书提出具有建设性与实践性的对策建议。构建长效、可持续的质量保障体系，既需要院校内部精准发力、分阶段推进，也离不开教育行政部门的科学引导与有力支持。二者协同联动，方能切实提升地方院校本科教育教学质量。

一、地方院校内部：分阶段深化质量保障体系建设

地方院校作为质量保障的核心主体，需立足自身发展阶段与实际，制定清晰、可操作的阶段性优化策略，实现从机制完善到文化浸润的纵深发展。

1. 近期（1~3年）：聚焦机制闭环，夯实运行基础

首要任务是打通质量保障“最后一公里”，构建及时响应、有效反馈、持续改进的刚性运行闭环。具体而言：一是强化评价结果应用的制度约束力。将课程评估、专业评估、教学督导、学生评教、毕业生跟踪等多元评价结果，与教学单位及个人的绩效考核、资源配置、评优评先、职称晋升实质性挂钩，建立清晰、透明的结果运用清单与流程（如规定评价结果在资源配置权重中占比不低于30%），杜绝评价流于形式。二是建立敏捷的“评价—反馈—改进”响应链。设立校级教学质量数据中心或专门协调机构，统一归口管理各类评价信息，运用信息化平台实现评价数据的快速汇总、分析与可视化；明确各类问题从发现、诊断、责任分配到整改验收的时限（如重大问题限时3个月响应并制定方案），形成标准化的问题处置流程，确保评价发现的问题能及时转化为具体的、可追溯的改进行动。三是完善常态化的质量监测与预警机制。依据审核评估核心指标及学校自身短板（如实践教学条件、师资结构、生师比等），设定关键质量监测阈值，开发自动化预警模型，实现对核心办学条件、教学过程关键环节（如调停课率、实验设备完好率）的动态监控与风险提示，变事后补救为事前预防。

2. 中期（3~5年）：着力数据治理，驱动精准决策

在机制有效运行基础上，应系统推进教育教学数据治理体系建设，将分散、孤立的数据转化为驱动质量持续提升的核心资产与决策依据。重点举措包括：一是构建校级教育教学数据中台，打破“数据孤岛”。整合教务、学工、人事、科研、设备、就业等业务系统数据，制定统一的数据标准、编码规则与接口规范，建立涵盖“输入—过程—输出—反馈”全链条的本科教学核心数据库，实现数据的“一源多用”与“同数同源”。二是提高数据分析与挖掘能力。引进或培养专业的数据分析团队，运用学习分析、教育数据挖掘等技术，深入探究学生学习行为模式、课程教学效果关联、毕业生发展质量等复杂关系。例

如，通过关联分析识别影响学生学业成绩的关键因素（如特定课程组合、教师教学风格、课外活动参与度），为课程改革、学业帮扶提供精准靶向。三是建立基于证据的质量报告与决策支持系统。定期生成多维度（校、院、专业、课程、教师）、可视化（仪表盘、热力图）的质量分析报告，直观呈现优势、短板与趋势；推动校院两级管理决策（如专业调整、资源分配、政策制定）从经验驱动转向数据驱动，提升资源配置的科学性与精准度。

3. 长期（5年以上）：深耕质量文化，铸就内生自觉

质量保障的终极目标是培育全员参与、自觉自律、持续改进的质量文化，使之成为组织的基因与灵魂。这需要持之以恒的努力：一是强化质量价值观的深度浸润与认同。将质量意识、标准意识、持续改进理念融入新教师入职培训、管理干部研修、全员师德师风教育的核心内容；通过树立教学卓越奖、质量贡献典范等标杆，讲述质量提升的生动故事，营造“质量至上、追求卓越”的浓厚氛围。二是充分赋权并激发基层学术组织活力。明确院系、专业、课程团队在质量保障中的主体责任，赋予其在培养方案修订、课程体系设计、教学方式改革、质量评价标准制定等方面更大的自主权；支持建立专业教学指导委员会、课程组等基层质量共同体，鼓励基于学科专业特色的质量保障模式创新。三是建立开放、包容、反思的质量对话机制。定期举办跨学科、跨部门的教学质量研讨会、教学沙龙、优秀案例分享会；鼓励教师公开教学反思日志、课程改进报告；建立便捷的师生质量诉求表达与回应渠道（如“教学质量直通车”在线平台），促进关于质量问题的坦诚交流、经验互鉴与集体反思，使质量改进成为组织成员的共同追求和自觉行动。

二、教育行政部门：强化政策供给与分类引导

教育行政部门在优化高等教育治理结构、引导地方院校特色发展、促进资源公平配置方面扮演关键角色，其政策导向与支持力度直接影响地方院校质量保障体系优化的效能。

1. 优化评估导向：突出应用特色与发展增量

审核评估应成为引导地方院校坚守应用型定位、聚焦内涵式发展的“指挥棒”，而非同质化竞争的标尺。具体建议如下：一是在评估指标体系中显著加大应用型办学要素权重。对地方应用型高校，应重点考察其对接区域产业需求的契合度（如专业集群与产业链匹配度）、产教融合深度（如产业学院、现代学徒制实效）、双师型师资比例与结构、实践教学体系完善度、毕业生地方贡献率（如本地就业创业比例、服务中小企业案例）等。二是强化发展性评估理念，重视质量改进的纵向比较。评估结论应清晰呈现学校在上一轮评估周期内的改进成效、关键突破点（如机制创新、特色凝练）以及持续存在的短板，避免简单横向排名；建立评估“回头看”机制，重点跟踪学校针对薄弱环节所采取的整改措施及其实际效果。三是建立评估结果与政策支持的紧密联动机制。对在应用型转型、服务地方、质量保障机制创新等方面成效显著的高校，在硕士点增列、专项经费拨付、高水平应用型项目申报等方面给予明确倾斜，释放强烈的政策激励信号。

2. 加强分类指导：尊重差异，精准施策

需彻底摒弃“一把尺子量所有”的做法，构建多层次、多维度的分类指导体系，精准

对接不同层次、不同类型地方院校的发展需求。主要措施如下：一是研制并动态更新更精细化的地方院校分类标准与指导目录。在应用型大类下，进一步区分以工程技术为主、服务城市发展为主、支撑县域经济为主等子类型，明确其不同的发展重点、核心能力要求和资源配置标准。二是委托专业机构或联盟开发针对性强的发展指南与工具箱。例如，为县域应用型高校定制服务乡村振兴特色专业建设指南、县域产业技术服务平台建设规范；为以文科见长的地方院校提供文科应用型人才培养模式创新案例集、文化创意产业服务能力提升路径等。三是建立"一校一策"的精准帮扶与协商机制。省级教育行政部门可组建由评估专家、高水平大学管理者、行业企业代表构成的顾问团，针对特定院校在质量保障体系构建、特色凝练、师资队伍建设等方面的瓶颈问题，进行深度诊断并提供定制化咨询与资源对接服务。

3. 强化资源倾斜：聚焦短板，靶向投入

资源配置应向地方院校，特别是中西部、基础薄弱院校的核心能力短板和关键办学环节集中投入，破解制约质量提高的瓶颈因素。主要措施包括：一是设立地方院校质量保障能力提升专项基金。重点支持地方院校用于数据治理平台建设与升级（如校级数据中台、智能分析系统）、质量保障专职队伍（如数据分析师、评估专员）培养与引进、基层教学组织（如虚拟教研室、课程群团队）质量活动开展、教师教学能力系统化培训（如课程思政、混合式教学、项目式学习）。二是优先保障实践教学条件达标建设。加大专项投入，支持地方院校建设、更新贴近产业实际的实验实训场所，补充先进适用的仪器设备；建立区域性共享型大型实践教学平台或虚拟仿真实验教学中心，解决部分院校单体投入不足问题；完善校企共建共管共享实践基地的激励机制与标准。三是实施地方院校骨干教师教学卓越计划。设立人才专项，资助地方院校教师系统性地赴高水平大学、知名企业访学进修，参与课程开发与教学改革项目；建立区域性教学名师工作室，开展针对性强的教学能力提升工作坊；在国家级教学名师、教学成果奖评选中，单列地方院校通道或提高入选比例。

4. 促进经验交流：搭建平台，共享互鉴

构建高效、活跃的区域性乃至全国性的地方院校质量保障经验交流与协作网络，加速优秀实践的扩散与本土化创新。具体路径如下：一是打造权威、常态化的交流品牌平台。教育部或省级教育行政部门牵头，定期（如每年）举办全国地方本科院校教学质量保障高峰论坛、应用型高校特色专业建设与评估研讨会等，聚焦共性难点问题（如数据治理、产教融合评价、质量文化培育），邀请国内外先进院校分享成功案例与深刻教训。二是建立基于类型或地域的院校协作联盟。鼓励和支持成立如全国县域应用型高校联盟、地方师范院校教学质量保障协作体等，制定联盟章程，明确成员在资源共享（如优质课程、评估工具）、联合研究（如共性问题攻关）、同行评议（如跨校专业评估）等方面的权利与义务，促进深度合作。三是建设开放共享的在线资源库与案例中心。由国家级教育质量监测机构或专业协会负责，广泛征集、严格筛选、系统整理地方院校在质量保障机制创新、特色专业建设、课程改革、数据应用、文化培育等方面的优秀实践案例、政策文件模板、工具方法（如调查问卷、数据分析模型），形成标准化、可检索的在线数据库，供所有院校免费学习借鉴。

地方院校本科教育教学质量保障体系的优化，是一项涉及理念更新、机制重构、技术赋能、文化重塑的系统工程。院校内部需秉持“功成不必在我，功成必定有我”的决心，立足当下、着眼长远，分阶段、有步骤地夯实机制闭环、强化数据驱动、涵养质量文化，激发内生动力与创新活力。教育行政部门则需强化顶层设计与政策协同，通过优化评估导向、深化分类指导、加大精准投入、促进开放共享，为地方院校营造更有利的制度环境与发展生态。唯有院校主体自觉与行政精准发力同频共振，方能共同构筑起适应新时代要求、具有地方特色、可持续演进的高质量本科教育教学保障体系，切实履行好为党育人、为国育才的神圣使命。

第三节　未来研究展望

教育质量是高等教育的生命线，而质量保障体系则是维系这条生命线的核心制度安排。前文系统阐述了地方本科院校教育教学质量保障的建设成效、问题症结、影响因素及优化路径，以下着眼于未来研究图景，聚焦四个关键维度：质量保障长效机制的可持续性研究、人工智能等新技术在质量保障中的应用前景、质量保障成效的量化评估与增值评价研究以及国际比较视野下的地方院校质量保障模式研究。这些研究方向既回应了国家《深化新时代教育评价改革总体方案》的战略需求，也契合了地方院校内涵式发展的现实诉求。本书通过前瞻性探索，旨在为构建具有中国特色、地方底蕴的高等教育质量保障体系提供学术支撑和路径参考。

一、质量保障长效机制的可持续性研究

质量保障长效机制的可持续性研究须突破当前运动式整改的路径依赖，转而探索制度内生动力与外部资源适配的协同演进机制。我国地方院校在评估整改中往往表现出迎评促建时高度重视，评估过后动力衰减的周期性波动。牡丹江师范学院在审核评估整改实践中提出校领导真抓、各部门真改、全体师生真干的三真原则，其核心价值在于将外部评估压力转化为持续改进的内生文化基因，为长效机制研究提供了典型样本。未来研究应聚焦三个维度：组织机制的韧性构建、动力机制的多元激发以及资源保障的动态适配。

1. 在组织机制上，需探索“制度—文化—技术”三位一体的可持续框架

制度上通过质量保障条例等规范性文件明确质量主体责任，文化上培育自觉、自省、自律的质量文化，技术上借鉴重庆大足区教育质量监测大数据平台经验，建立覆盖13万余名学生的动态数据库，实现数据驱动的持续改进。重庆大足区的实践表明，当98%的监测指标能实时关联生师比、设备值等资源配置因子时，质量保障便自然嵌入学校常规治理结构，避免为评估而评估的形式化倾向。

2. 在动力机制上，利益相关者协同网络构建是维持长效性的关键

研究表明，当学校自主评估能力薄弱时，仅有23%的质量年报能深度剖析教学短板。未来研究应设计“政府—学校—第三方”权责清单模型，政府侧重标准制定与资源保障，

学校聚焦内生式诊断与改进，第三方专业机构提供认证与评估服务。例如重庆市大足区通过质量多元评估实施办法明确三方边界，建立评估争议调解机制，使农村学校课后服务满意度从 72%提升至 95%。

3. 资源保障机制的核心在于破解资源约束与质量目标间动态平衡难题

研究须关注两个重点：一是质量成本计量模型构建，测算人员投入、技术平台、改进项目的边际效益；二是资源分配的“监测—预警—调配”响应机制设计。怀化学院的实践具有启示意义——将成果转化收益的 20%设立为质量保障基金，使横向经费年增长 120.3%，反哺教学条件改善。此类资源内循环模式为长效性提供了经济基础，值得深入探究其普适条件与制度壁垒。

二、人工智能新技术在质量保障中的应用前景

人工智能技术正在重塑教育质量评估的方法论体系，推动质量保障从经验判断向数据驱动范式转型。希沃 AI 研究团队开发的课堂教学智能反馈系统，基于 LICC 课堂观察模型构建教学质量常模框架，能精准捕捉讲授语速、提问质量、互动效率等 23 项教学行为指标，为传统上依赖主观经验的课堂评价提供了客观量化工具。人工智能在质量保障中的应用将向三个纵深领域拓展：智能监测体系构建、诊断决策支持优化、教师发展精准赋能。

1. 智能监测体系革命性突破在于多模态学习分析技术的成熟应用

传统质量监测依赖结构化数据采集，而人工智能能融合文本、语音、微表情等非结构化数据。好未来集团研发的 GodEye 课堂质量检测系统是典型代表，其在 2020 年疫情期间累计分析 460 万小时线上课程，通过 NLP 模型识别教学指令实施情况。数据显示，系统应用后教师“提醒学生做笔记”等关键教学行为的触发率提升 40%，有效改善线上教学交互质量。未来研究须进一步探索跨模态语义对齐技术，解决教学视频中板书、语音、课件的内容协同分析难题，构建全景式课堂画像。

2. 人工智能在诊断决策环节将实现从数据描述向预测干预的跨越

淄博师范高等专科学校的实践预示了发展方向，其构建的义务教育质量测评服务平台，整合人工智能与大数据的优势，形成“数据采集—智能诊断—精准反馈—决策支持”四阶闭环。该平台的智能化诊断模型能定位教学短板，如通过作文批改系统识别学生议论文中论据不足的比例达 79%，为课程调整提供精准靶向。未来研究的突破点在于教学问题归因算法的开发（如将学生成绩波动归因于教学方法或课程设计）、教育资源优化配置模拟系统的构建（预测不同投入方案的质量提升效应），使质量改进从事后补救转向事前干预。

3. 教师发展赋能是人工智能应用的伦理价值高地

当前 AI 教育工具多聚焦学生端评价，而希沃系统创新性地为教师提供教学行为镜鉴。通过分析讲授语速与思维激发效度的相关性，帮助教师优化课堂节奏；通过互动效率分析推动教师角色从知识传授者向学习引导者转变。未来研究亟须探索人机协同的教师成

长路径：一是构建“AI诊断＋导师指导”的双轨改进模式；二是开发教学策略推荐知识图谱，如针对概念理解困难的学生自动推送可视化工具；三是建立教师数字伦理培训体系，防范算法偏见替代专业判断。这些探索将使人工智能成为教师专业自主发展的伙伴而非监督者。

三、质量保障成效的量化评估与增值评价研究

增值评价作为破解“唯分数论”的关键工具，其科学性与公平性将成为未来研究的核心命题。传统评价多关注学业成就的绝对水平，而增值评价聚焦学生或学校的进步幅度，更能体现教育过程的贡献值。重庆市大足区的实践具有开创性，其采用“基线模型＋多元回归”的方法，以入学成绩和家庭背景为协变量，计算学业增值分数。某农村初中数学平均分从 62 分增至 75 分，经增值模型校准后被评为进步明显，教师因此获教学贡献奖。未来研究需着力突破三大瓶颈：多维指标体系的构建、城乡差异的公平度量、归因机制的深度解析。

1. 评价维度拓展是增值评价科学化的基石

当前增值评价主要依赖学业成绩数据，对德育、实践能力等非学业指标缺乏有效测量。研究需整合三种路径：一是开发表现性评价量表，如重庆大足区在劳动教育监测中设计的家务劳动、校园劳动、生产劳动 3 维度 12 指标量表；二是应用模糊综合评价法将质性观察转化为量化数据；三是构建综合素养成长曲线模型，如借助“学生综合素质成长档案袋”信息系统动态采集艺术素养、合作能力等发展轨迹。多维指标体系的完善将使增值评价真正呼应“五育并举”的教育方针（表 9-1）。

表 9-1　增值评价的多维指标体系框架

维度	核心指标	数据采集方式	城乡权重系数
学业发展	标准分进步率、高阶思维达标率	标准化测试、作业分析	城区 1.0/农村 0.95
艺术素养	审美表现、技能掌握	作品评审、展演观察	城区 1.0/农村 1.05
劳动实践	劳动时长、成果创造性	过程记录、成果评定	城区 0.9/农村 1.10
社会情感	合作能力、情绪管理	情境测评、同伴评价	城区 1.0/农村 1.0

2. 城乡差异的公平度量需要建立差异化补偿机制

重庆大足区的监测显示，城区学校语数外及格率普遍高于农村，但农村学生进步空间更大，2024 年农村学校数学平均分增幅比城区高 8 分。未来研究应重点攻关：一是增值基准线的区域校准模型，如为农村学校设置发展性目标；二是教育生态补偿系数，将师资短缺、设备不足等背景因素纳入评价方程；三是进步幅度分级认定标准，避免城乡简单排名。这些机制将扭转输入不平等导致输出歧视的评价偏差，使农村学校的教育努力得到公允承认。

3. 归因机制研究直指质量改进的靶向性

增值评价若止步于效果判断而不剖析成因，则易沦为新型排名工具。深度归因须结合三种方法：一是教育生产函数建模，分析教师专业发展投入、课程改革力度等变量对增值

分数的贡献率；二是混合研究设计，如某校增值显著则通过教师访谈、课堂观察解析成功要素；三是跨学科交叉验证，如用教育经济学边际效益理论解释资源投入的增值效率。重庆大足区宝兴小学的案例证明归因的价值，通过发现校本教研与学生科学素养达标率87%的相关性（三年提升25%），为同类学校提供可复制的改进路径。

四、国际比较视野下地方院校质量保障模式研究

全球化语境下质量保障模式比较研究，是破除路径依赖并培育本土化范式的重要学术进路。联合国旅游组织（UN Tourism）的教育质量认证（TedQual）为国际比较提供了典型样本，其从雇主满意度、学生发展、课程实效、师资水平、管理效能、伦理准则六个维度构建认证体系。重庆文理学院成为重庆市首个通过该认证的高校，其会展经济与管理专业以785分（满分845分）获三年期认证，彰显国际标准与地方特色的融合可能。未来研究需聚焦三个方向：认证驱动型模式的本地化调适、能力本位范式的课程重构、政府角色定位的国际比较。

1. 国际认证本土化调适需解决标准适配性与文化兼容性矛盾

研究揭示直接套用国际标准将导致认证悬浮，学校为达标投入资源却未提升实际质量。有效调适应遵循“吸收—重构—创新”路径。在吸收方面，借鉴联合国世界旅游组织将全球旅游伦理准则纳入评价的特色，将立德树人根本任务转化为可测指标；在重构方面，参考欧洲应用技术大学联盟专业认证标准，重新定义“地方服务贡献度”观测点（如技术帮扶企业数、毕业生本地就业率）；在创新方面，如重庆大足区增设“石刻文化传承”指标，65所学校据此开发校本课程并获省级教学成果奖。经此过程，国际标准方能扎根中国教育土壤。

2. 能力本位教育范式为应用型高校质量保障注入新理念

国际比较发现，加拿大阿尔伯塔省的CBE模式强调能力图谱构建、模块化课程设计、表现性评价三位一体。其核心启示在于：首先，能力图谱应源于产业需求分析，如某应用型高校基于物联网企业调研确定“边缘计算部署”等32项专业能力；其次，课程模块与能力点精准对应，避免知识传授与能力培养脱节；最后，评价聚焦能力掌握证据而非课时累积。内蒙古科技大学在审核评估中贯彻OBE理念（成果导向教育），构建“需求—目标—过程—评价”闭环，正是CBE的本土实践。未来研究需进一步探索能力最小单元拆分技术、跨模块能力整合评价方法等核心技术。

3. 政府角色定位的国际比较将优化质量治理结构

研究需剖析三类模式：一是美国分权制，联邦政府通过全国学生参与度调查（NSSE）等间接工具影响质量；二是法国集权制，国家评估委员会（CNE）直接行使评估权；三是日本混合制，文部省设定基准，第三方机构开展认证评价。中国地方政府创新实践如内蒙古的双线考核机制，将评估结果同时纳入教育主管部门履职考核与学校年度考核，实现行政督导与院校自主的平衡。未来研究可探索“政府元评估+第三方专业评估+学校自评”的分级模式，其中政府重点评估质量保障体系有效性，如学校是否建立完善的

“数据驱动—问题诊断—精准改进”闭环管理机制，避免直接干预教学过程。

国际比较的最终归宿是本土化创新。须构建“比较—批判—创造”的三阶研究框架，在比较阶段系统梳理德国 FH 模式、英国教学卓越框架（TEF）等方案；在批判阶段识别文化差异与制度壁垒，如英国 TEF 将毕业生薪酬作为核心指标在中国语境下的适用性质疑；在创造阶段生成本土范式，如融合德国专业认证的严谨性与美国学生参与度评价的灵活性，结合中国的以评促建传统，打造具有国际话语权又彰显中国特色的质量保障模式。牡丹江师范学院正是此路径的先行者，其构建的“三色育人”体系（红色文化铸魂、绿色实践培能、银色冰雪创新），既呼应联合国教科文组织的全人教育理念，又彰显龙江地域特色，成为全国评估整改的典范案例（表 9-2）。

表 9-2 国际质量保障模式本土化路径比较

模式类型	代表国家/组织	核心理念	本土化适配策略
认证驱动型	联合国世界旅游组织、美国工程与技术委员会	专业标准认证	增设“服务地方特色产业”指标
能力本位型	加拿大、德国应用科技大学	能力图谱导向	开发产业需求对接的模块化课程
政府主导型	法国、日本	国家基准控制	转化为“标准—监测—改进”闭环管理
学生发展型	美国	学习投入度	设计五育并举的学生参与评价

综览上述四大研究展望，地方院校质量保障体系的未来探索既需要扎根中国大地、聚焦现实问题，也需要拓展国际视野、善用技术赋能。在长效机制构建中培育制度韧性，在技术应用中平衡工具理性与价值理性，在增值评价中彰显教育公平，在国际比较中实现本土创新，四者共同指向高质量教育体系的核心目标——促进人的全面发展和服务社会进步。这些研究方向不仅具有学术前瞻性，更承载着推动高等教育内涵式发展的历史使命，亟待学界同仁共同深耕，以学术创新支撑教育强国建设的伟大实践。

参考文献

一、图书著作

[1] BURTON R C. The higher education system: academic organization in cross-national perspective [M]. Berkeley: University of California Press, 1983: 170-175.

[2] DEMING W E. Out of the crisis [M]. Cambridge: MIT Press, 1986: 88-89.

[3] EATON J S. Accreditation in the United States [M]. New York: Routledge, 2020: 9-17.

[4] KEHM B M. The German system of accreditation [M] // Quality assurance in higher education. Cham: Springer, 2019: 145-160.

[5] SPADY W G. Outcome-based education: critical issues and answers [M]. Arlington: American Association of School Administrators, 1994: 1-15, 85-102.

[6] 陈小虎．应用型本科教育质量保障研究 [M]. 北京：科学出版社，2019：102-118，175-188.

[7] 蔡敬民．审核评估视角下的 OBE 实践误区 [M]. 合肥：中国科学技术大学出版社，2024. 77-83.

[8] 司法部部级科研项目．高等法律职业教育研究 [M]. 北京：中国政法大学出版社，2005：69.

[9] 詹姆斯·R．埃文斯，威廉·M．林赛．质量管理与质量控制 [M]. 7 版．北京：中国人民大学出版社，2014：54.

[10] 教育部高等教育教学评估中心．本科教育教学审核评估工作指南 [M]. 北京：高等教育出版社，2025：37-41，58-61，63-67.

[11] 约瑟夫·M．朱兰．朱兰质量手册 [M]. 6 版．北京：中国人民大学出版社，2014：57，89-92.

[12] 李志义．高校分类评价体系重构：从问责走向改进 [M]. 北京：高等教育出版社，2024：112-125.

[13] 林杰．问责与改进：高等教育评估与质量保障 [M]. 北京：教育科学出版社，2018：68.

[14] 刘振天．高校教学评估有效性研究 [M]. 北京：高等教育出版社，2018：120.

[15] 马廷奇．高等教育教学改革与质量保障 [M]. 武汉：武汉大学出版社，2017：102-105.

[16] 马克斯·韦伯．学术与政治 [M]. 北京：三联书店，1999：78-82.

[17] 潘懋元，周群英．应用型本科教育导论 [M]. 北京：教育科学出版社，2013：89.

[18] 王建华．学习科学视角下的分层教学实证研究 [M]. 北京：教育科学出版社，2024：112-118.

[19] 王战军．高等教育资源配置效率研究 [M]. 北京：教育科学出版社，2016：124.

[20] 张大良．扎根中国大地办好设计教育 [M]. 北京：高等教育出版社，2020：198-200.

[21] 张安富．高校实验室安全管理 300 问 [M]. 武汉：武汉理工大学出版社，2023：156-160.

[22] 张安富．高校实践教学质量管理案例集 [M]. 武汉：武汉理工大学出版社，2023：133-137.

[23] 张华．课程与教学论 [M]. 2 版．上海：上海教育出版社，2020：256-260.

[24] 袁振国．当代教育学 [M]. 6 版．北京：教育科学出版社，2019：345.

[25] 周三多．管理学 [M]. 7 版．上海：复旦大学出版社，2018：152.

[26] 钟秉林．高等学校内涵式发展：挑战与路径 [M]. 北京：教育科学出版社，2017：98.

[27] 周光礼．中国高等教育质量保障体系研究 [M]. 北京：中国人民大学出版社，2019：176.

[28] 程家福．来华留学生教育结构历史研究（1950—2010）[M]. 上海：同济大学出版社，2012：92-95.

[29] 程家福．社会转型期农民子女重点大学入学机会不均等问题研究 [M]. 上海：上海交通大学出版社，2015：78-79.

[30] 程家福，等．大学生心理健康教育［M］．上海：上海交通大学出版社．2023：89-92.

二、期刊文献

[1] EATON J S. Accreditation in the United States [J]. New directions for higher education，2020（191）：9-17.

[2] EHLERS U D. Understanding quality culture [J]. Quality assurance in education，2009，17（4）：343-363.

[3] GUNN A. Metrics and methodologies for measuring teaching quality in higher education [J]. Higher education policy，2018，31（2）：159-182.

[4] HARVEY L. The power of accreditation：views of academics [J]. Journal of higher education policy and management，2004，26（2）：207-223.

[5] HARVEY L，STENSAKER B. Quality culture：understandings，boundaries and linkages [J]. European journal of education，2008，43（4）：430-435.

[6] LOCKE W. The changing role of external examining in UK higher education [J]. Studies in higher education，2021，46（5）：987-1001.

[7] SCHWARZ-HAHN S，REHBURG M. Programme and system accreditation in Germany [J]. European journal of higher education，2020，10（2）：178-193.

[8] TEICHLER U. The German model of higher education [J]. International higher education，2017（89）：23-25.

[9] 程家福，等．基于成果导向教育的一流本科专业培养方案创新设计研究［J］．淮北师范大学学报（哲学社会科学版），2020（5）：98-102.

[10] 别敦荣．论大学教学学术共同体建设［J］．高等教育研究，2019（5）：48-53.

[11] 别敦荣．新一轮普通高校本科教育教学审核评估方案的特点、特色和亮点［J］．中国高教研究，2021（3）：7-13.

[12] 陈彪，栾雨欣．英国高等教育教学质量监管：缘起、结构及启示［J］．黑龙江高教研究，2024（12）：80-87.

[13] 陈晖，刘涛．“六个机制”推动应用型本科高校教学质量保障体系优化升级——以大连大学为例［J］．大连大学学报，2025，46（1）：118-122.

[14] 陈立斌．混合式教学实效性实证研究［J］．电化教育研究，2024（6）：112-118.

[15] 陈立斌．高校教师教学精力占用实证分析［J］．高等教育管理，2025（1）：112-120.

[16] 陈立斌．应用型高校专业设置同质化风险预警模型构建［J］．教育发展研究，2025（2）：67-73.

[17] 陈先哲，李梓欣．新制度与小革命：德国应用科学大学的制度化及其高等教育体系转型［J］．教育研究，2024，45（10）：111-120.

[18] 陈·巴特尔，等．地方高校服务乡村振兴：模式、机制与政策建议［J］．国家教育行政学院学报，2022（2）：89-95.

[19] 陈以一．高等学校内部教育教学质量保障体系建设的思考——基于同济大学教学质量保证体系的建设与实践［J］．中国高教研究，2016（1）：51-53.

[20] 邓淼磊．基于工程教育专业认证的高校教学质量保障体系构建研究——评《我国地方本科院校教学质量保障体系研究》［J］．中国高教研究，2024（6）：21-25.

[21] 范菁．高校内部教学质量保障体系建设的现状与展望——基于本科审核评估实践的研究［J］．中国大学教学，2019（3）：48-53.

[22] 方乐．国际高等教育质量保障改革发展及其启示［J］．上海教育评估研究，2017（5）：56-61.

[23] 方潜生，等．从审核评估看高校内部教学质量保障体系的完善［J］．现代教育管理，2019（11）：57-61.

[24] 冯启高．美国大学本科教学质量保障特点及启示［J］．河南科技学院学报，2019，39（8）：65-69.

[25] 付宏，等．产教融合型高校建设的实践逻辑［J］．教育研究，2023（8）：112-120.

[26] 谷陟云．高校教育质量文化研究：脉络梳理与路向展望［J］．高教探索，2021（5）：62-68.
[27] 关不羽．教育资源配置结构性矛盾研究［J］．教育发展研究，2025（3）：61-69.
[28] 顾小清，等．教育数据治理：框架、挑战与实践路径［J］．开放教育研究，2021，27（4）：78-82.
[29] 顾永安．应用型高校建设的内涵、路径与评价［J］．高等工程教育研究，2020（3）：109-114.
[30] 韩叶秀．全面质量管理视角下应用型院校教学质量保障体系的完善［J］．教育与职业，2018（5）：68-71.
[31] 郝莉，冯晓云，朱志武，等．新一轮审核评估背景下高校内部质量保障框架与途径研究［J］．中国高教研究，2021（10）：58-66.
[32] 何杨，彭绪梅，刘俊鹏．高校开展学院本科教学工作评估的实践及效果探析——以大连海洋大学为例［J］．中国管理信息化，2016，19（9）：238-240.
[33] 侯翠红，等．红色文化融入专业课程的创新实践［J］．中国大学教学，2025（3）：28-32.
[34] 胡兴志，王纪坤，张勇，等．德国 FH 模式对我国应用型本科工程教育的启示［J］．华北科技学院学报，2014，11（3）：100-104.
[35] 华尔天，高云，吴向明．构建多元开放式本科教学质量保障体系的研究——基于产出导向教育理念的探索［J］．中国高教研究，2018（1）：64-68.
[36] 黄爱华．英美大学教学质量保障体系探析［J］．现代教育科学，2011（1）：43-45.
[37] 江珊．哈佛大学教学质量保障体系建设探析——基于学生评教的视角［J］．高校教育管理，2016，10（2）：86-94.
[38] 江艳，吴凡．疫情背景下美国一流大学教学质量保障体系研究［J］．高教探索，2022（4）：19-22.
[39] 康宏．我国高等学校内部质量保障体系的建构［J］．教育理论与实践，2009，29（3）：6-8.
[40] 李峰光，冯丹，李莹，等．中英两所高校信息化教育手段应用对比分析［J］．中国教育技术装备，2019（6）：115-117.
[41] 李岚．应用型高校实践教学资源利用率提升策略［J］．实验技术与管理，2024（6）：45-51.
[42] 李莉，关鹏，李明玲，等．OBE 教育理念下地方应用型本科高校质量文化建设路径研究［J］．宿州学院学报，2024，39（8）：65-70.
[43] 李文静，周志刚．德国职业学校教育质量保障：经验与借鉴［J］．中国职业技术教育，2014（24）：61-66.
[44] 李忆华，凌均卫．论高校质量文化的培育［J］．当代教育论坛，2004（12）：63-65.
[45] 李亚东．战略谋划携手共建：开创中国高等教育质量保障新局面——全国高校质量保障机构联盟成立大会学术报告综述［J］．高教发展与评估，2020，36（1）：36-46.
[46] 李贞刚，王红，陈强．基于 PDCA 模式的质量保障体系构建［J］．高教发展与评估，2018，34（2）：32-40.
[47] 李志宏．区域经济转型与高校专业调整的适配性研究［J］．教育研究，2025（3）：112-119.
[48] 李志宏．审核评估视角下的教学资源利用率研究［J］．中国高教研究，2024（6）：33-39.
[49] 李志宏．审核评估视角下的高校内部质量保障体系建设［J］．中国高教研究，2025（1）：37-41，45-51.
[50] 李志义．成果导向的教学设计［J］．中国大学教学，2015（3）：32-39.
[51] 李志义．成果导向的教学设计：从理念到实践［J］．中国大学教学，2024（1）：15-21.
[52] 李志义．成果导向教育（OBE）的闭环质量保障［J］．高等工程教育研究，2018（1）：48-54.
[53] 李志义．审核评估与高校内部质量保障体系建设［J］．中国高等教育，2015（17）：73-76，92.
[54] 李志义．新一轮审核评估的核心要义与实践路径［J］．中国高教研究，2024（1）：15-21.
[55] 李志义，朱泓，刘志军．如何正确认识本科教学审核评估［J］．中国大学教学，2012（10）：4-8.
[56] 李志义，朱泓，刘志军，等．用成果导向教育理念引导高等工程教育教学改革［J］．高等工程教育研究，2014（2）：29-34.
[57] 李志义，朱泓．以先进的质量保障理念促进本科教育教学综合改革——新一轮审核评估指标体系内涵解

析 [J]. 高等工程教育研究，2021 (6)：18-22，75-80.
[58] 梁少伶，逯长春．美国应用型本科人才培养模式研究——以纽约州立大学海事学院为例 [J]. 河北职业教育，2023，7 (2)：85-90.
[59] 林健．教师自主驱动的高校人才培养质量保障机制建设 [J]. 清华大学教育研究，2014 (1)：12-17.
[60] 林梦泉，等．新时代大学学科成效评价理论框架与应用探索 [J]. 中国高教研究，2021 (10)：34-41.
[61] 林雪卿．德国应用科技大学的教育与管理及其启示——以巴伐利亚州为例 [J]. 世界教育信息，2017，30 (1)：30-36.
[62] 刘华东，等．审核评估视域下高校教学质量保障体系的完善与重构 [J]. 中国大学教学，2017 (11)：63-67.
[63] 刘金富，陈浩，王训令．高校体育教学质量保障体系研究 [J]. 体育文化导刊，2016 (2)：151-156.
[64] 刘强．论我国高校教学质量保障体系价值理念与行为模式的重构 [J]. 江苏高教，2018 (2)：12-18.
[65] 刘献君．高等学校教学质量标准体系研究 [J]. 高等教育研究，2010 (11)：66-72.
[66] 刘雪梅．国外高校教育质量保障体系对我国的启示及借鉴 [J]. 中国成人教育，2013 (5)：123-125.
[67] 刘志文，郑少如．美国应用型本科院校的特色发展之路——罗斯-霍曼理工学院的经验与启示 [J]. 江苏高教，2015 (4)：60-63.
[68] 陆根书，等．大学生学习经历与学习成果的关系研究——基于全国本科院校调查数据的分析 [J]. 复旦教育论坛，2019，17 (3)：28-36.
[69] 陆宇正，邱白丽．职业教育教学质量保障体系构建成效评估——基于职业本科院校教学质量报告的文本分析 [J]. 中国职业技术教育，2025 (10)：77-87.
[70] 马妍，汤佳妮．质量保障与评估：信息技术支撑下的院校应用 [J]. 中国职业技术教育，2019 (5)：30-35.
[71] 马卫国．职业本科内部教学质量保障体系建设刍议 [J]. 中国职业技术教育，2022 (23)：45-51.
[72] 倪可，唐湘宁．职业取向与双元机制：德国应用技术大学质量保障体系研究 [J]. 职业技术教育，2015，36 (33)：58-63.
[73] 潘懋元．地方高校定位与发展策略 [J]. 中国高教研究，2020 (5)：1-5.
[74] 潘懋元．高等教育质量建设的理念创新与实践路径 [J]. 中国高教研究，2018 (10)：57-63.
[75] 潘懋元．应用型本科院校的特色发展之路 [J]. 中国高教研究，2017 (5)：1-4.
[76] 潘懋元．应用型本科院校师资队伍建设研究 [J]. 中国高教研究，2017 (5)：1-5.
[77] 秦凤梅，莫堃．基于 CIPP 模型的职业教育产教融合质量评价研究 [J]. 西南大学学报（社会科学版），2022，48 (3)：194-203.
[78] 屈广清，吴国平，刘向红．新评估方案下新建本科高校合格评估的动向与难点 [J]. 福建江夏学院学报，2014，4 (2)：109-118.
[79] 屈凌波．地方高校与区域经济协同发展机制研究 [J]. 高等工程教育研究，2024 (2)：45-52.
[80] 申天恩，斯蒂文·洛克．论成果导向的教育理念 [J]. 高校教育管理，2016，10 (5)：47-51.
[81] 盛永志．基于 OBE 理念的应用型本科教学质量保障体系建设——以哈尔滨金融学院为例 [J]. 金融理论与教学，2022 (3)：93-96.
[82] 孙进．培养高层次应用型人才——德国应用科学大学独具特色的人才培养模式 [J]. 世界教育信息，2012，25 (19)：23-26.
[83] 谭晋钰，王雁．大数据背景下高校教学质量保障体系构建——以审核评估为机遇与路径 [J]. 教育观察，2019，8 (23)：37-39.
[84] 汤雯雯．新一轮审核评估对应用型院校本科教学质量保障体系建设的启发 [J]. 大学（研究版），2021 (34)：25-27.
[85] 唐明超．共生理论视域下循证教学与教育科研成果转化的关系审视 [J]. 黑龙江高教研究，2024，42 (9)：1-7.

[86] 万德诚管理咨询．质量控制点设置原则［J］．质量管理，2011（3）：22-25.
[87] 王彬．质量文化建设的困境与突破［J］．中国高教研究，2024（11）：33-39.
[88] 王林发．职称评审制度对教学投入的抑制效应［J］．教师教育研究，2024（5）：67-73.
[89] 王林发．质保队伍专业化：从“督”到“导”的转型［J］．中国高教研究，2024（11）：33-39.
[90] 王战军．审核评估：推动高校本科教育教学高质量发展［J］．中国高教研究，2023（5）：56-62.
[91] 王战军．新时代研究生教育评价改革的思考［J］．学位与研究生教育，2020（1）：45-50.
[92] 吴建伟．国外高等教育质量保障体系的比较与借鉴［J］．科技文汇，2011（6）：77-79.
[93] 吴倩，程宜康．基于发展性的高职专业质量评价体系构建［J］．职教论坛，2019（11）：57-62.
[94] 吴岩．构建中国特色、世界水平的高尔夫教育质量保障体系［J］．中国高教研究，2020（1）：1-6.
[95] 吴岩．深化新时代教育评价改革 加快建设高等教育强国［J］．中国高教研究，2022（1）：7-11.
[96] 吴砥，等．教育大数据：走向标准化、智能化与价值化［J］．中国电化教育，2020（1）：1-8.
[97] 熊庆年．大学内部质量保障的文化逻辑［J］．复旦教育论坛，2016，14（4）：85-90＋108.
[98] 熊永强．应用型高校实验教学质量提升策略——基于新一轮审核评估指标的研究［J］．中国教育技术装备，2024（11）：113-115.
[99] 徐同文，陈艳．英国大学应用型人才培养机制探析及启示［J］．高等工程教育研究，2013（4）：111-115.
[100] 徐硕，侯立军．系统论视角下高校教学质量保障体系构建的举措［J］．黑龙江高教研究，2019（3）：137-140.
[101] 许祥云．高校内部本科教学质量标准：概念界定与体系构建［J］．清华大学教育研究，2018，39（3）：58-66.
[102] 杨琼．应用型本科高校教师绩效评价研究——以英国博尔顿大学为例［J］．教育发展研究，2017，37（7）：58-63.
[103] 杨秀平，张华，李亚兵．高校教学质量评价系统平台的构建与保障机制探究［J］．实验室研究与探索，2018，37（2）：231-234.
[104] 杨晶晶．新一轮审核评估视角下高校教学质量保障体系的优化［J］．大众文艺，2025（2）：210-213.
[105] 于彦华．地方高校“三层次”本科教学质量保障体系建设与实践［J］．黑龙江畜牧兽医，2017（9）：275-278.
[106] 余新．论我国高校教育资源的合理配置［J］．教育与经济，2006（2）：48-49＋53.
[107] 袁长青．全面质量管理视角下的高校质保文化建构［J］．高等工程教育研究，2024（5）：112-118.
[108] 俞可．中德比较视野下学与教的质量发展——第五届中德高等教育论坛会议综述［J］．高等教育研究，2020：107.
[109] 张大良．扎根中国大地办好设计教育［J］．中国高教研究，2020（7）：1-4.
[110] 张安富，张华．高校教育质量治理：质量保障体系设计与运行［J］．中国大学教学，2020（9）：65-71.
[111] 张安富．基于 OBE 理念的课程目标、毕业要求及培养目标达成度评价［J］．高教发展与评估，2024，40（6）：1-11.
[112] 张冰．数据驱动的高校教学质量监测模型构建［J］．中国高等教育，2025（1）：33-37.
[113] 张代治．岗课赛证一体化培养模式创新实践［J］．应用型高等教育研究，2025（1）：12-18.
[114] 张晞，张根华，钱斌，等．行业学院模式的产教融合共同体——以常熟理工学院光伏科技学院为例［J］．高等工程教育研究，2021（5）：128-133.
[115] 张建新．东盟高等教育质量保障机制探究［J］．教育进展，2011，1（1）：34-39.
[116] 张男星，张炼，王新凤，等．理解 OBE：起源、核心与实践边界——兼议专业教育的范式转变［J］．高等工程教育研究，2020（3）：109-115.
[117] 张塔洪．教育评价理论视角下应用型本科院校教学质量保障体系构建［J］．教育与职业，2019（18）：52-54.

[118] 赵春鱼，吴华．高校教学质量保障：一个新的分析框架及其检验［J］．高校教育管理，2018，12（2）：98-107.

[119] 赵炬明，高筱卉．关注学习效果：建设全校统一的教学质量保障体系——美国“以学生为中心”的本科教学改革研究之五［J］．高等工程教育研究，2019（3）：5-9.

[120] 赵倩．我国高校教育教学质量保障体系发展历程及其要素分析［J］．教育观察，2019，8（13）：51-58.

[121] 钟秉林．聚焦关键环节 全面提高本科人才培养质量［J］．中国高教研究，2018（1）：1-6.

[122] 周光礼．高校自我评估制度研究［J］．教育研究，2015（6）：68-74.

[123] 周光礼．中国高等教育质量保障体系的重构［J］．高等教育研究，2019（6）：29-37.

[124] 周海涛．地方院校质量保障中的企业参与机制缺失与对策［J］．高等工程教育研究，2025（2）：88-95.

[125] 周海涛．高等教育质量治理中的院校协作机制研究［J］．清华大学教育研究，2020（3）：95-101.

[126] 周文辉，燕平．应用型高校教学质量监控与保障体系的构建与完善［J］．职教论坛，2017（19）：45-49.

[127] 周作宇．大学内部质量管理的闭环机制设计［J］．清华大学教育研究，2025（2）：67-73.

[128] 朱建芳．“以学生为中心”的高校内部教学质量保障体系研究与实践［J］．黑龙江高教研究，2019（5）：138-141.

[129] 祖立文．质量文化：从理念到行动［J］．中国质量，2023（6）：78-83.

[130] 谢晓宇，饶从满．美国高校关于学生学习结果评估的论争［J］．高等教育研究，2019，40（7）：104-109.

[131] 程家福，等．基于 PDCA 的本科教学质量保障“一二三四五”模式探索——以安徽建筑大学为例［J］．安徽农业大学学报（社会科学版），2020（5）：123-127.

三、学位论文

[1] 韩冰．地方应用型本科高校内部教学质量保障体系研究［D］．石家庄：河北科技大学，2022：20-30.

[2] 刘念．外部性视角下教学质量影响因素研究［D］．南昌：江西农业大学，2013：45-52.

[3] 徐蕾．我国应用技术型大学质量保障研究［D］．武汉：武汉大学，2016：23-28.

[4] 杨翕喆．OBE 视域下本科人才培养质量保障体系优化研究［D］．湘潭：湘潭大学，2023：66-70.

[5] 张博．基于学生学习成效的高等学校教学质量保障体系构建研究［D］．哈尔滨：哈尔滨理工大学，2019：30-38.

[6] 张微雨．澳大利亚高等教育质量保障体系研究［D］．桂林：广西师范大学，2019：30-34.

[7] 张秋硕．高校内部教学质量评估组织的发展机制研究［D］．武汉：华中师范大学，2016：13-18.

[8] 张帅帅．基于全面质量管理理论的高校教学质量保障路径研究［D］．石家庄：河北科技大学，2021：32-65.

四、研究报告

[1] 2025 年中国区域人才适配性白皮书［R］．北京：智联招聘研究院，2025：15-18.

[2] OECD. Education 2030：the future of education and skills［R］．Paris：OECD Publishing，2018：27-39.

[3] TEQSA. TEQSA annual report 2016—2017［R］．Canberra：TEQSA，2017：89-95.

[4] 北方民族大学．本科教育教学诊断性评估整改报告［R］．银川：北方民族大学，2025：7-9.

[5] 教育部高等教育教学评估中心．全国普通高校本科教育教学质量报告（2023）［R］．北京：高等教育出版社，2024：58-61.

[6] 国家审计署．高等教育质量保障专项资金绩效审计报告［R］．北京：国家审计署，2024：26-28.

[7] 教育部高等教育教学评估中心．全国普通高校本科教育教学质量报告（2023 年度）［R］．北京：教育部，2024：45-48.

[8] 教育部教育考试院．中国高考录取报告（2025）［R］．北京：高等教育出版社，2025：77-81.

[9] 教育部高等教育教学评估中心．全国普通高校本科教育教学质量报告（2023）［R］．北京：高等教育出版社，2024：156-160.

［10］ 中国工程教育专业认证协会．中国工程教育质量报告［R］．北京：中国工程教育专业认证协会，2020：21.
［11］ 中国教育科学研究院．高等教育社会认知调查报告（2025）［R］．北京：教育科学出版社，2025：33-37.
［12］ 麦可思研究院．中国大学生就业与发展报告（2025）［R］．北京：社会科学文献出版社，2025：112-115.
［13］ 宁波产教融合研究院．产教联合体建设年度报告（2025）［R］．宁波：宁波产教融合研究院，2025：22-26.
［14］ 邵阳学院课题组．地方高校实践教学条件达标率研究［R］．邵阳：邵阳学院，2024：18-22.
［15］ 王见敏．中国区域人才发展报告（2024）［R］．北京：社会科学文献出版社，2025：112.
［16］ 粤港澳大湾区制造业人才发展联盟．粤港澳大湾区制造业人才白皮书（2025）［R］．广州：中山大学出版社，2025：33-37.
［17］ 浙江省教育厅．高校绩效考核动态调整与改革趋势白皮书［R］．杭州：浙江省教育厅，2025.
［18］ 甘孜州教育和体育局．民族地区教育数字化转型实践报告［R］．康定：甘孜州教育和体育局，2025：12-15.
［19］ 岭南师范学院．“双百行动”教育帮扶年度报告［R］．湛江：岭南师范学院，2025：7-9.
［20］ 澄江市教育体育局．区域教育质量文化生态评估报告［R］．澄江：澄江市教育体育局，2025：22-26.
［21］ 洛阳理工学院．本科教学工作审核评估自评报告［R］．洛阳：洛阳理工学院，2025：22-26.

五、政策文件、标准、公报

［1］ 安徽省财政厅．企业捐赠教育设备税收优惠管理办法（皖财税〔2025〕8号）［Z］．2025-01-12.
［2］ 广东省教育厅．本科教学工作审核评估整改通知书（粤教评〔2025〕6号）［Z］．2025-03-12.
［3］ 广东省教育厅．本科教学工作审核评估整改通知书（粤教评〔2025〕12号）［Z］．2025-06-18.
［4］ 国务院．教育强国建设规划纲要（2024—2035年）［Z］．2024：21-25.
［5］ 江苏省教育厅．应用型本科高校建设标准（试行）［Z］．2023：8-12.
［6］ 教育部．普通高等学校本科教育教学审核评估实施方案（2021—2025年）［Z］．2022：8-15.
［7］ 教育部．智能技术赋能学生五育融合评价指南［Z］．2025：12-15.
［8］ 伦敦REF委员会．英国REF评估框架2025：研究卓越框架实施指南［Z］．2025：45-48.
［9］ 教育部高等学校教学指导委员会．普通高等学校本科专业类教学质量国家标准［S］．北京：高等教育出版社，2018.
［10］ 山东省教育厅．数字化赋能教育高质量发展应用典型案例集［R］．济南：山东省教育厅，2025：45-48.
［11］ 四川省教育厅．四川省教育评价改革研究专项课题管理办法（川教评〔2024〕27号）［Z］．2024-05.
［12］ 四川省教育厅．四川省普通高等学校本科教育教学审核评估实施方案（2022—2025年）［Z］．2022-12-20.
［13］ 铜陵市教育局．铜陵市中小学教学常规管理规程（试行）［Z］．2025-06.
［14］ 咸宁职业技术学院．以数字化转型赋能高质量发展——创建全国信息化标杆学校暨数据治理专题会纪要［Z］．2025-03-27：1-3.
［15］ 浙江省教育厅．关于深化产教融合的实施意见（浙教规〔2025〕2号）［Z］．2025-03-15.
［16］ 浙江省教育厅．中高职一体化人才培养改革实施方案（浙教职〔2025〕3号）［Z］．2025-01-18.